JN062513

KENICHI OHMAE

「BBT × PRESIDENT」

Executive Seminar Library Vol.10

大前研一 編著

大前研一 AI&フィンテック大全

「BBT×プレジデント」
エグゼクティブセミナー選書 Vol.10

プレジデント社

はじめに

19世紀の産業革命や20世紀のＩＴ革命にみられるように、新しい技術の誕生がそれまでの人々のライフスタイルやビジネスモデルを一変させてきたのが人類の歴史であるといっていい。

そして今、新たな革命が起ころうとしている。それが本書で取り上げる「ＡＩ（人工知能）」と「フィンテック」による革命である。

ＩＴ革命も大きなインパクトを世の中に与えた。しかし、ＡＩとフィンテックによるインパクトは、それをはるかに上回るスケールとスピードになるのは間違いない。そして、残念なことに日本はその中で先頭グループを走っているわけではないという現実を知る必要がある。下手をすると、後進国になる可能性だってあるのだ。

本書でその現実を知っていただくとともに、今後どのようにこの動きに対応すればいいのかを考えるヒントとしていただきたい。

【パート1　AI編】

「コンピュータはAIファーストの世界に進化する」〔スンダル・ピチャイ／グーグルCEO〕

「AIはインターネットに匹敵するネクスト・ビッグ・シングだ」〔サティア・ナデラ／マイクロソフトCEO〕

日本国内だけをみているとなかなかピンとこないかもしれないが、世界のビジネスの競争軸は、iPhoneのようなモバイルから、AI（Artificial Intelligence／人工知能）にシフトチェンジしつつあるといって間違いない。そして、このAIシフトによって、従来の業界地図が今、大きく変わってきている。

いい例が自動車業界。グーグル、アップル、テスラといったAIを駆使するIT企業の参入により、GMやフォードが築いてきた牙城があっという間に崩されてしまった。

今後、さまざまな業界で同様のことが起こるだろう。そして、このAIシフトに取り残された企業は、「AI産業の小作人」にならざるを得ない。そうなりたくないのであれば、「自分たちはどの領域で戦うか」を明確にし、AIシフトを加速するよりほかないのである。本書では、そのための考え方や方法論を詳細に説明していくので、ぜひそれを参考にしてほしい。

また、これまで人間が行っていた多くの仕事も、AIが代替するようになるだろう。しかも、その範囲は単純労働だけではなく、クリエイティブな領域も対象となる。つまり、これからはあらゆる分野で、AIに仕事を奪われる人々が続出するということだ。

しかしながら、すべてのことがＡＩに置き換えられるわけではない。ＡＩにも得意、不得意はある。さらにいえば、ＡＩを活用することで新たに生まれる職業やサービスもあるのだ。要するに、ＡＩの特性をよく理解して、人の得意な分野とＡＩを使い分ければいいのである。

そのあたりの勘所は、ぜひ本書に登場している企業の事例を参考にしてほしい。

ＡＩは使いこなせなければ脅威だが、うまく利用できればこれ以上ない強力な武器になる。ぜひ本書を活用して、その武器を手に入れていただきたい。

【パート2　フィンテック編】

「フィンテック（FinTech）」とは、「金融（Finance）」と「技術（Technology）」を組み合わせた造語である。

多くの人は「フィンテック」というと、インターネットやスマートフォンで銀行口座にアクセスしたり、コンビニエンスストアの支払いを電子マネーで済ませたりすることをイメージするかもしれない。もちろんこれもフィンテックであるが、現在では、従来の金融サービスがスマートフォンなどでもできるようになったというレベルをはるかに超え、ビッグデータやＩＴ技術を用いて新たな金融サービスや金融商品を生み出す段階まできている。

また、フィンテックが広まったことで、これまで金融サービスを受けられなかった人も、その恩恵を受けられるようになったり、キャッシュレス化の進展によって人々のライフスタイル自体が変化したりといった現象が、世界のそこここでみられるようになった。

フィンテックによってこれから社会は確実に変わっていく。銀行の存在意義は薄れ、やがて消え去っていくだろう。国家がつくり出し中央銀行が管理している通貨も、要らなくなるかもしれない。

本書では、フィンテックの解説のみならず、海外の実情や、企業経営に与える影響などにも言及していく。

とくに、経営者はフィンテックの本質を理解した上で、プラットフォームを利用するのか、それとも自らがプラットフォーマーになるのかを決めなければならない。それには、本書に登場するフィンテック企業の事例が参考になるはずだ。

フィンテックは、もはや誰も避けては通れない。知らない、わからないでは不利益を被るだけだ。そうならないよう、ぜひフィンテックの基礎を身につけてほしい。

二〇二〇年三月

大前研一

目次

第二章 Watsonの「AIビジネスモデル」 吉崎敏文 59

第三章　トヨタのＡＩ戦略　岡島博司

第四章　DMMが考えるAIへの向き合い方　亀山敬司

第二章　マネーフォワードが変革するお金との関係　辻庸介……171

第三章　ウェルスナビが提供する資産運用のAI化　柴山和久

第五章 ビッグデータとAIがもたらすフィンテックへの影響 森正弥

図版制作　室井浩明（STUDIO EYES）

パート1
AI編

第一章　**大前研一**
（株式会社ビジネス・ブレークスルー 代表取締役会長、
ビジネス・ブレークスルー大学 学長）

第二章　**吉崎敏文**
（日本アイ・ビー・エム株式会社 執行役員 ワトソン事業部長　※2017年当時）

第三章　**岡島博司**
（トヨタ自動車株式会社 先進技術統括部 主査 担当部長）

第四章　**亀山敬司**
（合同会社DMM.com 会長）

第一章

AIインパクト

大前研一

人とＡＩが共存する時代

コンピュータの進化により計算能力が飛躍的に向上したことで、かつてのブームとは比較にならないほど、ＡＩ（Artificial Intelligence／人工知能）への注目度が近年再び高まりつつある。

ここ数年は「モバイル」が競争の軸となっていたが、今はそれが「ＡＩ」に大きくシフトしている。

この流れは国境や産業を越えて加速していて、多くの分野でＡＩが既存の勢力図を塗り替えつつある。なかでも現在注目を集めているのが、アメリカのビッグ5（アップル、グーグル、アマゾン、フェイスブック、マイクロソフト）と中国の「ＢＡＴ」と呼ばれる百度（Baidu バイドゥ）、阿里巴巴（Alibaba アリババ）、騰訊（Tencent テンセント）だ。ここにきて中国が急激に台頭してきた理由は、多くの企業が基礎研究に力を入れていることに加え、データベースの利用に関する自国内の規制が緩く、ＡＩ開発のために必要なデータ収集に苦労しないという環境のおかげだ。

たとえば、私の知人が経営する中国のシステム・インテグレーション会社は、なんと全国民の半分の健康保険データをもっている。民間企業がそんなことをすれば、日本の場合、社会問題になるが、中国ではお咎（とが）めはいっさいない。したがって、彼の会社はそれを使って富裕層の健康状態を解析し、問題のある人を富裕層向けの療養施設に案内し、商売にしているのである。

今日「ＡＩが人間から仕事を奪う」ということが問題視されているが、逆に「ＡＩを活用することにより、新たに創出される職業やサービスもある」という点にも目を向けるべきだ。ＡＩは決して万能ではなく、不得意な分野もある。これを理解した上で、「人とＡＩがいかにして共存していくか」について考えることが、今後は重要になってくるだろう。

しかし、日本の現状をみると、世界中で同時進行している「ＡＩシフト」に取り残され、「ＡＩ産業の小作人」になりつつあることは否めない。実際、多くの日本企業がデジタル・ディスラプション（デジタル・テクノロジーによる破壊的イノベーション）の脅威にさらされているといっていい。恐れるだけでなく、どの分野なら戦えるのかを検討し、ＡＩシフトを加速しなければ、手遅れになる。

第三次AIブームとシンギュラリティ（技術的特異点）

歴史を振り返ると、これまでもＡＩに注目が集まったときが何度かあった（次ページ図1）。

一九五六年に米ダートマス大学で、初めて「人工知能」という概念が生まれると、一九六〇年代には汎用コンピュータが開発されるようになり、第一次ＡＩブームが起こった。「推論や探索で特定の問題を解く」というのが、この時代におけるコンピュータの特徴だったが、「結局、

図1

AIブームの変遷

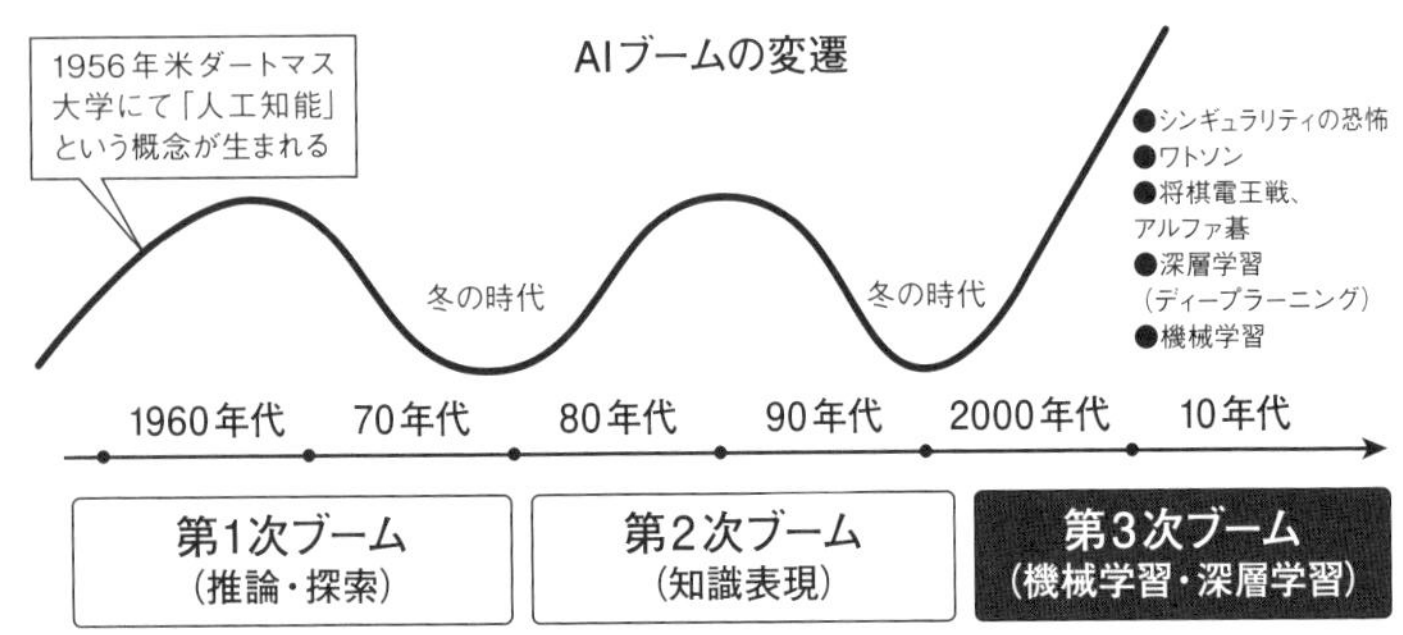
AIブームの変遷
1956年米ダートマス大学にて「人工知能」という概念が生まれる
冬の時代
冬の時代
●シンギュラリティの恐怖
●ワトソン
●将棋電王戦、アルファ碁
●深層学習（ディープラーニング）
●機械学習
1960年代
70年代
80年代
90年代
2000年代
10年代
第1次ブーム（推論・探索）
第2次ブーム（知識表現）
第3次ブーム（機械学習・深層学習）
汎用コンピュータが開発され、推論・探索をすることで、特定の問題を解く研究が進んだ
コンピュータに「知識（＝データ）」を入れると賢くなるというアプローチのエキスパートシステムが実用化
インターネット+Big Data+機械学習の爆発的な発展により、これまで成し遂げられなかった深層学習が商用化

資料：『人工知能は人間を超えるか』松尾 豊 ©BBT大学総合研究所

人間の能力を超えられない」ということがわかると、ブームは一気に収束した。

一九八〇年代になると、「コンピュータにデータ＝知識を入れると賢くなる」というアプローチのエキスパートシステムが実用化し、第二次ブームが起こるが、これも大きな波とはならなかった。

二〇〇〇年代に入ると、インターネット、ビッグデータ、機械学習が急激に発展したことで、「コンピュータが勝手に勉強していく」というディープラーニング（深層学習）が商用化するという、第三次ブームが到来。このブームは、現在も継続中だ。

そして、二〇四五年には、「コンピュータの能力が人間の脳を超えるシンギュラリティ（技術的特異点）がくる」といわれている。

図2

拡大する世界のAI市場規模とAIベンチャーの資金調達額

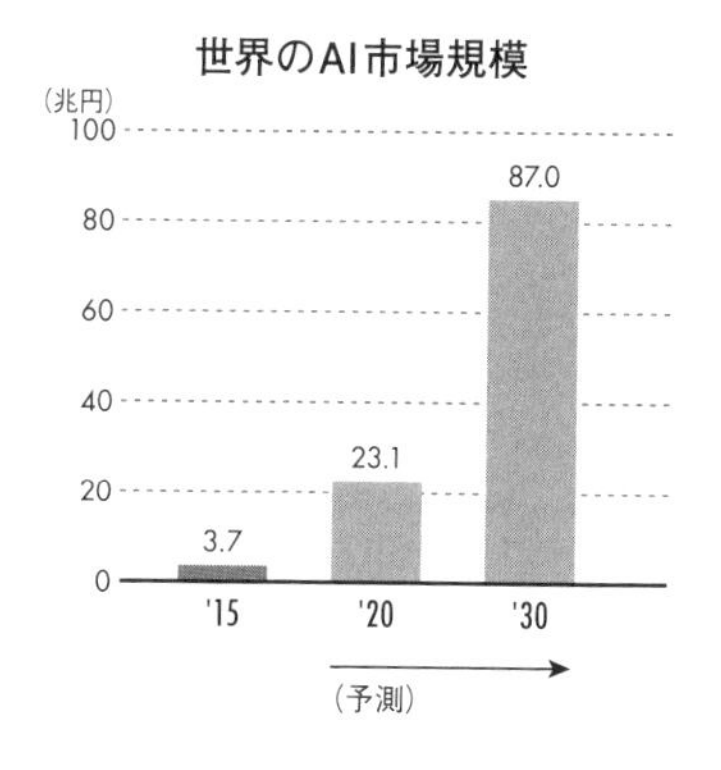

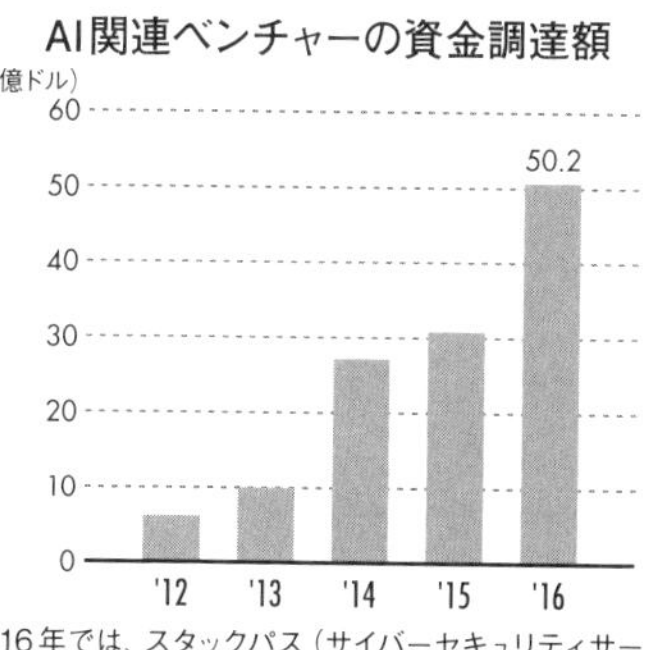

16年では、スタックパス（サイバーセキュリティサービス）は1億8,000万ドル、ザイマージェン（合成生物技術の自動化サービス）が1億3,000万ドルを調達するなど「メガラウンド」が増加

（資料左）資料:EY Institute、日本経済新聞 2017/1/28、より作成 ©BBT大学総合研究所（資料右）©BBT大学総合研究所

世界のＡＩ市場規模をみると、二〇一五年は三・七兆円だが、これが二〇二〇年になると二三・一兆円、さらに二〇三〇年には八七兆円まで拡大すると予想されている（図2左）。ＡＩ関連ベンチャーの資金調達額も、二〇一六年は五〇・二億ドル（図2右）となっていて、今後は一社で一〇〇億ドルを超える投資を集めるスタートアップも出てくるだろう。

モバイルからAIの時代へシフト

現在のＡＩ以前には、ＰＣソフトウェア、インターネット、モバイルがそれぞれ競争軸となっていた（次ページ図3左）。モバイル時代には、ＮＴＴドコモのｉモードのように、日本企業が先頭を走っていた。ところ

図3

業界や国境を越えて加速する「モバイル」から「AI」へのシフト

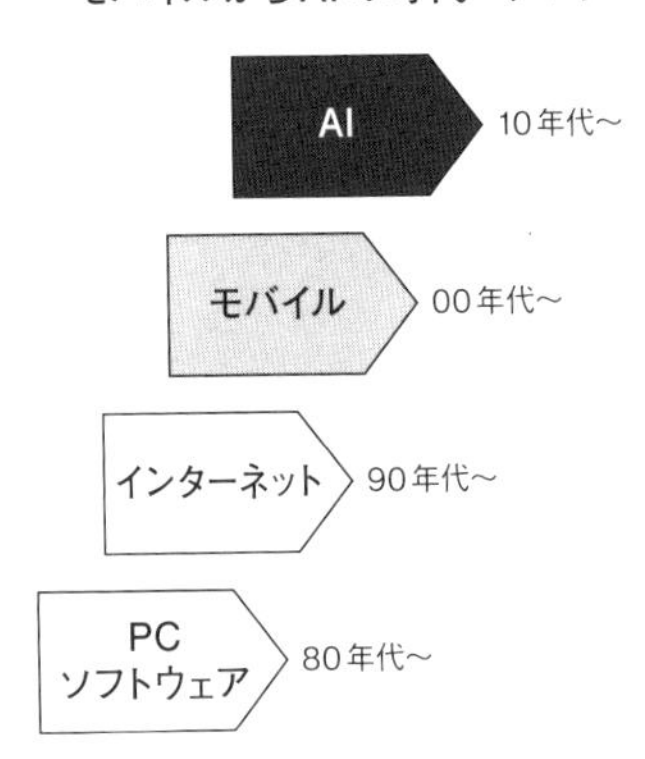

大手IT企業トップのAIに関するコメント

- 最終的に見れば、コンピュータはモバイルファーストからAIファーストの世界に進化する
（グーグル／スンダル・ピチャイCEO）
- AIはパソコンや携帯電話、インターネットに匹敵する「ネクスト・ビッグ・シング」だ
（マイクロソフト／サティア・ナデラCEO）
- AIは始まったばかり、我々はAIの黄金期の端緒にいる
（アマゾン／ジェフ・ベゾスCEO）
- AIの進化が人々を救うと信じている
（フェイスブック／マーク・ザッカーバーグCEO）
- AIは百度のイノベーションの変わりないコアであり続けるだろう
（百度／ロビン・リーCEO）
- AIが人間を幸せにするか否かは人間の努力次第
（アリババ／ジャック・マー会長）

資料：各種資料より作成 ©BBT大学総合研究所

が、その後アップルがiPhoneを世に出すと、たちまち日本は置いていかれてしまう。

AIに関して、大手IT企業のトップは図3右のようにコメントし、いずれもAIが世界において非常に重要なインパクトを与えていると予測している。

AIが企業経営に与えるインパクトは、次の三つにまとめることができる（次ページ図4）。

1. 産業秩序が激変

AIを武器にした新勢力が急激に台頭してくる一方で、対応できない既存企業は確実に衰退していく。このとき、過去の売上規模や従来の序列などはまったく意味をなさないだろう。いい例が自動車業界。次世

図4

AIが企業経営に与えるインパクト

AIが企業経営に与えるインパクト

1. 産業秩序が激変
- AIを武器に新勢力が台頭し、対応できない既存勢力は没落する
- 売上規模など従来の序列は関係ない
- 自動運転の頭脳はAI
- 変われないメーカーはIT企業の軍門に下る

2. 機械と人間の逆転
- 判断能力をもつようになったAIが、人間の仕事を奪い取っていく
- 安いコストで無限に働くAIが、金融や医療分野で高給取りの専門家を“クビ”にし始めた

3. 独自性の再定義
- AIの進化は止められない
- 各社が独自に磨いてきた人間に依存する作業を再定義することが、AIと上手くつきあうカギ
- 製造業や流通の最前線にAI活用のヒントがある

乗り遅れると・・

変わらなければAI産業の小作人になるだけ

資料：日経ビジネス2017/5/22 ©BBT大学総合研究所

代の技術である自動運転でリードしているのは、これまで自動車業界とは無縁だったグーグルのウェイモやテスラのようなＩＴ企業である。ＧＭ（ゼネラルモーターズ）やフォードといったこれまで業界の上位にいた企業も、ＡＩに対応できなければＧＡＦＡなどに買収され、その傘下で製造だけを請け負うということにもなりかねない。

2. 機械と人間の逆転

判断能力をもつＡＩの出現により、現在人間が行っている定型業務は軒並みコンピュータに置き換わる。とくに、間接業務の機械化にほとんど手をつけてこなかった日本企業には、これから大きな影響が出るはずだ。

一九八五年のプラザ合意で為替が極端な

円高に振れ、これまでのように輸出で稼ぐことができなくなった日本企業は、こぞって生産の場をアジアやアメリカに移し、同時に機械化を進めてコスト削減を図った。ところが、ホワイトカラーの削減には手をつけなかったため、非効率な仕事の仕方しかできない正社員が国内に残ってしまったのである。

しかも、日本のホワイトカラーの仕事はSOP（Standard Operating Procedure／標準作業手続き）がはっきりしている欧米と違い、非常に属人的かつ定型業務と非定型業務が交ざっている。霜降り肉のように仕事が上司からばらばらの状態で振られるため、専門的なスキルが身につかず、三〇〜四〇代になってもマネジメントができない人が、どこの会社にもたくさんいる。

本来であれば、そういう人たちは、AIにより真っ先に駆逐されてしかるべきだが、日本は雇用硬直性が世界一強く、そう簡単に辞めさせることができない。他国に比べ日本のAIの導入が遅れている理由には、こういった面もあるのである。

3. 独自性の再定義

好むと好まざるとにかかわらず、AIの進化を止めることはできない。そのため、それぞれの会社が独自に磨いてきた、人間に依存する仕事を再定義することが必要なのだ。それをやらないとAIと上手くつきあうことはできない。AIの使い方のヒントを探すのであれば、製造業や流通業の最前線に注目するといいだろう。

図5

AIの定義

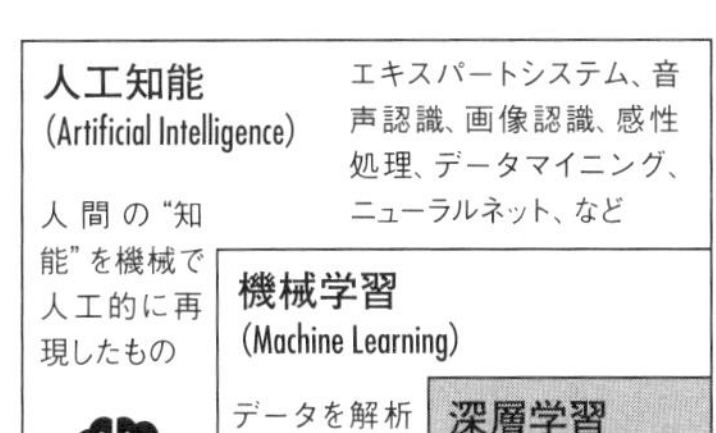

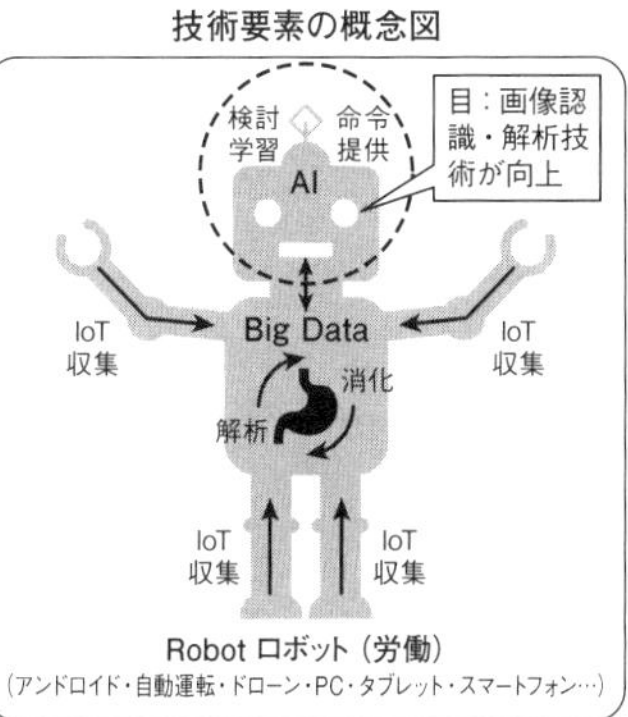

資料:『決定版AI 人工知能』(樋口晋也、城塚音也著)、日立システムズ、より作成 ©BBT大学総合研究所

経営者の中にはＡＩを脅威とみなし、遠ざけようとしている人も少なくないが、自ら変わることができなければ、もはやＡＩ産業の「小作人」になるしかないのである。

ＡＩが得意な領域と苦手な領域

ＡＩを定義すれば、「人間の〝知能〟を機械で人工的に再現したもの」ということになる（図5）。具体的には、エキスパートシステム、音声認識、画像認識、感性処理、データマイニング、ニューラルネットなどである。

一九八〇年代に登場したマシンラーニング（機械学習）は、機械がデータを解析し、その結果から判断や予測を行うための規則性やルールを見つけ出す手法。

図6

主な画像認識・解析の研究・実装例

プリフォード・
ネットワークスの
自動車用画像認識
デモ画像

マイクロソフトの顔認識
（左右同一人物と推定）

泥道で
オートバイに乗る人
グーグルの画像から
キャプション生成
フリスビーで遊ぶ
若者の集団

資料:各種HP、日経エレクトロニクスほか各種記事より作成 ©BBT大学総合研究所

さらに、最近注目されているのがディープラーニング（深層学習）。こちらは、人間が教えなくてもAIが自ら分析や認識の基準を見つけ出してしまうのである。

ディープラーニングにより画像認識精度が向上したため、AIは爆発的な進化を遂げた。その恩恵を最も享受しているのが車の自動運転であろう（図6）。この分野でカギを握っているのがアメリカのNVIDIA（エヌビディア）とイスラエルのモービルアイ、そして、日本のプリファード・ネットワークスだ。

マイクロソフトもAIを使った画像認識には力を入れている。監視カメラに導入すると、変装したテロリストもかなりの確率で識別できるというので、これが実用レベルに達するようになると、セコムやアルソ

図7

各産業におけるAIによるインプット／アウトプット

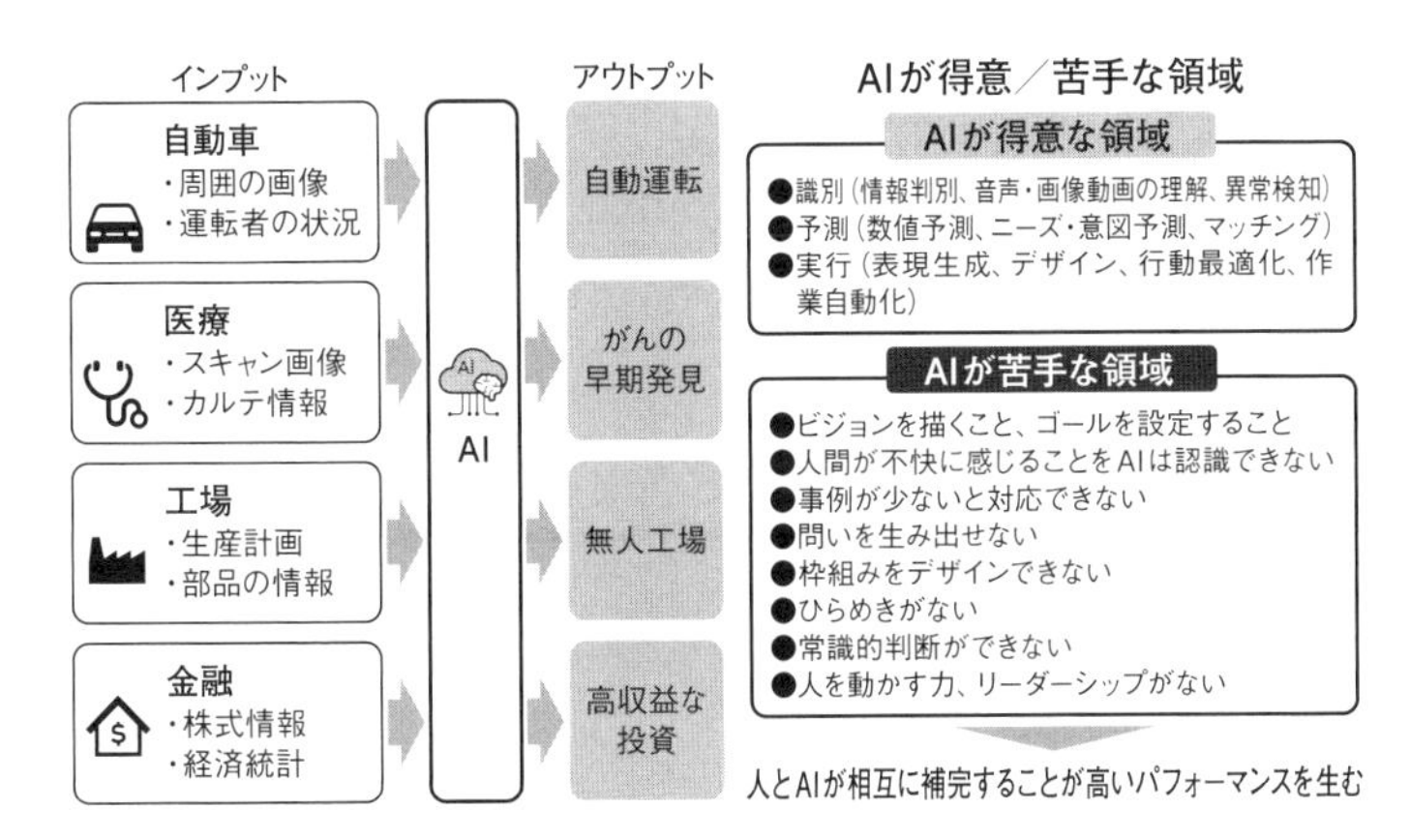

資料:日経ビジネス 2017/5/22、ほかより作成 ©BBT大学総合研究所

ックのような、異常が起きてから警備員が駆け付けるようなシステムは無用になるはずだ。

また、グーグルは、ＡＩが画像を認識して自動的にキャプションを付けるサービスをすでに始めている。

「情報をインプットすると、ＡＩが考えてアウトプットを行う」という構造は、どの産業にも当てはまる（**図7左**）。自動車なら、インプットは走行中の周囲の画像や運転手の状況などであり、アウトプットは自動運転だ。医療では、体のスキャン画像やカルテの情報などをインプットし、それががんの早期発見というアウトプットとなっている。工場であれば、生産計画や部品の情報などをインプットし、無人工場というアウトプットを生み出している。

金融もＡＩと相性がいい。とくに注目されているのが投資に関するアドバイスだ。株式情報や経済統計をインプットすると、「ロボアドバイザー」というＡＩがそれらのデータを解析して、高収益というアウトプットをもたらしてくれるのである。

それから、ＡＩには得意な領域と苦手な領域があることも理解しておくべきだ（前ページ図7右）。

ＡＩが得意なのは次の三つである。

①識別（情報判別、音声・画像動画の理解、異常検知）
②予測（数値予測、ニーズ・意図予測、マッチング）
③実行（表現生成、デザイン、行動最適化、作業自動化）

反対にＡＩが苦手なのは、ビジョンを描いたりゴールを設定したりすること、人間が不快に感じることを察知すること、事例が少ない場合の対応、問いを立てること、枠組みをデザインすること、ひらめき、常識的な判断、リーダーシップ、などだ。

このようなことを理解し、人とＡＩがそれぞれの弱点を補い合うことで、結果として高いパフォーマンスを生むことができるのである。

ＡＩは、短期的には医療や金融で優先的に活用が進み、中長期的には自動運転走行や、スマ

図8

人工知能の活用領域

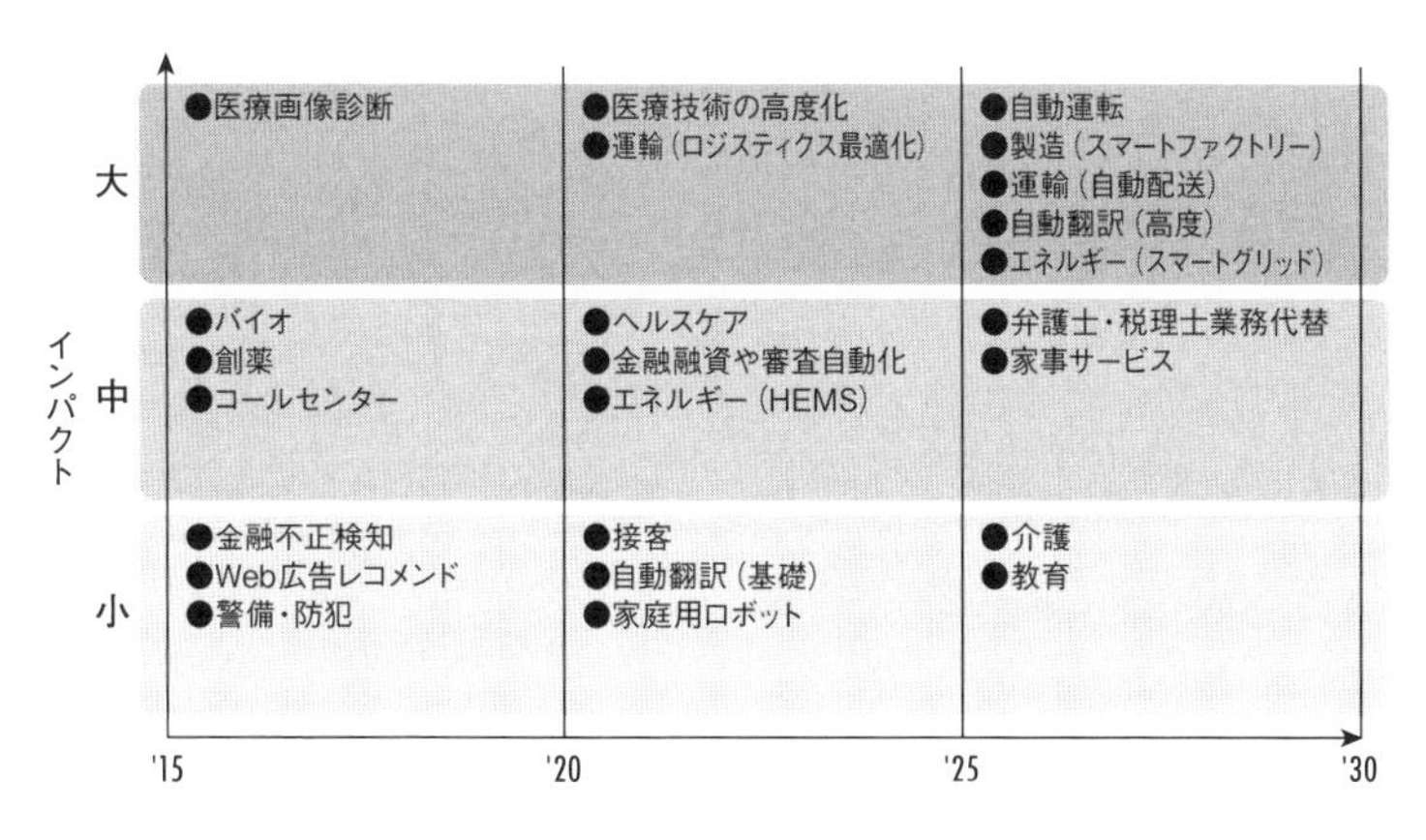

資料：「人工知能(AI)活用の中長期予測」矢野経済研究所 ©BBT大学総合研究所

ートファクトリー、自動配送、自動翻訳、スマートグリッドなど、さまざまな産業に大きなインパクトを与え、産業構造に変化をもたらすことが予想される（図8）。

GAFA、マイクロソフト、IBMのAI活用例

世界の時価総額トップ10企業を二〇〇七年と二〇一七年で比較すると、いちばんの大きな違いは、IT企業が躍進したことだ（次ページ図9）。〇七年はマイクロソフト一社のみ、それが一〇年後の一七年になると、一〇社のうち七社をIT企業が占めている。しかも、そのうち五社がアメリカ企業で、二社が中国企業と、ITに関してはこの二国が完全に抜け出ていることがよくわかる。

図9

世界の時価総額トップ企業の変遷(2007−2017年)

順位	2007年5月末	10億ドル
1	エクソンモービル(米)	468.5
2	GE(米)	386.6
3	マイクロソフト(米)	293.6
4	シティグループ(米)	269.5
5	ペトロチャイナ(中)	261.8
6	AT&T(米)	254.8
7	ロイヤル・ダッチ・シェル(英蘭)	240.8
8	バンク・オブ・アメリカ(米)	225.0
9	中国工商銀行(中)	223.3
10	トヨタ(日)	216.3

<参考>国内上位3社
1. トヨタ 216.3
2. 三菱UFJ 127.9
3. みずほFG 84.1

順位	2017年10月末	10億ドル
1	アップル(米)	873.1
2	アルファベット(米)	712.0
3	マイクロソフト(米)	641.7
4	アマゾン(米)	532.6
5	フェイスブック(米)	522.9
6	アリババ(中)	467.7
7	バークシャー・ハサウェイ(米)	461.2
8	テンセント(中)	421.6
9	ジョンソン&ジョンソン(米)	374.2
10	エクソンモービル(米)	354.0

<参考>国内上位3社
1. トヨタ 184.4
2. NTT 102.3
3. ソフトバンク 98.5

IT企業

資料:日本経済新聞 2017/6/2、より作成 ©BBT大学総合研究所

ちなみに、〇七年も中国企業は二社ランクインしているが、このときのペトロチャイナと中国工商銀行はいずれも国策企業である。一方、一七年のアリババとテンセントは、それぞれジャック・マーとポニー・マーという民間の実業家が創業した企業だ。

日本勢はといえば、〇七年では第一〇位にトヨタが入っているが、一七年には一社も見当たらない。一七年のトヨタの時価総額一八四四億ドルはトップ10第一〇位のエクソンモービルの三五四〇億ドルの半分だ。

グーグルは、人間の話す言葉でスマートフォンや家電を操作できる会話型人工知能「グーグルアシスタント」の普及を目指している(図10)。これが搭載されているのは、ジュースミキサー、アンドロイドスマートフォン、グーグルホーム(AIスピーカー)、

図10

グーグルのAIへの取り組みと狙い

グーグルのAIへの取り組みと狙い

会話型AI「グーグルアシスタント」の仕様（SKD）を外部に公開し、あらゆる機器への搭載を目指す

グーグルのAIをめぐる動向

ディープマインド社を14年に買収
囲碁AI（AlphaGo）

カーグル社を17年に買収
世界最大のデータサイエンティストのコミュニティ

「Auto Machine Learning」
AIが自動的にAIを生成する技術を開発中。プログラミング言語をまったく知らなくても作りたいプログラムを自動的に生成することが可能に

AIスタートアップ育成専門のVCを立ち上げるとの報道

ジェフリー・ヒントン氏
ートロント大学教授
ー深層学習研究の第一人者
ー13年3月にグーグルに参画

資料:グーグルHP、週刊東洋経済ほか各種記事より ©BBT大学総合研究所

自動車、テレビなど。とくに自動車は、ストリートビューをつくるために世界中に自動運転車を走らせたが、事故は一度しか起こしていない。

グーグルは一四年に、人間のチャンピオンに勝利したことで有名な「アルファ碁（AlphaGo）」をつくったディープマインド社を買収している。

さらに、一七年には、世界最大のデータサイエンティストのコミュニティであるカーグル社も買収した。

このほかにも、グーグルのAIに関する取り組みとしては、オート・マシン・ラーニングがある。AIが自動的にAIを生成する技術を開発しているのである。

最近、グーグルはAIスタートアップ育成専門のベンチャーキャピタル事業を立ち

図11

マイクロソフトのAIに関する取り組み

Cortana
- 音声型パーソナル・デジタル・アシスタント
- Android、iOS用アプリリリース済み
- Cortanaに対応したアプリ開発も可能

Skype翻訳
- インスタント・メッセージ対応言語 50以上の言語をサポート
- 9カ国語で通話対応が可能

Microsoft Translator
- スマホ・タブレットアプリ 音声、テキストの翻訳
- 企業向けAPI APIを用いて、企業向け用途にカスタマイズして使用できる

女子高生AI「りんな」
- データに基づいて女子高生のような返事をしてくる会話エンジンが搭載されたLINEアプリ
- WEGOは、「りんな」を活用したファッションアドバイスサービスを開始

マイクロソフトのAIサービス
- クラウドサービス「Microsoft Azure」でAIサービスを提供
- クラウドで機械学習・分析の仕組みを提供する

Microsoft AI and Research Group
- 5,000人以上のAI専門チーム
- AIを誰にでもアクセスしやすく価値あるものにし、社会の困難な課題の解決につなげることに注力するために設立

資料:マイクロソフトHPほか、各種記事文献より作成 ©BBT大学総合研究所

上げた。

深層学習研究の第一人者であるトロント大学のジェフリー・ヒントン教授も、一三年からグーグルで働いている。

マイクロソフトは、モバイルでの出遅れをAIで取り返すべく、「人工知能の民主化」を基軸としたAIサービスの開発を進めている（図11）。

具体的な取り組みの例としては、音声型パーソナル・デジタル・アシスタントの「コルタナ」。「スカイプ翻訳」。「マイクロソフトトランスレーター」。データに基づいて女子高生のような返事をしてくれる会話エンジンが搭載されたLINEアプリ「りんな」。クラウドでAIサービスを提供する「マイクロソフト・アジュール」などがある。

図12

アマゾンのAIに関する取り組み

アマゾンの音声アシスタントAI

音声認識エンジン「Alexa」と各家電とが連携
例）音声による購買

＋

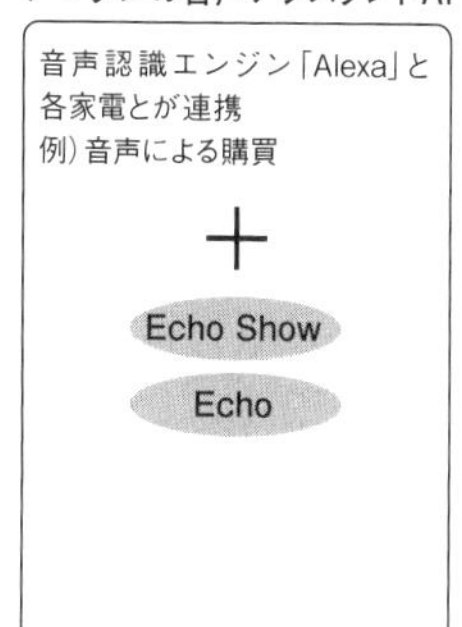

アマゾンのAI関連サービス

クラウドAIサービス
Amazon AI
（Amazon Web Services）

Amazon GO
- 2016年末にレジ不要のスーパーを社員限定版として開店
- 各種センサー、深層学習などの先端技術を駆使して実現

アマゾンの物流ロボット/サービス

物流搬送ロボット
Amazon Robotics
ドローン配送
Prime Air
- 優れた技術や企業が見つかれば買収、自社のサービスを強化する
- 自動走行ロボットのメーカーKiva Systemsを2012年に7億7500万ドルで買収

Amazon Key
スマートロックとAmazon Cloud CamというAlexa搭載デバイスによって配送物を家の中まで安全に届けるサービス

資料:Amazon.com、ほか ©BBT大学総合研究所

また、ハリー・シャムが率いる「マイクロソフト・ＡＩ・アンド・リサーチ・グループ」は、ＡＩを誰にでもアクセスしやすくし、社会課題の解決に役立てることを目的に設立された、五〇〇〇人以上から成るＡＩ専門チームだ。

アマゾンは、Ｅｃｈｏ（ハードウェア）とＡｌｅｘａ（ソフトウェア）で、スマートホームのハブを狙っている（図12）。また、クラウドＡＩサービスや、ＡＩと各種センサー及び深層学習などの先端技術を駆使して実現した、レジ不要のスーパー「アマゾン・ゴー」などのＡＩ関連サービスを提供し、さらにロボットで物流機能を強化している。

アップルやフェイスブックもＡＩを取り込んだ製品を開発したり、ＡＩ関連の研究

図13

アップル、フェイスブックのAIに関する取り組み

アップルの音声対話AI

Siri
- iOSやmacOS向けAI秘書ソフト
- 音声認識、自然言語処理を用いて、質問に答える

HomePod（スマートスピーカー）
- 音声AIアシスタント「Siri」を搭載
- Apple Musicと連動しておすすめの音楽の案内、メッセージ送信、ニュースチェック、家電管理などができる
- 他社のAIスピーカーと比べて高音質

フェイスブックのAI関連の取り組み

人工知能研究所の設立
- シリコンバレー、NY、パリに研究所を設置
- NY大のヤン・ルカン氏をトップとして招聘
- 人工知能研究プログラム（Facebook AI Research）
- 機械学習応用部門ALM（Applying Machine Learning）

撮った写真・動画を、リアルタイムでアート風に加工する技術を研究

画像認識技術を用いたサービスを研究
- スマホのカメラで写した料理のカロリーを画面上に表示
- 気に入った商品をスマートフォンで写すことで商品名と価格、「今すぐ購入する」ボタンを表示する

資料:アップルHP、フェイスブックHPほか、各種記事文献より作成 ©BBT大学総合研究所

所を設立したりしているが、グーグル、マイクロソフト、アマゾンの三社に比べると、やや後れをとっている（図13）。

アップルのＡＩ製品には、自然言語処理を用いて質問に答える「Ｓｉｒｉ」、そのＳｉｒｉを搭載し、アップルミュージックと連動しておすすめの音楽案内やメッセージ送信、ニュースチェック、家電管理などができるスマートスピーカーの「ＨｏｍｅＰｏｄ」などがある。

フェイスブックは、ニューヨーク大学からヤン・ルカンを迎え、シリコンバレー、ニューヨーク、パリに人工知能研究所を設置している。

ＩＢＭの開発した「Ｗａｔｓｏｎ」は、自然言語処理と機械学習を使用して、大量の非構造化データから洞察を明らかにする

図14

IBM Watsonの活用分野

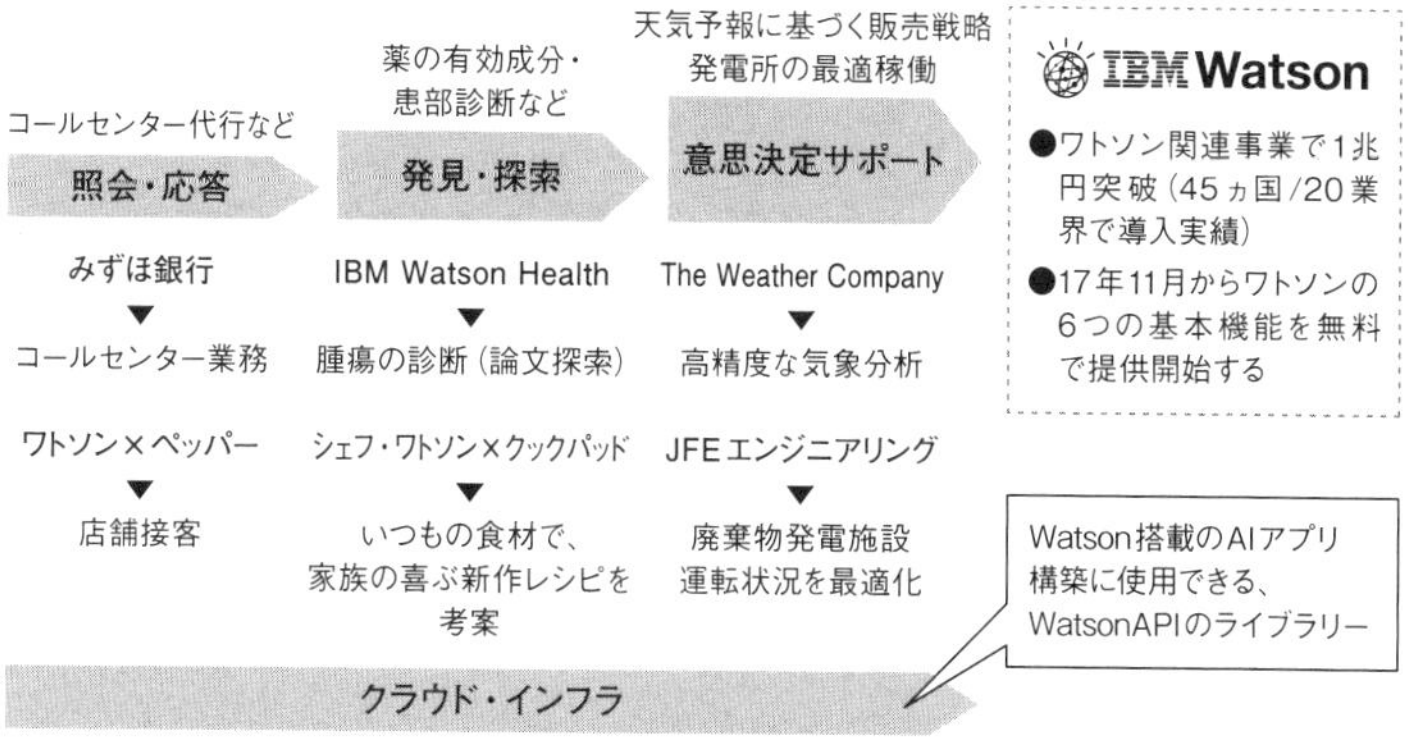

照会・応答	発見・探索	意思決定サポート
コールセンター代行など	薬の有効成分・患部診断など	天気予報に基づく販売戦略 発電所の最適稼働
みずほ銀行 ▼ コールセンター業務	IBM Watson Health ▼ 腫瘍の診断（論文探索）	The Weather Company ▼ 高精度な気象分析
ワトソン×ペッパー ▼ 店舗接客	シェフ・ワトソン×クックパッド ▼ いつもの食材で、家族の喜ぶ新作レシピを考案	JFEエンジニアリング ▼ 廃棄物発電施設運転状況を最適化

クラウド・インフラ

Watson搭載のAIアプリ構築に使用できる、WatsonAPIのライブラリー

IBM Watson

●ワトソン関連事業で1兆円突破（45ヵ国/20業界で導入実績）
●17年11月からワトソンの6つの基本機能を無料で提供開始する

資料:IBM社HPほか各種記事を基に作成 ©BBT大学総合研究所

テクノロジー・プラットフォームだ（図14）。「Watson」が提供する言語・音声・分析サービスを使うことで、ユーザーは自社の製品やサービスにAIを導入することが可能になる。

自動運転に用いられるAI半導体の現状

自動運転に用いられるAI半導体は、今世界の注目が集まっているAI分野のひとつだ。半導体メーカーどうしの合従連衡や、半導体メーカーと自動車会社との提携も急激に進んでいる（次ページ図15）。

NVIDIAは、自動運転に欠かせない画像処理AI半導体（GPU）において、圧倒的な存在感を示している。主な提携先

図15

車載用AI半導体をめぐる半導体メーカーの主な動き

NVIDIA

●自動運転に欠かせない画像処理AI半導体（GPU*）で圧倒的存在感

提携
トヨタ　フォード
アウディ　ボッシュ
ダイムラー　フォルクス
テスラ　ワーゲン

*GPU（Graphics Processing Unit）
＝画像処理装置、深層学習用のAIチップの標準

intel

●モバイルでの出遅れを、AIチップで巻き返すべく、AIチップメーカーを買収
●「FPGA**+CPU」の専用AIチップを開発し車載用半導体にも力を入れる

提携　BMW

AI関連で巨額買収
アルテラ（AIチップ、FPGA）
ナバーナ（深層学習）
モービルアイ（運転支援、衝突防止システム）
提携：GM、日産、VW

QUALCOMM

●車載用半導体でトップシェアのNXPセミコンダクターズ（オランダ）を買収し、車載半導体市場に参入

買収　NXPセミコンダクターズ

●欧州を中心に世界中の自動車メーカーと取引

**FPGA
（field−programmable gate array）
＝後からでも書き換え可能な回路
GPUよりも省電力で処理が可能

資料:日経ビジネス 2017/5/22 ©BBT大学総合研究所

の自動車会社は、トヨタ、アウディ、ダイムラー、テスラ、フォード、ボッシュ、フォルクスワーゲン。

インテルはモバイルでは出遅れたが、それを取り戻そうとアルテラ（AIチップ）、ナバーナ（深層学習）、モービルアイ（運転支援、衝突防止システム）といったAI関連企業の巨額買収を精力的に行っている。提携している自動車会社はBMW。また、買収したモービルアイが、GM、日産、フォルクスワーゲンと提携している。

クアルコムも、車載用半導体でトップシェアを誇る、オランダのNXPセミコンダクターズを買収して、車載半導体市場に参入してきたが、自動車会社の大勢はすでにNVIDIA陣営とインテル陣営に二分されてしまっている状態なので、かなり厳し

い戦いを余儀なくされるだろう。

ＮＶＩＤＩＡのアジア太平洋地域販売マーケティング担当バイスプレジデントのレイモンド・テ氏は、二〇一七年七月のインタビューで、ＡＩ業界と自社に関して、次のように発言している。

・ＮＶＩＤＩＡはＡＩ市場をリードしている。
・グーグル、アップル、アマゾン、人工知能を研究する学者や、ＡＩ導入を検討している政府、デジタルヘルスケアプロバイダなど、さまざまな企業や機関とＮＶＩＤＩＡは協力関係を築いている。
・ＡＩブームの盛り上がりは欧米よりも、むしろアジア太平洋地域のほうが大きい。
・先端技術分野は、以前は北米地域の開発状況をアジア諸国が追随していたが、現在はアジア太平洋地域の技術動向や関連論文を、北米地域が関心をもって見守っている。
・ＮＶＩＤＩＡの売上に占める日本、中国を含むアジア太平洋地域の割合はかつて二〇％にすぎなかったが、最近では五〇％を超えている。
・ＡＩはアジア勢が牽引し、自動走行車やホームオートメーションの分野を中心に発展すると予想される。
・これらの背景を考慮すると、今後はＧＰＵ（Graphics Processing Unit／画像処理装置）の需要

図16

中国政府が推進するAI発展プロジェクトと主な中国AI企業の取り組み

中国政府が推進するAI発展プロジェクト

2017年7月にAI発展プロジェクトを国家級戦略に格上げ。AI産業を今後10年間にわたり中国経済を牽引するであろう“核心エンジン”に指定。各地域のAIスタートアップに各種優遇政策、および財政的なインセンティブを提供

第1段階：
2020年までに1500億元（約2兆5000億円）規模のAI基幹産業と、1兆元（約16兆4000億円）規模のAI関連分野の実現を目指す

第2段階：
2025年までに業界の法的根拠を確立させる

第3段階：
2030年までに、AI理論、テクノロジ、およびアプリケーションで世界的なリーダーになり、AI技術革新の世界的な中心地となる。AIの基幹産業は1兆元（約16兆4000億円）、AI関連業界は10兆元（約164兆円）の規模に達する

主な中国AI企業の研究・投資状況

バイドゥ	●自動走行ソリューションプロジェクト「アポロ」のオープンソース・プラットフォームを発表 ●過去2年間、バイドゥがAI分野に投資した金額は200億元に迫る ●機械学習人材の給与は約22万ドルで、これはフェイスブック（27万3000ドル）、マイクロソフト（24万4000ドル）に次ぐ世界第3位の水準 ●バイドゥのAIエンジニアは2,000人を上回る
テンセント	●「コンテンツAI」「ソーシャルAI」「ゲームAI」に焦点を合わせて、世界トップクラスの科学者、研究者、専門家50名を招聘、独自のAIラボ（Tencent AI Lab）を設立 ●開発した人工知能「Fine Art（絶芸）」は、2017年の初め、日本のプロ棋士・一力遼7段を撃破。世界人工知能囲碁大会でも優勝
ファーウェイ	●世界初の人工知能（AI）チップセット「kirin970（麒麟970）」を搭載したスマートフォンを発売予定

資料：ROBOTEER、ほか各種資料より作成 ©BBT大学総合研究所

が急増すると思われる。

中国、韓国のＡＩシフト

中国政府はＡＩの研究・開発を強力に後押ししている。中国ＡＩ企業はその政府の優遇政策を追い風に、ＡＩ技術開発に対する投資や研究を積極的に行っている（図16）。

中国ＩＴ企業はＡＩ産業やロボット事業を強化し、ＡＩ特許出願数でも、今や日本をはるかに上回り、先行するアメリカをものすごい勢いで追いかけている（図17）。

中国の強みのひとつが、一三億人が毎日利用する無数のネットデータである。それは、データが多ければ多いほど、ＡＩの学習効率が高まるからだ。バイドゥのＣＥＯ

図17

AI事業・ロボット事業を手掛ける中国企業とAI特許出願数

AI事業・ロボット事業を手掛ける中国企業

分野	企業名	内容
AI	バイドゥ	自動運転車やAI秘書、自動翻訳に力
	アリババ	電子商取引やクラウドのデータ分析にAIを活用
	テンセント	対話アプリの蓄積、データをAIで解析。AI記者も
ロボット	美的（Midea）	●企業の買収や協業によりロボット産業に参画 ●2016年8月、独ロボットメーカー、クーカ買収
	格力（Gree）	●独自でロボットの研究開発を推進。社内自動化製品100種以上
	ハイアール	●サービスロボットの発展に注力 ●米家電見本市CES2016に独自開発家庭用ロボットUbotを発表
	長虹（Changhong）	●工業ロボット、サービスロボットの両方重視 ●2016年7月、AIテレビ発表 ●2016年8月、ABBと協力し、ロボットの応用実験室を設立

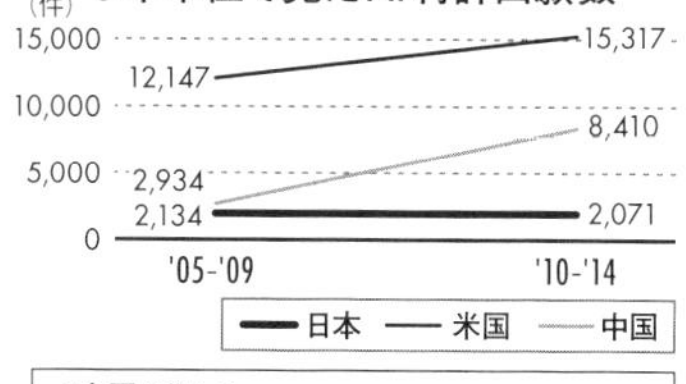

<中国の狙い>
●電機や自動車といった既存産業の高度化につなげる
●13億人が毎日利用する無数のネットデータが強み
●「数十億件の検索データと百億に及ぶ位置情報がある」とバイドゥのロビン・リーCEO
●データが大量にあるほどAIの学習効率を高めやすい

米国で開発されたこれらの最先端技術が中国の手に渡ると、軍事転用されたり、戦略的な産業で米国が後塵を拝する事態をもたらすのではないかと、米政府は懸念

資料：日本経済新聞ほか各種記事より作成 ©BBT大学総合研究所

であるロビン・リーも「当社には数十億件の検索データと一〇〇億に及ぶ位置情報がある」と胸を張る。

ただし、この中国に対し、アメリカ政府は警戒を強めている。アメリカで開発された最先端技術が中国の手に渡ると、軍事転用され戦略的な産業でアメリカが不利益を被るのではないかというのだ。

韓国企業はアメリカや中国のＩＴ企業と比べると、ＡＩシフトにおける出遅れは否めない。

サムスン電子は二〇一七年にＡＩ音声アシスタント「Ｂｉｘｂｙ」を発表。ギャラクシーＳ８に搭載した。今後は全デバイスに搭載する予定である（次ページ図18）。

ＬＧ電子は、同社のスマート家電のプラットフォーム「Smart Home Hub」に対応

図18

韓国企業のAIの取り組み状況

サムスン電子

- スマホ販売が伸び悩みに直面しており、AIなどソフトウェア企業の買収を加速
- スマホを中心として人工知能を家電機能に盛り込んでいく方針
- 2017年、AI音声アシスタント「Bixby」を発表、スマホGalaxy S8に搭載。今後は全デバイスに搭載する予定

LG電子

- 同社のスマート家電のプラットフォーム「Smart Home Hub」に対応するアプライアンス機器と連動。音声で操作することができる
- グーグルの人工知能スピーカーである「Google Home(グーグルホーム)」と連動するスマート家電を発表

現代自動車

- 現代自動車は、2015年に車両用サービス「カーライフ」の搭載を契機に中国・百度と協業
- 通信型ナビゲーション「百度マップオート」、対話型音声認識サービス「ドゥアル(Duer) OSオート」など、コネクテッドカー技術を開発
- 今後は百度と人工知能、自動走行技術、スマートホーム、音声認識サービス、などの分野でも提携を強化していく

資料:各種記事より作成 ©BBT大学総合研究所

するアプライアンス機器と連動して、音声で操作できる「LG HUB ROBOT」を開発した。また、今後はグーグルの人工知能スピーカーである「Google Home」と連動するスマート家電も発売している。

現代自動車は、二〇一五年に車両用サービス「カーライフ」を搭載したのをきっかけに、中国のIT企業バイドゥと提携を結んでいる。今後はバイドゥと自動走行技術、スマートホーム、音声認識サービスなどの分野でも提携を強化していく。

産業や暮らしに与える影響が大きいAI

AIが産業や暮らしに与える影響は確実に拡大している。マーケティング、生産、

図19

拡大するAIの応用分野

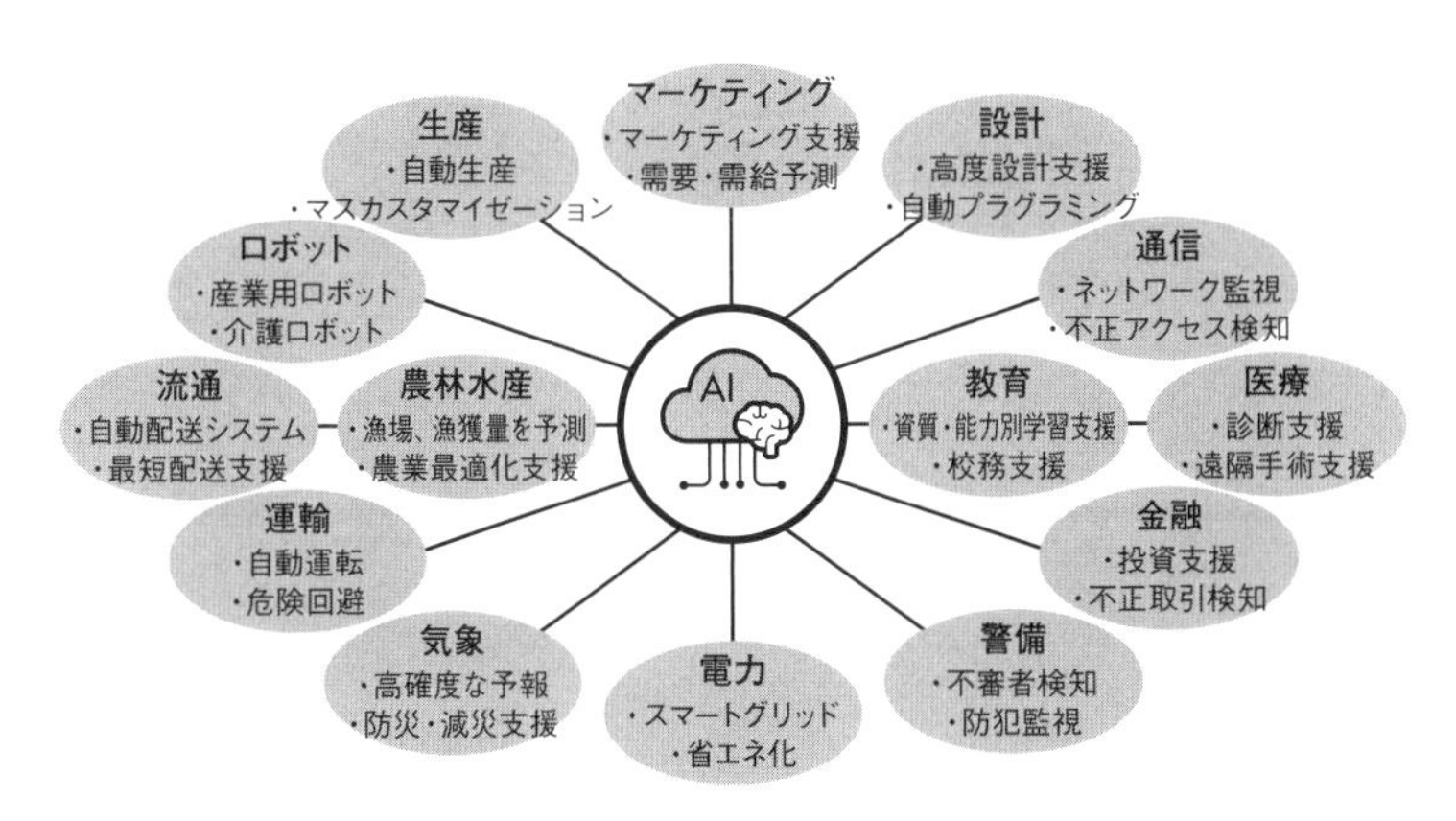

資料:NEDO、ほかより作成 ©BBT大学総合研究所

ロボット、流通、農林水産、運輸、気象、電力、警備、金融、教育、医療、通信、設計などの分野では、図19のような状況がAIによって可能になった。

このほかには軍事領域があるが、これに関してはロシアがかなり進んでいるとみられている。

自動運転車の走行性能のカギは、ディープラーニング技術が握っているといっていい。また、解析に使う画像や音声などの量と質をめぐり、AIで先行するIT大手と従来の自動車会社の連携が急速に進んでいる（次ページ図20）。

とくに進んでいるのは、自動運転の実用化に向けた取り組みで、すでに自動運転機能を搭載した自動車が販売され始めている（次ページ図21）。ここにはトヨタ、日産をは

図20

自動運転をめぐる主な提携関係

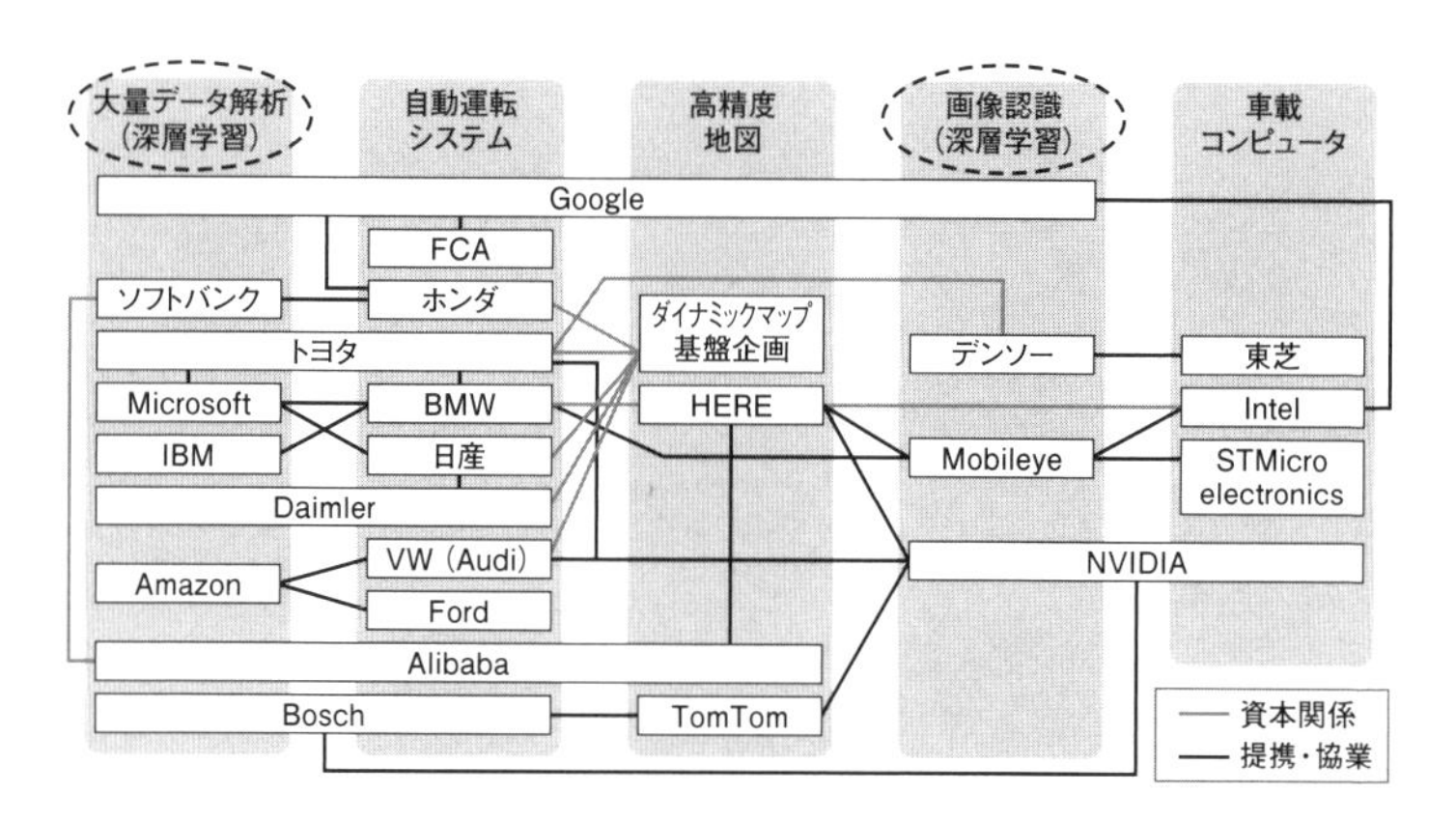

資料:日経テクノロジーオンライン 2017/03/17、より加筆作成 ©BBT大学総合研究所

図21

主な自動運転技術の実用化事例

トヨタ	日産	メルセデス・ベンツ	アウディ
2017年10月の東京モーターショーでレクサスの試作車を発表。全ての操作をシステムが担うレベル4以上の技術を搭載することを想定	2016年8月発売のセレナに「プロパイロット（同一車線自動運転技術」を搭載	2016年7月に販売されたEクラスは、車線維持や半自動パーキングやウインカー操作による車線変更が可能	新型A8で、自動運転機能の「レベル3」を搭載することを発表

テスラモーターズ	Uber	グーグル	Peloton Technology
モデルＳ P100Dは、ソフトウェアアップデートで将来的に完全自動運転に対応する	アリゾナ州にて自動運転車による営業運転テストを開始	Alphabet傘下の「Waymo」で、人の運転を必要とせずに走行可能な自動運転車の開発を推進	トラックの隊列走行システムの展開（自動化のレベルは1）

資料:東京大学生産技術研究所、ほかより作成 ©BBT大学総合研究所

図22

配車サービスのAI導入事例

会社名	国	AI導入事例
Uber	米国 カリフォルニア	●14年に提供を開始したウーバープール（相乗りサービス）ではAIを活用し、現在地と目的地を入力してから10秒程度で運転手とマッチング、最適な経路を算出する ●Geometric Intelligence社を買収し「Uber AI Labs」を設立 ●Uber Advanced Technologies GroupにAIチームをトロントに新設。トロント大学で機械学習を専門とするRaquel Urtasun氏がチームを統括する
Lyft	米国 カリフォルニア	●自動運転のスタートアップ「Drive.ai」と共同で、サンフランシスコで自律走行車を使った配車サービスを開始することを発表
滴滴出行	中国 北京	●スマホに搭載したセンサーなどを使い、速度超過や居眠り運転や急ブレーキなどを検知 ●安全運転する運転手を評価し評価が高い運転手に優先的に配車する ●毎日2,000万件に達する大量の走行データがAIで解析可能になったからこそのサービス
Japan Taxi （日本交通）	日本 東京	●乗客を見つける確率の高い場所を、AIを使って自動的にタクシー乗務員に知らせるシステムの実用化をめざす
DeNA	日本 東京	●AIを活用したタクシー配車アプリ「タクベル」の実証実験を横浜市の限定エリアで実施。乗務員へリアルタイムにタクシー需要予測情報を提供
ZERO TO ONE	日本 横浜	●同乗相手の検索にAIを活用する取り組みを年内にも開始予定。ユーザーが登録するSNSの情報を基にAIで趣味や人柄を分析し、最適な同乗相手を見つける

資料:各種資料より作成 ©BBT大学総合研究所

じめ、メルセデス・ベンツ、アウディ、テスラモーターズ、Ｕｂｅｒ、グーグルなども参入している。グーグルのウェイモは走行実験では圧倒的にトップを走っている。

図21には載っていないが、ボルボも二〇二〇年以降、自動運転車を中国で発売すると発表している。

配車サービスにおいても、需要予測や経路最適化などからＡＩの導入が進んでいる（図22）。

アメリカでは、ＵｂｅｒとＬｙｆｔが配車アプリの主導権をめぐり激しく争っている。

中国では、Ｕｂｅｒが撤退し、配車サービスはほほとんどディディ（滴滴出行）一社という状態だ。なお、ディディは日本でも北九州市の第一交通とも事業提携してい

図23

ファナックの「FIELD system」

アプリケーション

ZDT
ファナックとシスコシステムズが開発した故障予知システム

LINKi
ファナック開発の品質情報管理システム

DIMo
PFN開発の機械学習アプリケーション

他社
アプリ
ケーション

仕様を公開▶ フィールドAPI（機器の制御やデータ読み出しの基盤を提供）
FIELD systemミドルウェア
仕様を公開▶ コンバータAPI（機器の各種データを共通データモデルに変換）

産業機器
ロボット
CNC
PLC
他社の機器

●FIELD systemは、CNC、ロボット、周辺デバイス、センサー向けの高度なアナリティクスを提供するためのプラットフォーム
●ロボットが搭載するモーターからデータを収集、分析し、故障の徴候をいち早く検知して故障発生前にモーター交換を行うことで、不意の故障発生によるダウンタイムをなくす
●Preferred Networks社（PFN）が深層学習領域を担当

ロボットの学習結果を複数のロボットで定期的にやり取りする技術で、学習のスピードが向上

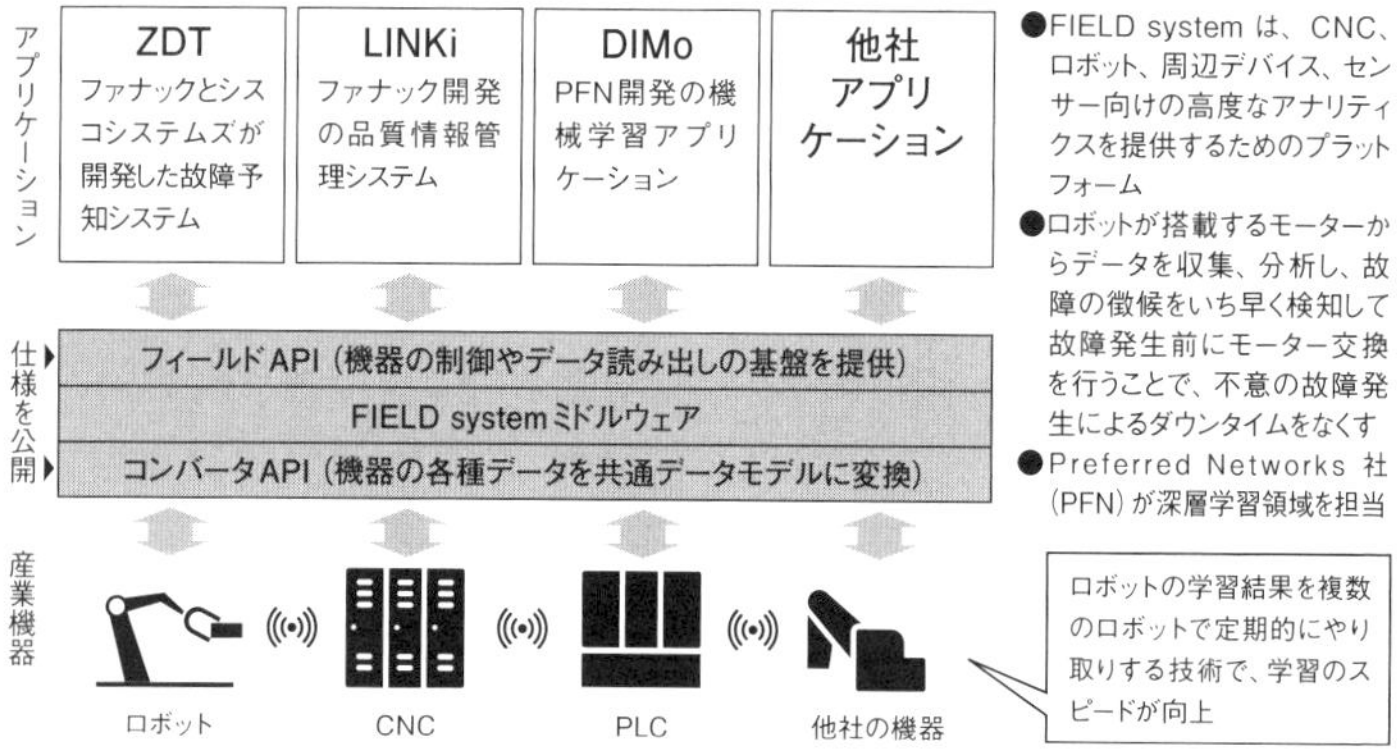

資料:2016/09/29 日経コンピュータ、ほかより作成 ©BBT大学総合研究所

る。

日本では、ジャパンタクシーが日本交通を中心に四万二〇〇〇台を配車アプリで運行できるようにしている。DeNAもAIを活用した配車アプリ「タクベル」の実証実験を横浜市の限定エリアで実施済みだ。自動車中古パーツ流通のZERO TO ONEは、空席のあるドライバーと、相乗りしたい同乗者をAIでマッチングするアプリをローンチしている。

ファナックはCNC、ロボット、周辺デバイス、センサー向けの高度なアナリティクスを提供するためのプラットフォームである「FIELD system」を開発した（図23）。ディープラーニングを活用してモーターのデータを収集、分析し、故障の兆候をいち早く検知する。これにより、故障が発生す

図24

ロジスティクス業界のAI導入

マテリアルハンドリング業界のトレンド

- ロジスティクス分野でAIの導入は立ち遅れており、今後、無人化/自動化の進展、段階を踏みながらAIの導入が始まる
- 産業用ロボットメーカーの物流分野への参入が増加。例)昨年ドイツのロボットメーカーであるKUKAがマテハンインテグレータのSwisslogを買収
- 自動搬送→自動ハンドリング→自動運転、といった流れで物流の自動化が進んでいくことが予想される
- 物流センターでのマテハンシステムでは、まず対象物がどのようなモノなのかを認識することが非常に重要になってくる。そこで着目されているのがAIによってモノを認識する技術

Mujin「ピックワーカー」

- バラ積みピッキング知能システム「ピックワーカー」は数ある対象物の中から特定の1つを選定して、ロボットアームで掴み取って特定の位置に置く
- 3Dカメラによる認識技術を用いることで特異点や関節リミットまでをも把握し、人間が行うピッキングと同様な動きを再現

Fetch Robotics「Fetch」

- 2014年にカリフォルニアのサンノゼで設立されたロボットベンチャー企業。自走ロボットの「フェッチ」と追従ロボットの「フレイト」の2機種をロジスティクス市場へ向けて展開

資料:物流ニュース、ほかより作成 ©BBT大学総合研究所

る前にモーター交換を行えるようになったため、不意の故障発生によるダウンタイムを心配しなくてもすむようになった。

このファナックはＩｏＴ時代に生き残る、日本の数少ない会社のひとつといえるだろう。

ロジスティクス分野におけるＡＩの導入は、まだそれほど進んでいない。これから無人化、自動化が段階を踏んで進んでいくと思われる。

マテリアルハンドリング技術をもつベンチャー企業には、バラ積みピッキング知能システム「ピックワーカー」を開発したＭｕｊｉｎ（図24）、自走ロボットの「フェッチ」と追随ロボットの「フレイト」の二機種をロジスティクス市場に向けて展開しているFetch Roboticsなどがある。

図25

AIを搭載した人型ロボットの事例

Pepper（ソフトバンク）	●感情認識ヒューマノイドロボット ●ネスレ日本のネスカフェにて接客を開始 ●ベルギーの病院で病院受付業務の試験運用を開始
Atlas（ボストンダイナミクス）	●二足歩行ロボット ●人間が棒などで押しても器用にバランスを取り、倒れても即座に立ち上がる ●Googleが2013年に買収、17年6月にソフトバンクが買収
二足歩行ロボット（シャフト）	●二足歩行ロボット ●Schaft社は、東京大学の情報システム工学研究室発のベンチャー企業 ●Googleが2011年に買収、17年6月にソフトバンクが買収
HAL／医療用（サイバーダイン）	●筑波大学発のロボットベンチャー、サイバーダインが開発 ●患者が歩こうとするときに脳から足に向けて出る信号を検知し、AIでモーターを駆動して足の動きをサポートする
Palmi（パルミー）（富士ソフト）	●コンシューマー向けコミュニケーションロボット ●DMM.make ROBOTSを通じて販売 ●DMM.comは、2015年よりロボットキャリア事業を開始

資料：各種資料より作成 ©BBT大学総合研究所

ＡＩを搭載した人型ロボットを、オフィスや家庭で導入する動きが広まっている（図25）。ただ、いずれもまだ初期段階のレベルだ。私が行く銀行にも「Ｐｅｐｐｅｒ」が置いてあった。人が前を通ると挨拶をしてくれるのはいいが、誰に対しても「いらっしゃいませ」の一辺倒。これではダメなのだ。人の顔を認識し、お客さんごとに適切な声をかけられるようになって、ようやく実用化に耐えられるのである。

ＡＢＥＪＡは、ディープラーニングを活用した店舗解析プラットフォーム「ABEJA Platform for Retail」を開発した（図26）。これは、人工知能を活用して、カメラやセンサーなどから取得したデータを解析し、来店人数、来店者の年齢や性別、来店者の回遊パターン、滞留時間などを可視化。さら

図26

ABEJA Platform for Retailの概要

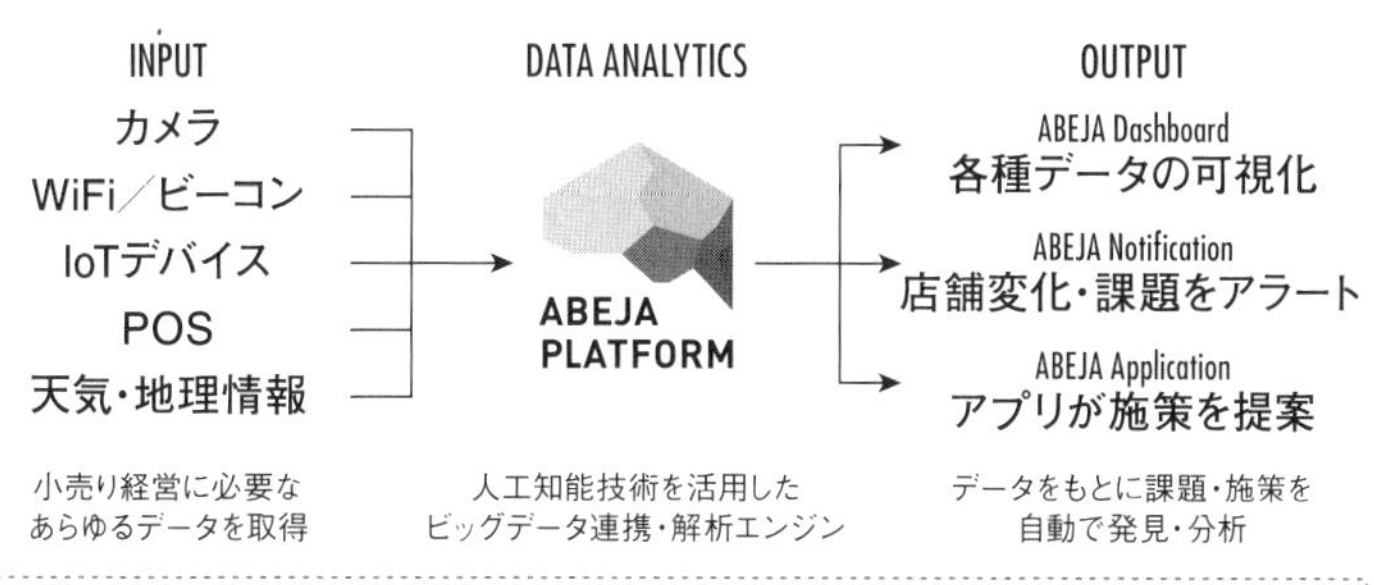

- ディープラーニングを活用した画像解析ソリューション。三越伊勢丹HD、イオンリテール、JIN、WEGOほかで採用
- カメラ等のセンサーから取得した各種データから、来店人数のカウント、来店者の年齢・性別の識別や、来店者の回遊パターン・滞留時間などを解析し、定量的に可視化

資料:ABEJAより作成 ©BBT大学総合研究所

に、データをもとに課題の発見や施策の提案を自動で行うというもので、すでに三越伊勢丹ホールディングス、イオンリテール、JIN、WEGOなどが採用している。

ただ、これが進むと必ず、顧客のプライバシーをどう扱うかで議論が起こるだろう。それをどうクリアするかが、今後の問題だ。

AIの画像解析技術

AIの画像解析技術を活用することで、行政機関や公共空間を対象とした防犯、追跡、観測などのサービスが可能となる（次ページ図27）。

イスラエルのProspera Technologiesは、AIを使ったスマート農業システム「Prospe

図27

AIの画像解析技術を活用した行政機関や公共空間を対象とするサービス

防犯カメラ・AIを活用した広域人物追跡システム

- 日立製作所が開発した広域人物追跡システム
- 100項目以上の特徴の組み合わせで人物を発見し、広範囲の映像から足取りを把握可能
- 人物の外見と動作の特徴を判別・検索する、高速人物発見技術

超小型人工衛星を活用した観測サービス

- 宇宙ベンチャーのアクセルスペースは、2022年までに50機の超小型人工衛星を打ち上げ、世界中の毎日観測をスタートする
- 大量の衛星画像をAIで解析・付加価値化し、さまざまな産業・行政機関を対象としたサービスを行う
- アマナ、アマゾン ウェブ サービス ジャパン、三井不動産、三井物産フォレストなどと業務提携

資料:日立製作所、アクセルスペースより作成 ©BBT大学総合研究所

図28

スマート農業システム「Prospera」

Prospera Technologies (Israel)

- Prosperaが提案するのは、AIをベースとした農業ソリューション
- インフィールドカメラや気象センサーを駆使しながら、高精度な管理を可能にする
- 作物ごと、あるいは複数の畑、作物ごとにおいて、農作物の状況をリアルタイムで分析
- システム上でできることは、多数。病気や害虫の検出、水分と栄養の最適化、収穫量のモニタリングと予測
- 新たな作物の開発やそれに伴う分析も可能

このシステムによって、農家は成長がかんばしくない畑や害虫、干ばつ、栄養不足などへの対処に、今まで以上に明確に取り組めるようになる。水や肥料の適量もわかるため、資源の節約にも貢献

資料: Prospera Technologiesより作成 ©BBT大学総合研究所

図29

RPAテクノロジーズが提供するRPAサービス

RPA（Robotic Process Automation）とは？

- RPAは、間接業務をAIを活用したサービスで代替する技術
  - 経理、総務、人事、法務、企画部門などの定型業務
- コスト削減や品質・生産性向上の一環として行われていたアウトソーシングや、シェアードサービス及びIT導入の取り組みを大幅に進展させる技術として注目を集めている
- 2025年までに全世界で1億人以上の知的労働者、もしくは1/3の仕事がRPAに置き換わると言われている

オリックスグループでの導入事例
（法人向け金融、レンタカーの営業事務）

ビフォー

- ロボットにデータを入力させたあと、担当者がチェック
  - 無効なデータ項目や入力漏れが多発
  - データの修正に手間がかかり効率化が図れず

RPA テクノロジーズの「BizRobo!」を導入

アフター

- 担当者が前処理を行ったデータをロボットが一括入力
  - 整備されたデータをロボットが順次入力
  - 人手での処理量は1時間当たり10件であったのが、ロボットでは1時間当たり82件にまで増加

<参考>オリックス・ビジネスセンター沖縄での導入成果
・業務量の変化 → 1.2倍
・要員数の変化 →－30%　（前年度比）

資料:RPA テクノロジーズ、日経情報ストラテジー 2017年5月より作成 ©BBT大学総合研究所

ra」を開発した（前ページ図28）。これにより、インフィールドカメラや気象センサーなどでデータを取得し、畑や作物ごとの状況をリアルタイムで分析し、病気や害虫の検出、水分と栄養の最適化、収穫量のモニタリングと予測などが可能になる。また、分析結果は新たな作物の開発などにもつながる。

このシステムは、害虫、干ばつ、栄養不足などに自動で対処できるため、農家の負担を減らすのはもちろん、水や肥料の節約となる。つまり、環境負荷を減らすという効果もあるということだ。

RPAテクノロジーズは、間接業務における これまで人間のみが対応可能と想定されていた作業（経理、総務、人事、法務、企画部門などの定型業務）をAIに代行させるRPA（Robotic Process Automation）

図30

自動対話システム（チャットボット）

チャットボットの導入事例

業種	企業	サービス例
金融	SBI証券	コールセンター業務
保険	ライフネット生命 かんぽ生命	保険手続き、コールセンター業務
旅行	AIRDO Loco Partners	航空機の予約・確認、旅行計画の相談
小売り	アスクル	カスタマーサポート、商品提案
物流	ヤマト運輸	再配達の依頼、不在通知
不動産	アットホーム 野村不動産	購入・売却に関する問い合わせ対応
IT	IBM	システムエンジニアのプロジェクト管理

対話機能を強化したヤマト運輸のサービス

- LINE上で自動応答の仕組みを構築し、2016年1月から新サービスを開始
- チャットを通じて宅配予定日時の通知や荷物の問い合わせが可能
- チャットボットの利便性が向上するにつれて、サービス利用者の数が増加
- 2016年1月末に約100万人だったLINEの友達数が2017年4月時点で706万人を突破
- 利用者との有力なコミュニケーションの手段となりつつある

資料:日経コンピュータ 2017/5/11より作成 ©BBT大学総合研究所

サービスを提供している（前ページ図29）。

これにより二〇二五年までに、全世界で一億人以上の知的労働者、もしくは三分の一の仕事がRPAに置き換わるとみられている。

自然言語処理などのAI技術の発展により、人の質問に機械が答えを出す自動対話システム（チャットボット）が、あらゆる顧客サービスに広がり始めている（図30）。

世界経済の動向がみえにくくなっていて、ヘッジファンド業界各社は軒並み苦境に立たされているが、そんな中でも市場分析やトレーディングにAI技術をうまく取り入れることに成功した一部のヘッジファンドが、好調を維持している（図31）。

経済産業省は、AIによる予防医療システムの実用化を進めており、今後導入が検

図31

AI技術を取り入れたヘッジファンド業界

ロボ運用を駆使した主なファンド

ファンド名	概　要
ツーシグマ（米）	AIを駆使して急成長を続ける注目のヘッジファンド。AIが最終的な意思決定をしてリスク管理もする。過去の約3年間の平均として年率20%前後のリターンを記録
ルネッサンス・テクノロジーズ（米）	クオンツ・ファンドの老舗かつ代表的存在で突出したパフォーマンスを記録してきた。現在、トップレベルのAI研究者を集めているとされる
リベリオン・リサーチ（米）	9名と小さいながらも、AIを活用した長期投資を試みるヘッジファンド。14年に原油価格が下落した際は、原油輸出に支えられた南米諸国の為替をAIがいち早く売り、利益を確保
アイデア（香港）	著名な人工知能学者ベン・ゲーツェルがチーフ・サイエンティストを務めるヘッジファンド。AIを活用した運用を前面に押し出し、人間のトレーダーはまったく関与していない完全AI化したファンドまである

【参考】
日銀総裁の表情をAIで分析

- 野村証券とマイクロソフトが日銀黒田総裁による過去の会見をAIで分析
- 映像を0.5秒ごとに切り出し、「喜び」「怒り」「驚き」「中立」など8種類の勘定の割合を指数化する
- 黒田日銀総裁の過去の記者会見を分析すると、重要な決定の一つ前の会見では表情が揺れる傾向がある
- 過去の記者会見では、2016年7月29日の会見で表情に変化が出ていた。次の会見で金融政策の主軸を「量」から「金利」へと変更した

資料:週刊エコノミスト2017/01/31、カブドットコム証券、日本経済新聞、ロイターほかより作成 ©BBT大学総合研究所

図32

AI技術による予防医療システムの実用化

AIで生活改善策などを分析・助言

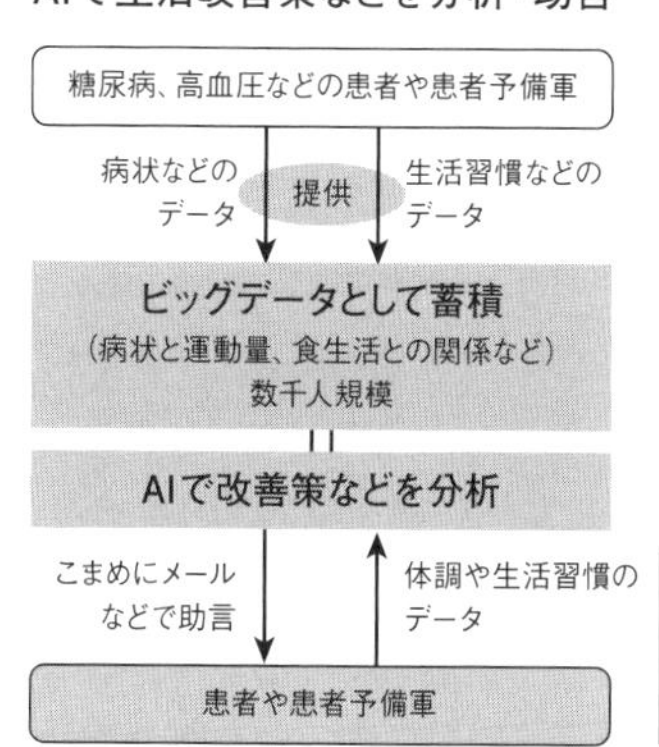

生活習慣病予防の取り組み内容

- 経済産業省は、AIによる予防医療システムの実用化を開始。2018年度からの導入を目指す
- 生活習慣病の患者や患者予備軍を対象に、体重、血圧、運動習慣、食事の嗜好などのデータを提供してもらう
- 個人情報がわからないように加工し、どんな人がどんな病気にかかりやすいかをAIが分析する
- AIを通じて、「運動しましょう」「塩分は控えめにしてください」といった助言を1～数日に1回程度メールで送信する

- AIを活用することでデータの見落としなどを阻止
- 生活習慣病の防止で、40兆円を超える医療費の抑制や、健康関連市場の創出につなげる

資料:日本経済新聞夕刊2017/6/12より作成 ©BBT大学総合研究所

討されている（前ページ図32）。

これは、生活習慣病の患者や患者予備軍から体重、血圧、運動習慣、食事の嗜好などのデータを提供してもらい、それらを個人情報がわからないよう加工して、ビッグデータとして蓄積。さらに、ＡＩによって、どんな人がどんな病気にかかりやすいかを分析し、患者予備軍には「運動をしましょう」「塩分は控えめにしてください」といった助言を毎日または数日に一度メールで伝える、というものだ。

これによって生活習慣病患者が減少すれば、現在四〇兆円を超えている医療費を抑制することができ、新たな健康関連市場の創出にもつながると経済産業省はみている。

中小企業こそ可能性に満ちているAIシフト

アメリカのＩＴビッグ５を中心としたグローバルＩＴ企業が、世界のＩＴプラットフォームを支配しつつある（図33）。一方、日本企業はかなり出遅れており、このままでは「ＡＩ産業の小作人」となる可能性が高いといわざるを得ない。早急に、自動車、建設機械、農業機械、食品機械、センサー、工業機械、産業用ロボット、アニメ、ゲーム、介護といった日本が競争力をもつ分野を中心にＡＩ化を進めるべきだ。

ソフトバンクは、アメリカのＩＴビッグ５や中国のＢＡＴといったグローバルＩＴ企業の参入

図33

日本にとっての意味合い

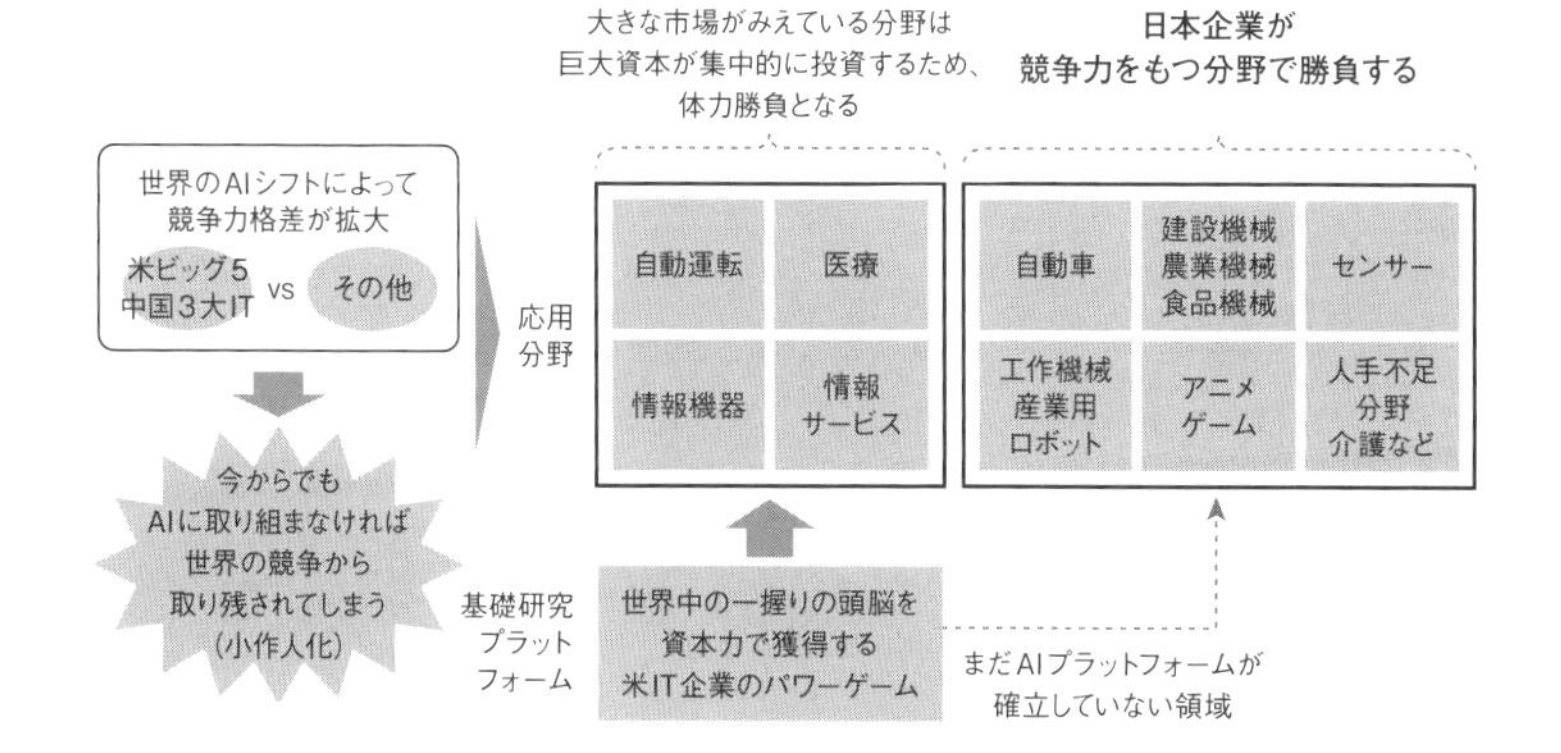

資料:野村総合研究所資料「人工知能の発展と日本企業の進むべき道」をもとにBBT大学総合研究所加筆 ©BBT大学総合研究所

図34

自動運転車に関するソフトバンクの参入事業領域

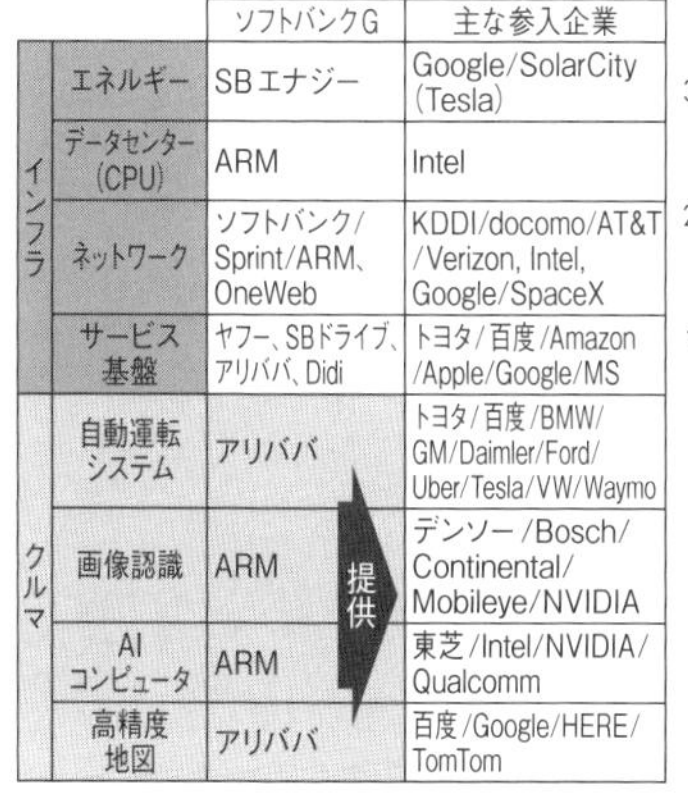

		ソフトバンクG	主な参入企業
インフラ	エネルギー	SBエナジー	Google/SolarCity (Tesla)
	データセンター (CPU)	ARM	Intel
	ネットワーク	ソフトバンク/Sprint/ARM、OneWeb	KDDI/docomo/AT&T/Verizon, Intel, Google/SpaceX
	サービス基盤	ヤフー、SBドライブ、アリババ、Didi	トヨタ/百度/Amazon/Apple/Google/MS
クルマ	自動運転システム	アリババ	トヨタ/百度/BMW/GM/Daimler/Ford/Uber/Tesla/VW/Waymo
	画像認識	ARM 提供	デンソー/Bosch/Continental/Mobileye/NVIDIA
	AIコンピュータ	ARM	東芝/Intel/NVIDIA/Qualcomm
	高精度地図	アリババ	百度/Google/HERE/TomTom

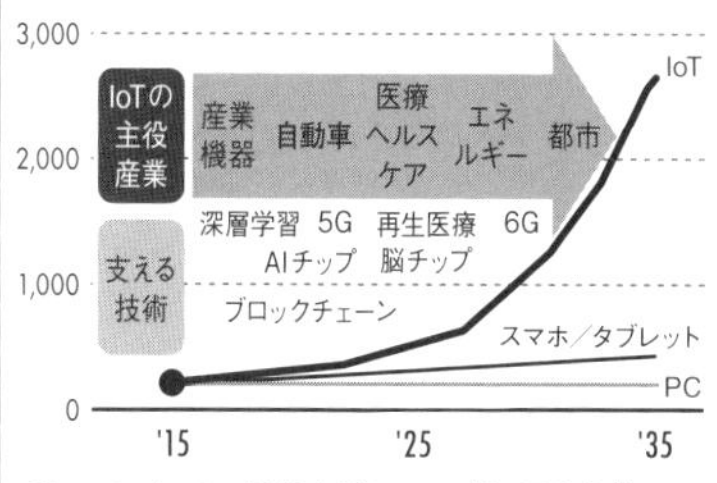

●ソフトバンクは通信事業とARM社、電力事業、さらには投資事業などを組み合わせて、IoT時代の自動運転車を支える"データの流通インフラ"と呼べるものを構築する

●実現すれば、自動運転車が増えるに応じて、同社に利益が転がり込む

資料:日本経済新聞、日経Automotiveより作成 ©BBT大学総合研究所

図35

AIによる就業構造変革のイメージ

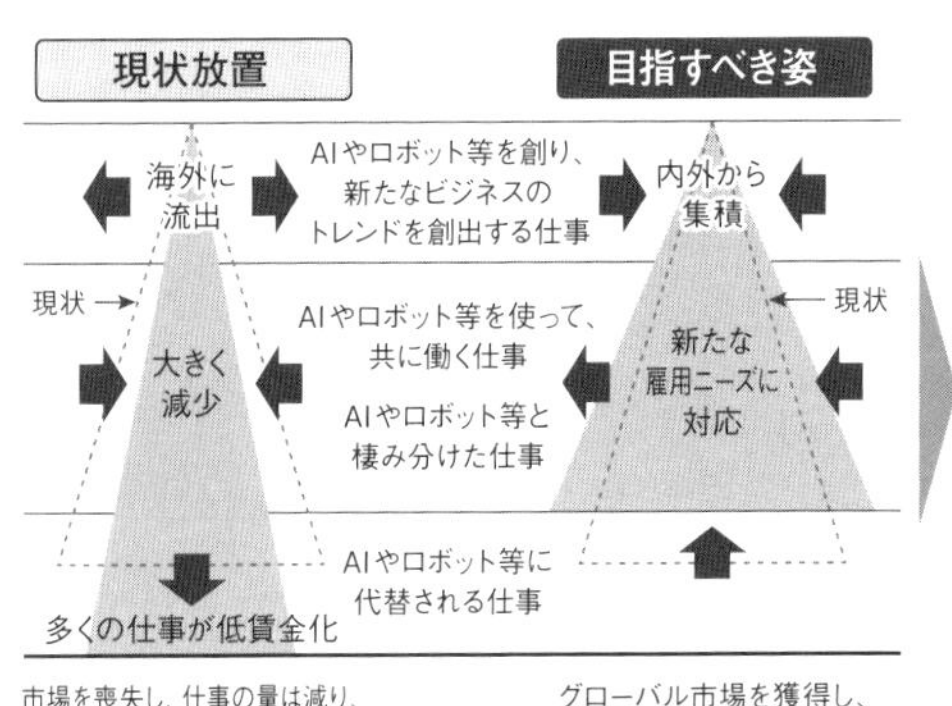

市場を喪失し、仕事の量は減り、質も低下する

グローバル市場を獲得し、質・量ともに十分な仕事

- もはや、シンギュラリティ*やAIに仕事が奪われるといった議論をする段階にない
- 無くなるのは「仕事」ではなく「作業」
- 米国の先端企業は、AIを当たり前の技術として使い、成長につなげている
- AIは人間の仕事を奪うと心配されるが、ビジネスをつくり出す側は、AIを使って人間がしている仕事をどれだけ奪えるかという目線でサービスを考えるべき

***シンギュラリティ/技術的特異点**
コンピュータの進化により、AIが人間の能力を超えることで起こる出来事。2045年頃と予想されている

資料:「「新産業構造ビジョン」~第4次産業革命をリードする日本の戦略~」経済産業省、松尾 豊著書、ほかより作成
©BBT大学総合研究所

領域ではなく、通信事業、電力事業、投資事業などを組み合わせ、IoT時代の自動運転車を支える「データの流通インフラ」を構築し、IT企業のどこが覇権を握っても、自分のところが儲かる仕組みを構築している（前ページ図34）。

日本では、AIやロボットに人間が仕事を奪われることを不安視する声が少なくないが、それは杞憂である。なくなるのは「作業」であって「仕事」ではない。人間はAIを使って仕事をすればいいのである（図35）。

実際、アメリカの先端企業は、AIを当たり前の技術として取り入れ、成長につなげている。そのためには中高年のリカレント教育（再教育）に加え、若者の教育も、これまでの大量生産時代を前提とした文部

図36

企業はどのようにAIシフトすればよいのか？

		取り組み	主な例
企業規模別	大企業	●トップAI研究者を招聘し自前で開発する ●スタートアップと組んで開発する	●トヨタ、リクルートは自前の研究所を開設 ●ファナック+プリファード・ネットワークス
企業規模別	中堅企業 中小企業	●業界全体で、業界特化型AIプラットフォームを形成する	●産業機械、工作機械の融通 ●クリーニング機械の融通など ●日本交通の全国タクシーアプリ
企業規模別	スタートアップ	●大企業など資金力があり、大量のデータを保有する企業と協業する	●Preferred Networks ●ABEJA、OPTiMなど
業界別	製造業	●自社だけではなく、下請けを含めたサプライチェーン全体でAIシフト	●独インダストリー4.0 ●GE、インダストリアル・インターネット
業界別	建機・農機など	●機械が発するデータ、機械で取得できるデータを活用したビジネスモデルを構築	●コマツ、クボタ、ヤンマーなど
業界別	IT、SIer	●AIサービスの導入をサポートする	●チャットボット ●RPAなど

資料:BBT大学総合研究所 ©BBT大学総合研究所

科学省の教育プログラムを見直して、とがった人材を輩出するのに役立つものに変えていくべきだろう。

企業規模や業界によってAIへのアプローチが異なるので、それぞれが先行事例を研究しながら、AIシフトの進め方について検討する必要がある（図36）。

また、AIシフトに関しては、中小企業であるからといって大企業より不利ということではない。この領域は新しい可能性に満ちているので、中小企業こそ「これから大きくなる要素がたくさんある」という気概をもち、積極的にチャレンジしてほしい。

会社全体だけではなく、R&D、企画・設計、製造、プロモーション・広告、営業・販売、CRM・サービスといった機能別あ

図37

機能別組織のAIシフト検討項目例

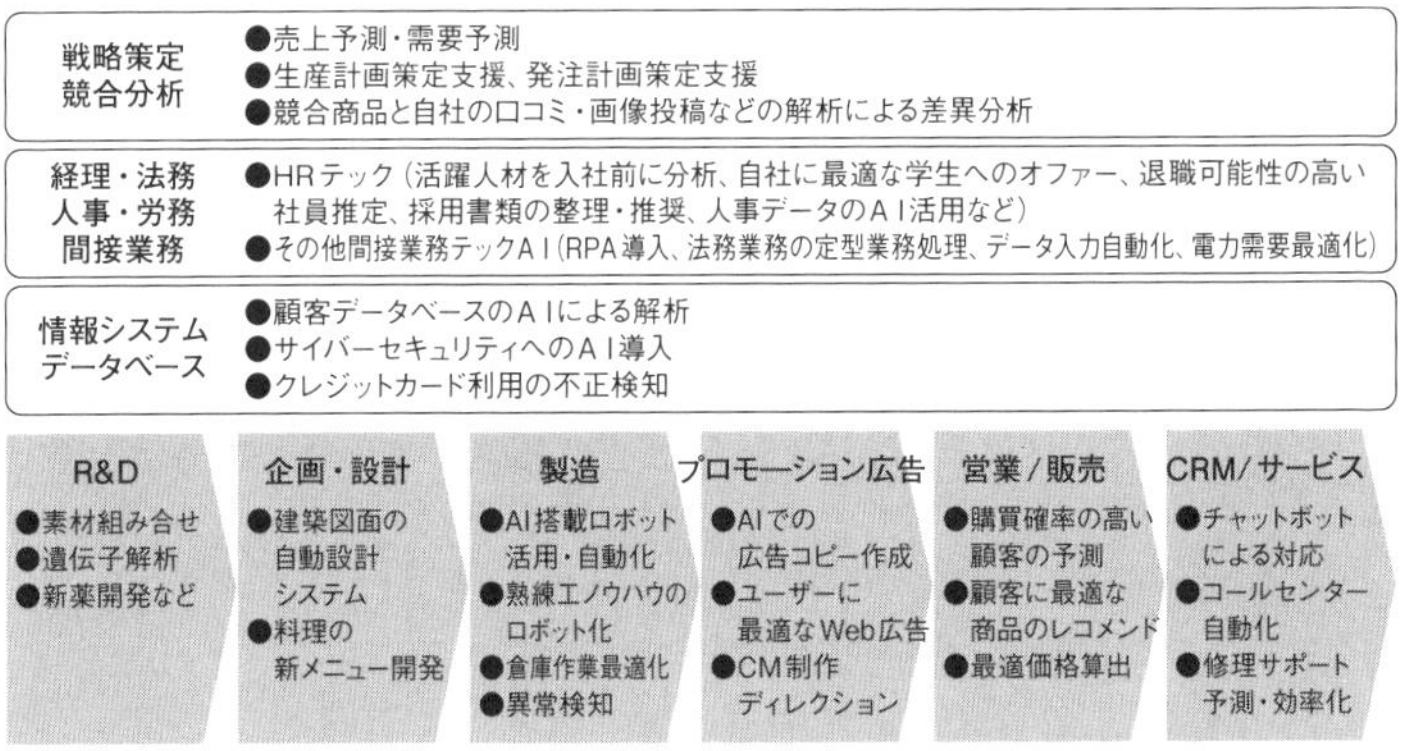

戦略策定 競合分析	●売上予測・需要予測 ●生産計画策定支援、発注計画策定支援 ●競合商品と自社の口コミ・画像投稿などの解析による差異分析
経理・法務 人事・労務 間接業務	●HRテック（活躍人材を入社前に分析、自社に最適な学生へのオファー、退職可能性の高い社員推定、採用書類の整理・推奨、人事データのＡＩ活用など） ●その他間接業務テックＡＩ（RPA導入、法務業務の定型業務処理、データ入力自動化、電力需要最適化）
情報システム データベース	●顧客データベースのＡＩによる解析 ●サイバーセキュリティへのＡＩ導入 ●クレジットカード利用の不正検知

R&D	企画・設計	製造	プロモーション広告	営業／販売	CRM／サービス
●素材組み合せ ●遺伝子解析 ●新薬開発など	●建築図面の自動設計システム ●料理の新メニュー開発	●AI搭載ロボット活用・自動化 ●熟練工ノウハウのロボット化 ●倉庫作業最適化 ●異常検知	●AIでの広告コピー作成 ●ユーザーに最適なWeb広告 ●CM制作ディレクション	●購買確率の高い顧客の予測 ●顧客に最適な商品のレコメンド ●最適価格算出	●チャットボットによる対応 ●コールセンター自動化 ●修理サポート予測・効率化

資料:『AIが同僚』(日経BP社)、『決定版AI人工知能』（樋口晋也、城塚音也、東洋経済新報社）ほか各種文献記事をもとにBBT大学総合研究所が作成 ©BBT大学総合研究所

るいは事業別組織単位でも、ＡＩで何ができるかゼロベースで考え、導入を図るべきだ（図37）。

日本は、世界で同時進行するＡＩシフトに取り残されないよう、政府、企業、個人がそれぞれＡＩシフトを加速していかなければならない。とくに個人に関しては、資産運用にロボアドバイザーを利用するなど、一人ひとりがＡＩを自分にとって身近なものとして経験することが重要だといえる（図38）。

（二〇一七年一一月二五日「熱海せかいえ」にて収録）

図38

日本はどうすればよいか?

世界の現状「AIシフトする世界」

●米国ITビッグ5がこぞってAIシフトを強化
●OS(マイクロソフト)、CPU(インテル)に続き、ビッグ5に「データ」、「AIプラットフォーム」を独占されると、もはや挽回不可能と思われる
●巨大な人口と市場を抱える中国IT企業の存在感が高まっている

日本への影響

＜企業・産業への影響＞
●このままでは日本企業は、「データの畑」における「小作人」になってしまう。それがAIシフトの本質的な問題
●国内の基幹産業が喪失する「産業突然死」に面しているという認識を持つべき
＜個人への影響＞
●AIが仕事を奪う、のはAIシフトの一側面である。むしろAIをビジネスに活用するメリットのほうが大きい
●正解を求めるような仕事、定型業務は今後AIがやってくれる

日本はどうすれば良いか「AIシフトを加速する」

＜政府＞
●政府が主導できるところは主導する(個人情報保護、コモンデータベース法の整備など)
＜企業＞
●企業全体だけではなく、機能別組織にもAIを導入する
＜個人＞
●AIが苦手とする、人間にしかできない能力を高める
●方向を定める、構想、リーダーシップを発揮する能力など

資料:BBT大学総合研究所 ©BBT大学総合研究所

第二章

Watsonの「AIビジネスモデル」

吉崎敏文

PROFILE

吉崎敏文

Toshifumi Yoshizaki

日本アイ・ビー・エム株式会社
執行役員ワトソン事業部長(2017年当時)
経営企画や新事業等を歴任し、2015年よりIBMの成長戦略であるワトソン事業の立ち上げおよび日本市場への展開を統括責任者として遂行。現在、日本電気株式会社デジタルビジネスプラットフォームユニット 執行役員

※注　本稿は2017年11月25日当時の内容であり、最新の技術動向、IBM見解とは異なる点があります。最新のAI動向は、IBMまでお尋ねください

図1

新しいコンピューティングの時代

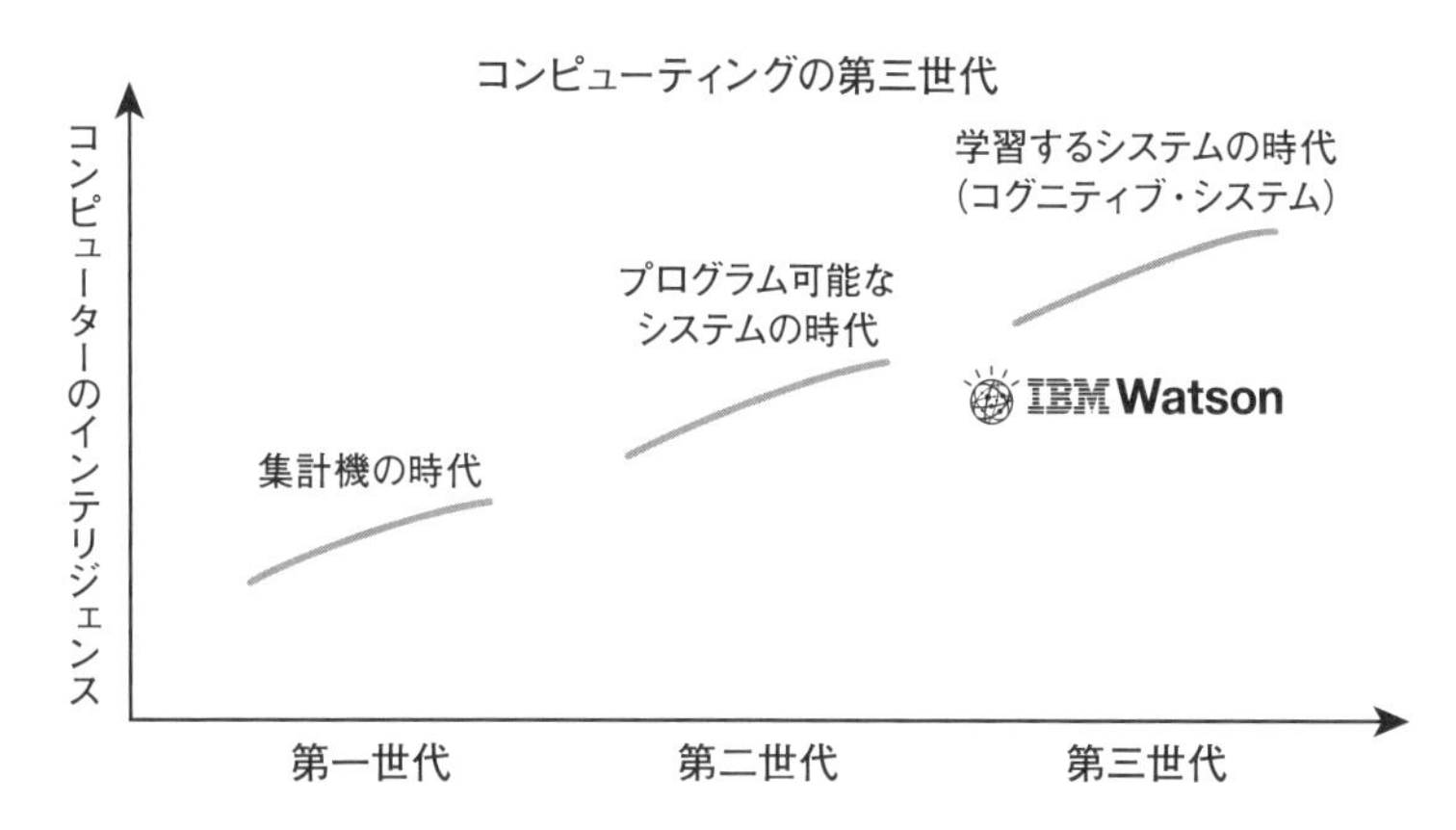

新しいコンピューティングの時代（図1）

第一世代のコンピュータは、プログラムを必要としない、いわゆる集計機あるいは統計機でした。

次の第二世代は、ハードをプログラムで動かす汎用機やパソコンの時代。これが約五〇年続きます。

そして、第三世代となる現代のコンピュータは、学習するシステムの時代です。この第三世代は他の世代とまったく違うインパクトがあると考えています。

それは以下のような理由からです。IoTの広がりなどにより、二〇二〇年には世界中を流れる情報量が、四四ゼタバイト

図2

拡張知能Watsonができること

人と対話をし、必要な情報の探索や高度な意思決定を支援する
（Interacting）

理解
（Understanding）

推論
（Reasoning）

学習
（Learning）

自然言語処理・知識表現・機械学習・ディープラーニング、
言語・音声・視覚テクノロジー、分散演算、高機能計算・・・・・

（ZB）に達します。一ゼタバイトは一〇の二一乗。また、一ゼタバイト＝一〇億テラバイト＝一兆ギガバイトです

このうち構造化されたデータは二割だけ。残りの八割は音声、画像、映像、自然言語といった非構造化データで、従来のITではこの非構造化データは扱えませんでした。

しかし、第三世代のコンピュータである当社のWatson（ワトソン）は、この非構造化データも扱うことができます。

さらに、「理解する」「仮説を立てて推論する」「学習する」ことができる。これをコグニティブといいます（図2）。

こうして、人と対話し、必要な情報の探索や、高度な意思決定を支援するということまでできてしまうのが、コグニティブ・コンピューティング・システムWatso nなのです。

IBM World of Watson 2016のキーノートセッションで当社のジニー・ロメッティCEOは、IBMはAIに力を入れていることを、初めて対外的に明らかにしました。ただし、ここでいうAIの「A」は、「Artificial」（人工的な）ではなく、Augmented＝拡張機能のことです。つまり、人に代わってコンピュータが作業をするのではなく、人とコンピュータが一緒に作業をする、あるいは、人が作業をするのをコンピュータがサポートすることを意味するAIのことです。

IBM Watsonの歩み

Watsonの歴史は意外に古く、自然言語処理、知識表現技術、並列処理、数理科学、最適化といった要素技術研究は、約四〇年前の一九八〇年から行っており、二〇〇八年にはAIのデザインがほぼ完成しています（次ページ図3）。なお、二〇〇八年当時には、アメリカ、イスラエル、中国などから数十名にも及ぶ科学者や研究者がこのプロジェクトに参加しており、その中には日本人も三名参加していました。

「ワトソン」という名前が決まったのも二〇〇八年です。IBMの創業者であるトーマス・J・ワトソンにちなんで付けられたということになっていますが、実は、アーサー・コナン・ドイル創作の推理小説『シャーロック・ホームズ』に登場する、ホームズの友人のワトソン博士という

図3

IBM Watson の歩み

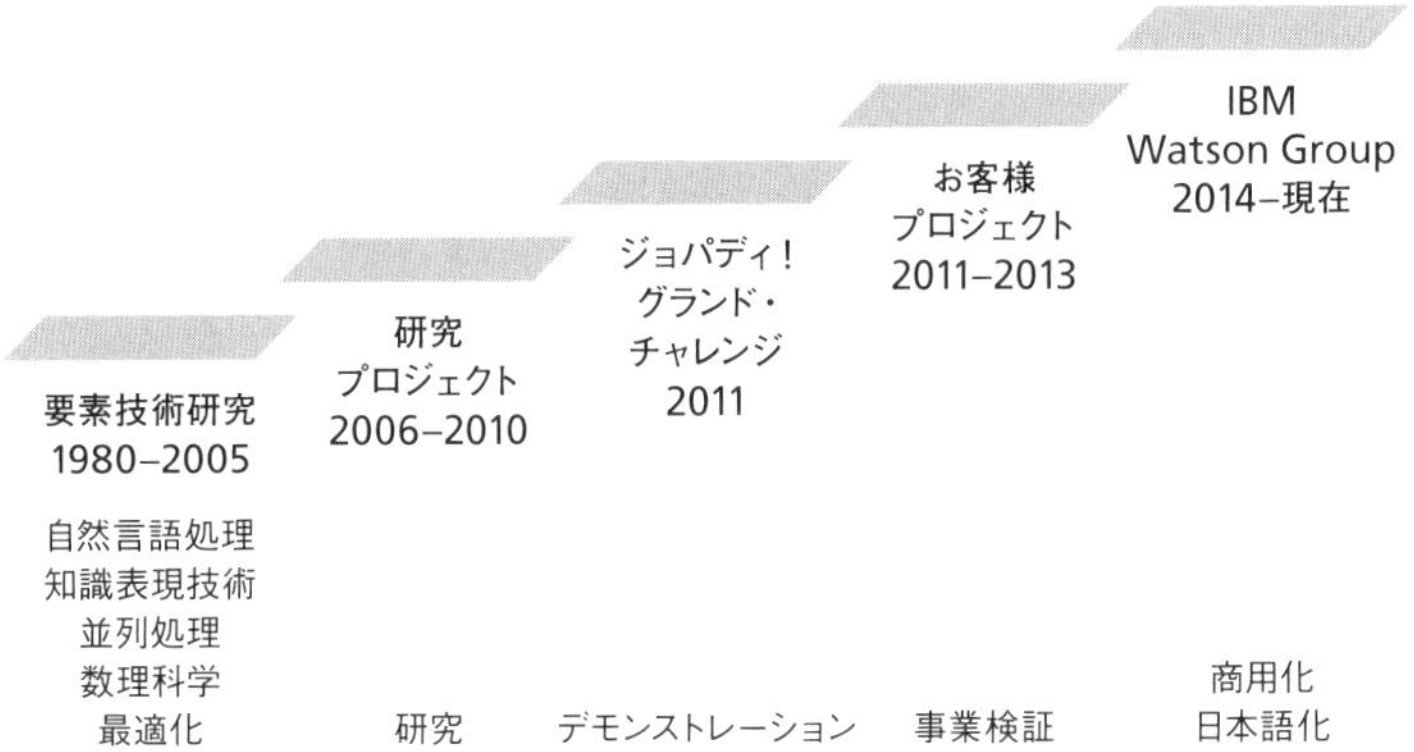

要素技術研究 1980–2005	研究プロジェクト 2006–2010	ジョパディ! グランド・チャレンジ 2011	お客様プロジェクト 2011–2013	IBM Watson Group 2014–現在
自然言語処理 知識表現技術 並列処理 数理科学 最適化	研究	デモンストレーション	事業検証	商用化 日本語化

意味も込められています。全知全能ではなく、あくまで人間のサポート役というわけです。

その後、技術実証の一環として、二〇一一年にはWatsonをアメリカの人気クイズ番組『Jeopardy!（ジョパディ!）』に挑戦させると、なんと人間のチャンピオンを破って見事優勝を果たしました。

『ジョパディ!』では、文学、歴史、スポーツなど幅広い分野からバラエティに富んだ問題が出されます。そこで、Watsonに本一〇〇万冊に匹敵する自然言語で書かれた情報を、事前に読み込ませてから、クイズに臨ませたところ、人間を凌ぐ九〇%を超える正答率をたたき出したのです。

ただし、当時はまだWatsonは一〇

二八のサーバーを並べたスーパーコンピュータ（スパコン）で動いており、現在のようなクラウド型のサービスではありませんでした。

このような技術実証を経てＷａｔｓｏｎは、スタートアップ、そして商用化へと進んでいきます。

現在、Ｗａｔｓｏｎの本部は、ニューヨークのマンハッタン、ニューヨーク大学のすぐ近くにありますので、お近くに来られる機会がある方はぜひ訪ねてみてください。

Ｗａｔｓｏｎのビジネス使用例

では、Ｗａｔｓｏｎはビジネスでどんな分野に利用することができるのでしょうか。主には次の三つです。

一つ目は、照会応答。コールセンターのように、正確な情報を求めるお客様の問いに対し、確信度の高い回答を、根拠とともに提示することができます。

二つ目は、意思決定支援。専門家の知見をＷａｔｓｏｎに学習させることで、特定のケースが規定やガイドポリシーの要件に適合しているかどうか判断する手助けが可能です。

三つ目は、探索・発見。膨大なデータを読み込んで、正解が必ずしも存在しない問いに対する答えの候補をリスト化したり、答えをサポートする根拠の精査、検証をしたりすることができます。

Ｗａｔｓｏｎの具体的な活用事例をみると、日本ではコールセンターのオペレーター支援に導入されているケースが比較的多いです。コールセンターの場合、Ｗａｔｓｏｎの分析対象となるお客様対応の記録が音声や手書きの状態で複数年分残っていることに加え、トランザクションのプロセスが指標化されているため、ＡＩと相性がいいといえます。

最近は時間に制限のあるコールセンターから、二四時間ウェブ上で対応ができる自動応答サービスも広まってきましたが、これにもＷａｔｓｏｎの照会応答機能が活用できます。

コールセンター業務で大事なのは、お客様の質問に対する回答の精度をいかに上げるかということです。最初は六割ぐらいの正答率から始まって、最終的に八割ぐらいの正答率に到達したら、ベテランのオペレーターの回答レベルとほぼ同じということで、本番稼働をさせます。当初はこのレベルに到達するまでかなり時間がかかりましたが、今では早ければ約三週間で本番稼働が可能です。

ＡＩの神髄は、知見や知識をＷａｔｓｏｎに学習させること

エキスパートや熟練工の知見や会社に眠っている知識を、「疲れない」「忘れない」という強みをもったＷａｔｓｏｎに学習させることで、競争優位をつくりだすことができる、まさにこれが

ＡＩの神髄だといってもいいかもしれません。

それでは、ここからはテクノロジーという側面からＷａｔｓｏｎを解説していきます。

IBM Watsonのプラットフォーム

Ｗａｔｓｏｎのプラットフォームには、ヘルスケア、金融サービス、ＩｏＴといった業種別にサポートしていくインダストリー・ドメイン特化ソリューションと、アナリティクス、セキュリティ、お客様プロジェクト、グローバルエコシステムのような製品となっている統合ソリューションの二種類があります。そして、現在は、これらを動かすのはいずれもクラウド上です。

IBM Watsonを動かすアーキテクチャ

Ｗａｔｓｏｎのアーキテクチャは、「アプリケーション」「ＡＩ」「データ」「クラウド」の四つの層に分かれています。このうちＡＩとデータに関しては、従来のＩＴにはなかった新しい層だといえます。

アプリケーションは、照会応答、探索・発見、意思決定支援の三つのフレームワークから構成され、これらを動かすためのプログラムインターフェイスであるＡＰＩは、使用目的や相手に応じて複数用意しています。たとえば、機械学習と深層学習（ディープラーニング）のどちらを使うかといった判断は、誰がどのような目的で使うかによります。そのため、お客様にはまずトライアルの段階で、どのＡＰＩが業務・目的に適しているか実際に試してもらってから決めていただくようにしています。

このようにＷａｔｓｏｎを利用するにあたっては、お客様のニーズに合致するＡＩの機能を見極めるのが大事なのです。Ｗａｔｓｏｎを導入すれば何でもできると考える経営者の方がときどきいらっしゃいますが、決してそうではないのです。まずＡＩをどのように活用するか、目的とどの機能を使うかをわかっていることが大前提。なおかつ、どのようなデータを使うかがはっきりしていないと、いくらＷａｔｓｏｎでも十分な効果を発揮することはできません。そのため、必要なデータがなければ、蓄積するか外から買ってくるかして用意しなければならないのです。なお、データには、データ収集、解釈・理解、精査、データ蓄積、探索・分析の五つのプロセスがあり、これに関しても私たちはノウハウをもっています。

ＩＢＭでは、データを勝手に吸い上げるようなことはしません。お客様のデータはお客様自身のものであるというのが、私たちの考え方です。

それから、データ処理のプロセスにおいては、専門家の知見を加えることで競争優位を実現させています。

また、Ｗａｔｓｏｎがデータからアウトプットを導き出す際も、Ｗａｔｓｏｎが導き出した答

図4

Watson Assistant

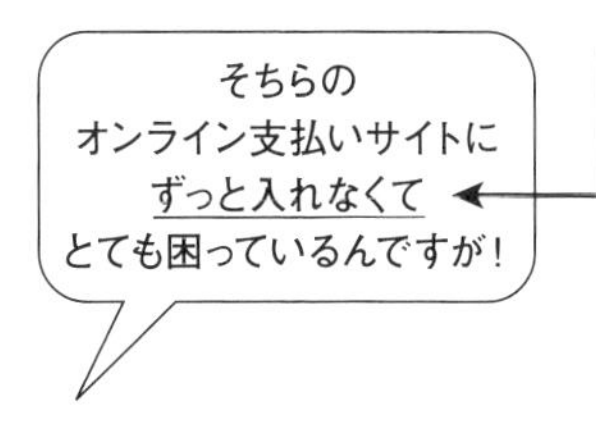

●意図（インテント）
“ログインできない”、“パスワード”
●対象物（エンティティ）
“オンライン支払いサイト”
●感情のトーン*
“怒り”
●背景（コンテキスト）1
“A山B太郎”“41歳”“ゴールドメンバー”
●背景（コンテキスト）2
“PCから入力”

ご迷惑をおかけして申し訳ありません。
恐らくパスワードの問題です。
パスワード・リセットの方法をお知らせします。

えだからWatsonの責任ということにはせずに、必ずその過程を見える化させた上で、お客様に伝えるようにしています。

Watson Assistant

WatsonのAPIのひとつに「Watson Assistant」があります。ここに挙げたのはコールセンターの事例です（図4）。お客様から入っている「そちらのオンライン支払いサイトにずっと入れなくてとても困っているのですが！」というお客様のチャットでのコメントを、Watsonはこう解釈します。

意図（インテント）機能により、お客様は「ずっと入れなくて」といっているのではなく、「ログインできない」と解釈する。

さらにそれは恐らく「パスワード」の問題であることまで推論する。対象物（エンティティ）機能により、問題は「オンライン支払いサイト」であると特定。さらに、感情のトーンや背景（コンテキスト）機能を使ってお客様が少し怒っていらっしゃることも理解した上で導き出されたＷａｔｓｏｎの回答がこれです。

「ご迷惑をおかけして申し訳ありません。恐らくパスワードの問題です。パスワード・リセットの方法をお知らせします」

従来の第一世代のＡＩでは、単純な質問に対して決まった答えを出す対応でしたが、第二世代のＡＩであるWatson Assistantは、的確に会話の相手の意図を捉え、感情なども踏まえた回答ができるようになっているのです。

Watson Discoveryサービスによる知識活用

「Watson Discovery」は、知識化したデータを探索して新たな知見を導き出すことができる、ＡＰＩ化されたクラウドサービスです。

テラバイトの大規模データも扱えるパワーがあるという強みも生かして、すでに創薬、ゲノム医療、セキュリティ、公共安全などの分野に導入され実績を上げています。また、今後はさまざまな業界の営業支援、研究開発、製造品質、経営、マーケティング、顧客サポート、調達

図5

Watson Discoveryサービスによる知識活用

より専門性の高い質問に知識ベースで回答

先行プロジェクト

創薬、
ゲノム医療、
セキュリティ、
公共安全分野

Watson Discovery

データを知識化し
知識を探索し
新たな知見を導き出す

API化され
Cloudサービスとして
提供

適用可能性領域

営業支援
- 顧客理解
- Cross/Upsell
- 商品知識

研究開発
- 商品企画
- 新製品テスト
- 新素材開発

製造品質
- フィールドデータ
- 不具合早期対応

経営
- 企業分析・投資
- 市場分析

マーケティング
- VoC/トレンド
- ブランド管理

顧客サポート
- 商品紹介
- 保守サービス

調達購買
- 取引先調査
- ニュース

法務・知財
- 法規制尊種
- 特許分析

購買、法務・知財などの領域に進出していくものと思われます（図5）。

Visual Recognition
―より高度な画像解析

「Visual Recognition」では、より高度な画像解析サービスを提供しています。医療業界では、「Visual Recognition」の画像解析に臨床データと専門家の知見を加えることで、見逃しがちな早期ガンの発見が可能になりました。

建築業界では、人間が簡単に見られない鉄塔の高い部分の画像をドローンで撮影し、それらをＷａｔｓｏｎに読み込んで解析すれば、腐食やさびの状態などが簡単に判断でき、これはみえない危険の余地や隠れたリスクの予測に役立っています。

ホワイトハウスのAIに関するレポート

二〇一六年にアメリカのホワイトハウスが出した〝Artificial Intelligence, Automation, and the Economy〟というレポートには、次の三点に関する記述があります。

一つ目は、ＡＩの潜在的メリットを得るための投資。ＡＩに対する積極的な投資をすすめています。

二つ目は、将来の仕事に対する教育とトレーニング。今後はＡＩに仕事がシフトしていくので、それに対応できる教育とトレーニングが必要である。

三つ目は、労働者が変化に対応することを補助。ＡＩに対応できずこぼれ落ちる人に対しては、あらかじめセーフティネットをつくっておく。

Partnership on AI

二〇一六年九月、アマゾン、ディープマインド（グーグル子会社）、フェイスブック、ＩＢＭ、マイクロソフトの五社を立ち上げメンバーとした非営利団体Partnership on AIの設立が発表されました。ＡＩに関する一般の理解を深め、この分野における課題や機会についてベストプラクティスを策定するというのが設立の趣旨です。

現在は、企業、非営利団体含めた80社以上がパートナーとして参画しています。

【質疑応答】

Q1　中堅企業の経営者だが、Watsonを導入するとなると具体的に費用はどれくらいかかるのか。

吉崎　スタートアップや中堅企業向けのパッケージとしては、三カ月のＷａｔｓｏｎ ＡＰＩ利用にテクニカルサポートが付いた九八万円（二〇一七年一一月時点）のものがあります。こちらはスターターパッケージですが、ＡＩコンサルティングのサービスや、業務に特化したＡＩソリューションのパッケージはこれからも増やしていきます。

Q2　現在のAIは、過去の人間のアナログデータを吸い上げ、それを学習して意思決定をしている。そうするとこの先はどうなるのか。人間ではなくAIのデータをベースにした別のAIが最善の意思決定を下すというように、AIだけで世界がつくられていく気がするが、本当のところはどうなのか。

吉崎　現時点ではＡＩには自我の意識がないので、自ら目的をセットすることができません。主導権をもつのはＡＩでなく人間です。

次の世代になると、アバターが誕生し、人間と対等に会話をするようになると思います。もちろん、アバターどうしの会話も可能になるはずです。ただし、そうなったとしてもそこに自我の意識は存在しないので、主体が人間であることに変わりはないといえます。私個人の意見ですが、コンピュータだけでなく人間自体も進化していくので、人間が追いやられてAIが世界をつくっていくようなことはないと信じています。

Q3 Watsonを導入する際、顧客側には具体的にどんな準備が必要なのか。また、データの入力はどうするのか。

吉崎　まず必要なのはパソコン、それからクラウドにアクセスできるインターネット環境です。APIはIBM側に置いてあり、お客様はそれを呼び出して使います。データはお客様がもっているものを、パソコンあるいはモバイル経由で当社に提供していただきます。手書きの非構造化データの場合は、OCRを利用するという手もありますが、完璧を期すとなるとやはり再入力が必要になります。ただし、自然言語で入力してもらっただけでは使えないので、当社で「ナレッジスタジオ」というツール等を使って、入力後のデータを整理してカテゴリー分けから始めます。

なお、データの入力作業は基本的にお客様に行っていただきますが、依頼があれば当社が請け負うこともやぶさかではありません。

Q4　司法書士事務所を経営していて、約一五〇人のコールセンターで、年間三〇万人の無料相談を受けている。これをWatsonを使って完全に無人化する場合、どれくらいのデータ量が必要なのか。

吉崎　質問に対し紐付けられた回答候補のことを「グラウンドトゥルース」といいます。無人化できるかどうかは、この精度をどれだけ上げられるかにかかっているといっていいでしょう。

Ｗａｔｓｏｎの学習曲線をみると、最初は約六割の精度です。データを増やしていくとこれがいったん七割台まで上がりますが、さらにデータが増えるとまた下がります。そして、最終的に九割を超えれば、無人化は可能です。人間であってもミスをしますので、一〇割にならないと使えないということはないと考えています。

では、九割を超える精度をたたき出すにはどれくらいのデータ量が必要かというと、これは一概にはいえません。なぜなら、量だけではなくメトリクスのほうが重要な意味をもつからです。

二〇一七年一一月二五日「ＡＴＡＭＩせかいえ」にて収録

第三章

トヨタのAI戦略

岡島博司

PROFILE

岡島博司

Hiroshi Okajima

トヨタ自動車株式会社 先進技術統括部 主査 担当部長
前TOYOTA RESEARCH INSTITUTE Chief Liaison Officer
1965年生まれ。1991年、名古屋工業大学大学院工学系研究科物質工学専攻博士前期課程修了、トヨタ自動車入社。材料技術部でHVモータ用磁性材料の開発、技術統括部で先端研究の戦略・マネジメントなどを担当。「次世代エネルギー・社会システム実証」の企画、豊田市低炭素社会システム実証の全体取りまとめを行う。近年はAI研究戦略を策定、2016年1月、TOYOTA RESEARCH INSTITUTEを設立。

図1

ビッグデータとは?

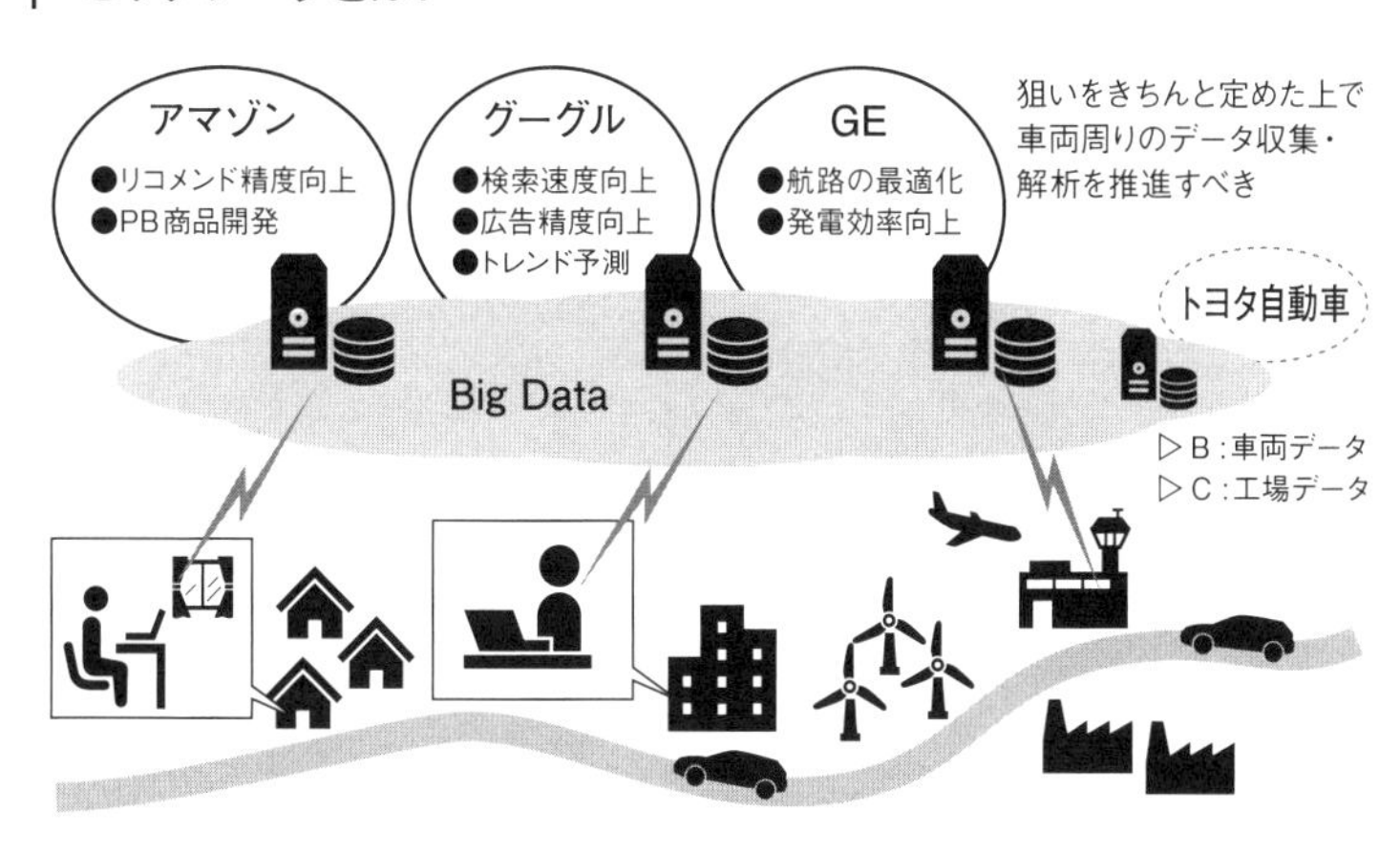

©トヨタ自動車

ビッグデータとAIに対する正しい認識とは

自動運転の話に入る前に、ビッグデータとAIについて簡単に確認をしておきます。

まず、ビッグデータについてです。とにかくデータをたくさん集めれば、それがビッグデータとして価値をもつと思っている人が意外に多いですが、それは誤りです(図1)。

データというのは、やみくもに集めても役に立ちません。「自分たちはこういうサービスを行いたい」「この部分を効率化したい」など、目的をまず明確にし、そこに狙いを定めることが重要なのです。

図2

AIとは?

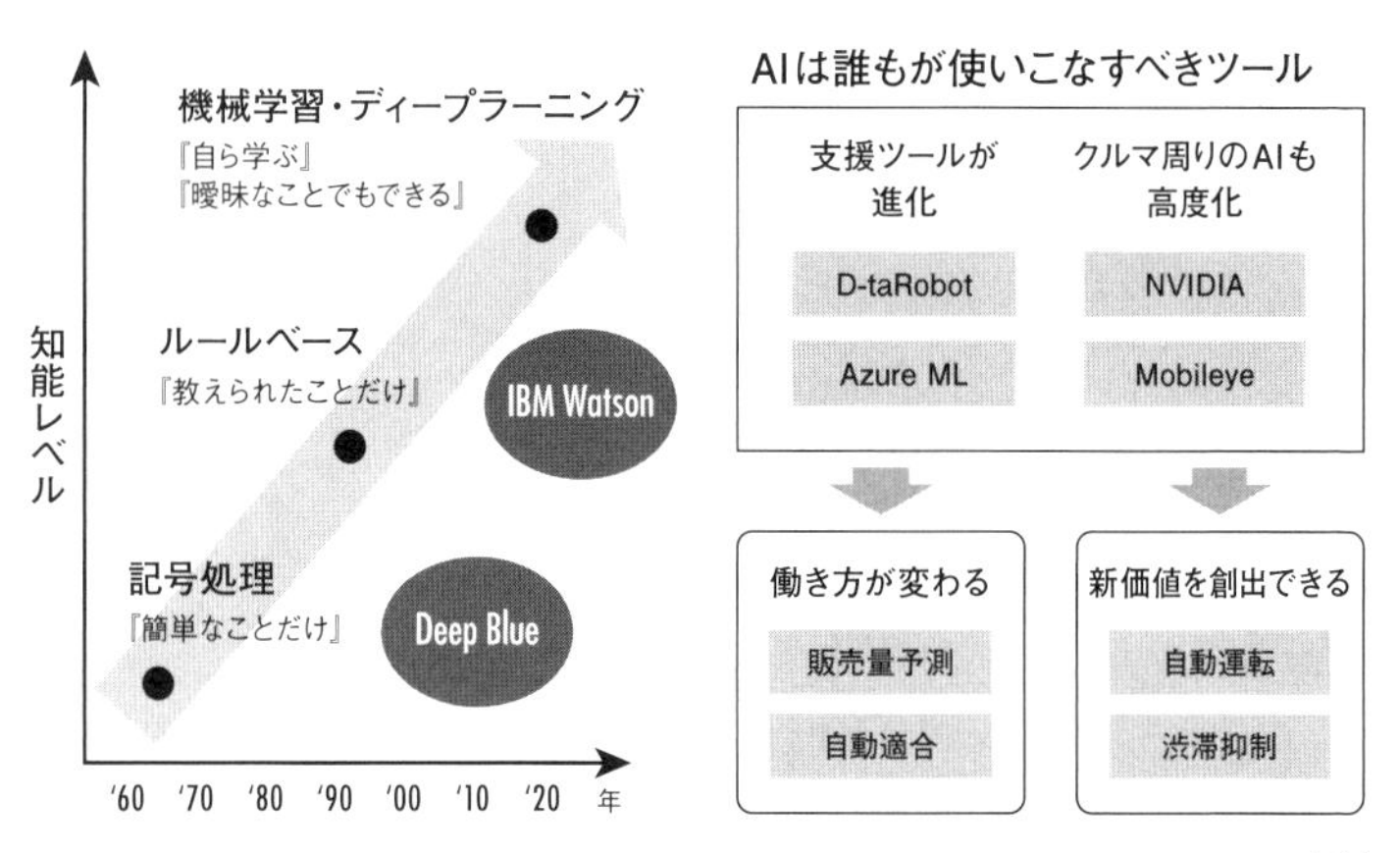

©トヨタ自動車

当社においても、ＩｏＴでデータがどんどん集まってきていますが、やはりきちんと狙いを定め、その上で車両周りのデータ収集・解析を推進することを常に確認しています。

次に、ＡＩ。これはもう、誰もが使いこなすべきツールになっているといっていいでしょう（図2）。グーグルもアマゾンもマイクロソフトも、ツールとしてのＡＩを提供しているので、そういったものを目的に合わせて使えばよく、コンサルテーションが必要だというのであれば、ＩＢＭのようなコンサルティングも行っている会社にお願いすればいいのです。

そういうものを利用すれば働き方も変わり、新しい価値を創出することもできます。

図3

グーグルのビジネスモデル

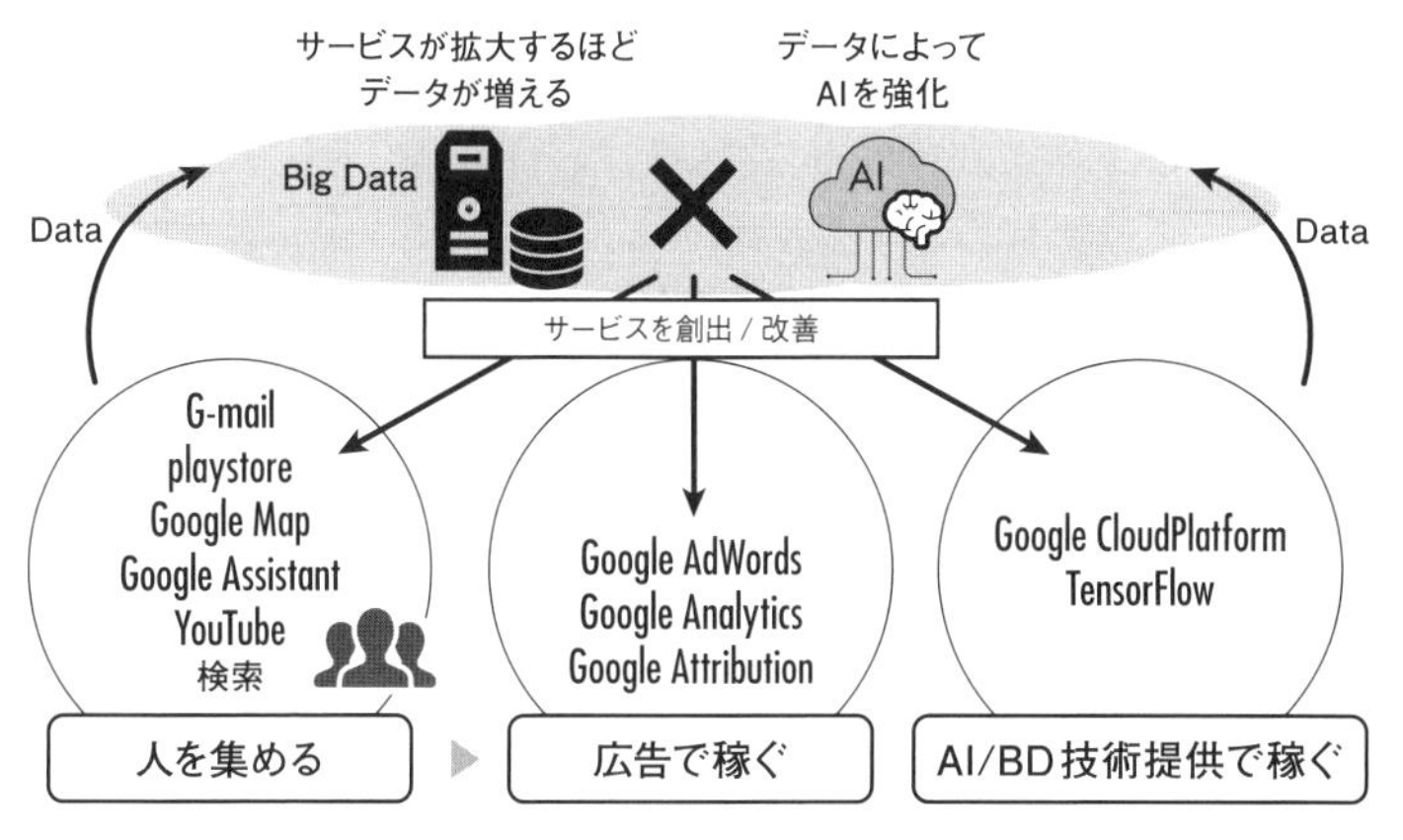

©トヨタ自動車

グーグルとGEのAIへの取り組み

グーグルは、コンシューマー向けにいろいろなサービスを提供し、広告で収益を上げるというビジネスモデルです（図3）。サービスの利用者のデータを吸い上げ、それをAIで処理して、利用者にリコメンドのようなかたちで再び提供します。そのためデータが増えれば増えるほど、サービスの快適度が増す仕組みになっているのです。

また、グーグルは自社のAIモジュールを広く公開し、研究者などに提供していま す。そのデータを回収することで、AIの精度がどんどん上がるエコシステムを確立しています。

図4

GEのビジネスモデル

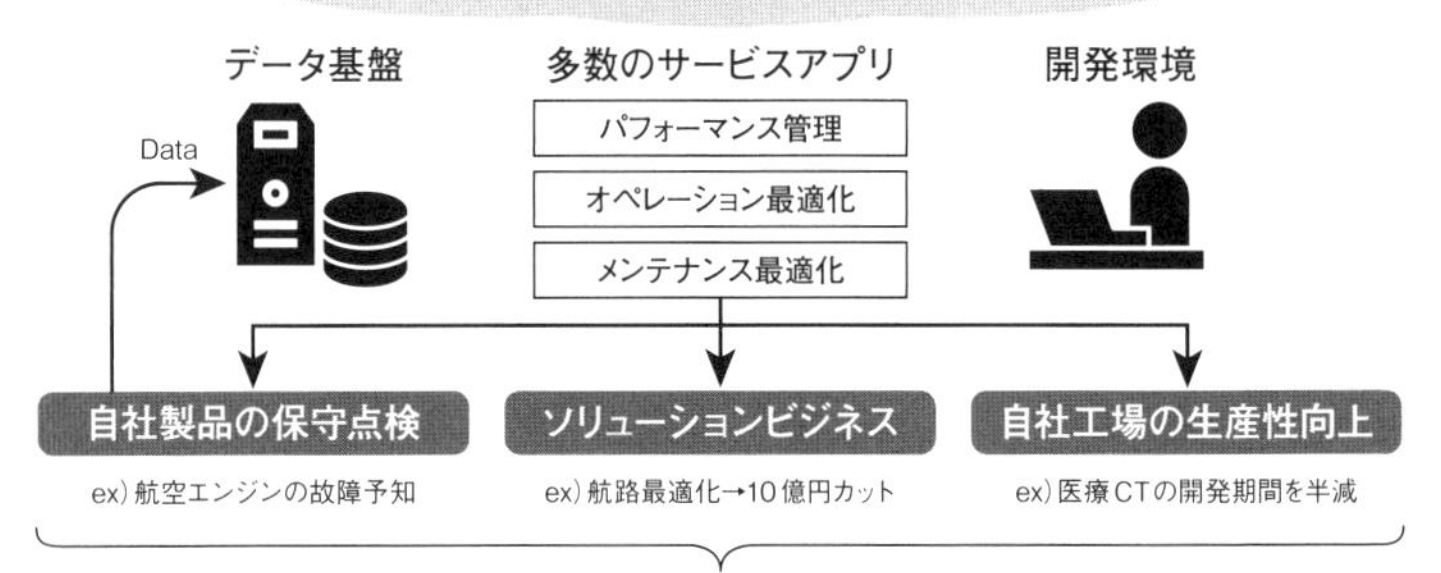

©トヨタ自動車

一方、GE（ゼネラル・エレクトリック）は元々ものづくりの会社ですが、近年は金融やソリューションビジネスにも力を入れています。

たとえば、航空機のエンジンをつくって売るだけでなく、販売後の保守点検も同時に請け負うのです。そうすることで、エンジンのデータも手に入れることができます。東京からニューヨークまでの一回のフライトで、ハードディスクが満タンになるくらいのデータが取れるといいますが、そのデータをAIで分析すると、どの部品がいつ故障するかも正確に予測できるようになります。そうすると、故障する前にメンテナンスができ、部品交換も最適のタイミングで行うことができるので、大幅なコストカットが可能になるのです。

また、ソリューションビジネスの一環として、「今日の風向きから判断して、飛行ルートを北寄りにすると燃費がこれだけよくなる」といった航路最適化サービスも行っていて、燃料代が年間一〇億円安くなった航空会社もあると聞いています。

日本において、GEは医療CTを販売していますが、単なる販売だけでなく、製造工場で収集できるデータを分析する基盤となっている「Predix」というIoTプラットフォームも提供しています。この「Predix」により二〇一六年のソフトウェア関連事業売上は五〇億ドルまで成長し、二〇二〇年には一五〇億ドルを狙うとされています（前ページ図4）。

トヨタの究極の目的は「交通事故死傷者ゼロ」

私たちは現在、自動運転技術に取り組んでいます。何のために行っているか。答えは「安全」です。ただし、単に「車の機能がよくなれば安全になる」ということではありません。

街路灯を設置したり、横断歩道をつくったりといった交通環境の整備も大事で、人に対する安全教育啓蒙活動も必要です。

また、事故に関しても、「原因は何で、車はどういった壊れ方をしたのか」という調査・解析をし、コンピュータを使ってシミュレーションを行い、その結果を踏まえて開発・評価を行うというフィードバックを回すことが重要となります。

私たちが目指すのは、「すべての運転シーンで最適な安全支援をする」ことです。「駐車場でぶつかるのを避けるために事故を起こしてしまった場合、どうするのか」というところまでを「一気通貫で支援したい」と考えています。

たとえば、ブレーキとアクセルのペダルの踏み間違い対策は、そのひとつです。超音波ソナーを使って、「車が障害物に近づくとブザーが鳴る」というのが従来のやり方でした。ところが、これだと最近増加している、高齢者の方がブレーキとアクセルの操作ミスをしてコンビニエンスストアに突っ込むといったような事故に対応できません。そこで、ブザーではなく車を止めてしまうPCS（プリクラッシュセーフティシステム）を開発し、すでに実用化しています。

予防安全対策の仕組みには、これ以外にもLDA（レーンディパーチャーアラート）、AHB（オートマチックハイビーム）、RCC（レーダークルーズコントロール）があります。

また、日本でもアメリカでも衝突安全基準が示されていて、これをクリアするのは当然のことですが、基準がしばしば変わるので、結局、技術開発に終わりがないのです。

ひとつ例を挙げると、以前アメリカでは、車が正面衝突をしたいわゆる「フルラップ」時に、乗員がどれくらいダメージを受けるかで評価が決まっていました。ところが、実際は、ドライバーは事故を避けようととっさにハンドルを切るということがわかってきた。そこで、「ハーフラップ」という基準が加わりました。さらに、車どうしがすれすれでかすった場合が評価の対象になると、当社としてはそこまで考慮していなかったため、それまで評価で星五つをいただい

図5

究極の願い「交通事故死傷者ゼロ」に向けて

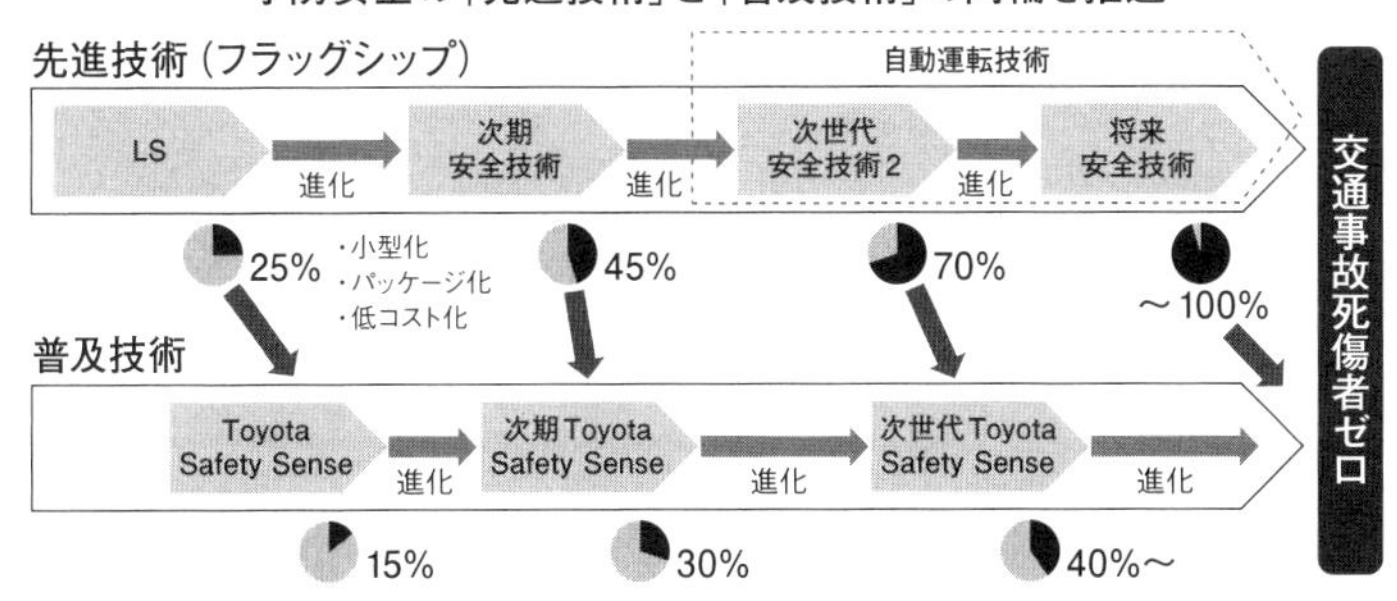

〈グラフの見方〉 ■ システムがカバーしている＝事故低減効果
（このケースでは普及時40%の事故を削減）
システムがカバーしていない交通死亡事故
※2014年事故統計をベースに試算

©トヨタ自動車

ていたのが、いきなり星一つになってしまったこともあります。

だから、常に自らが高い基準を設定して、それをクリアすることを行っていかなければならないのです。そのため、現在はエアバッグが開いたときの衝撃をIoTで感知し、その程度によってドクターヘリを瞬時に呼ぶといったようなシステムを開発しています。

私たちの願いは、「交通事故死傷者ゼロ」の社会を実現することです。そのために、まずは先進技術（フラッグシップ）、続いて普及技術の順番で開発を進め、死亡事故を段階的に減らし、最終的にゼロにしたいと考えています（図5）。

自動運転技術の一番の目的は、なんといっても安全です。しかし、それだけではありません。「すべての人が自由に移動できるようにする」ということと、「渋滞のない環境をつくる」ということも、二番目、三番目の目標にしています。

「自由な移動」と聞いてすぐに思い浮かぶのは高齢者です。昨今、高齢ドライバーによる事故が社会問題化しており、高齢者は自動車免許証を早期に返納すべきという圧力も、昔に比べ強くなっているように思えます。一方、車以外の移動手段をもっていない高齢者が、そうやって車を取り上げられると、途端に家から出なくなります。すると、人に会わず会話も少なくなるため、認知症を発症しやすくなると私たちは考えています。そこで、当社では大学の先生と一緒に、「高齢者の方が車を積極的に使うにはどうすればいいか」という研究も、現在進めています。

自動運転の五つのレベル

ひと口に「自動運転」といっても、いろいろな考え方があります。私たちはあくまで、オーナードライバーがハンドルを握ることを前提としていて、完全な無人運転は今のところ想定していません。遅くまで仕事をしていて睡眠不足のときや、ゴルフ帰りで疲れているときなどに、車が自動で運転してくれるというように、人と車がインタラクションしながら助け合ったり、車に見守ってもらったりできるような関係を築いていきたいと考えています。

自動運転技術開発のアプローチレベルは、自動化の進み具合に応じて五段階に分かれていま

図6

自動運転技術開発のアプローチ

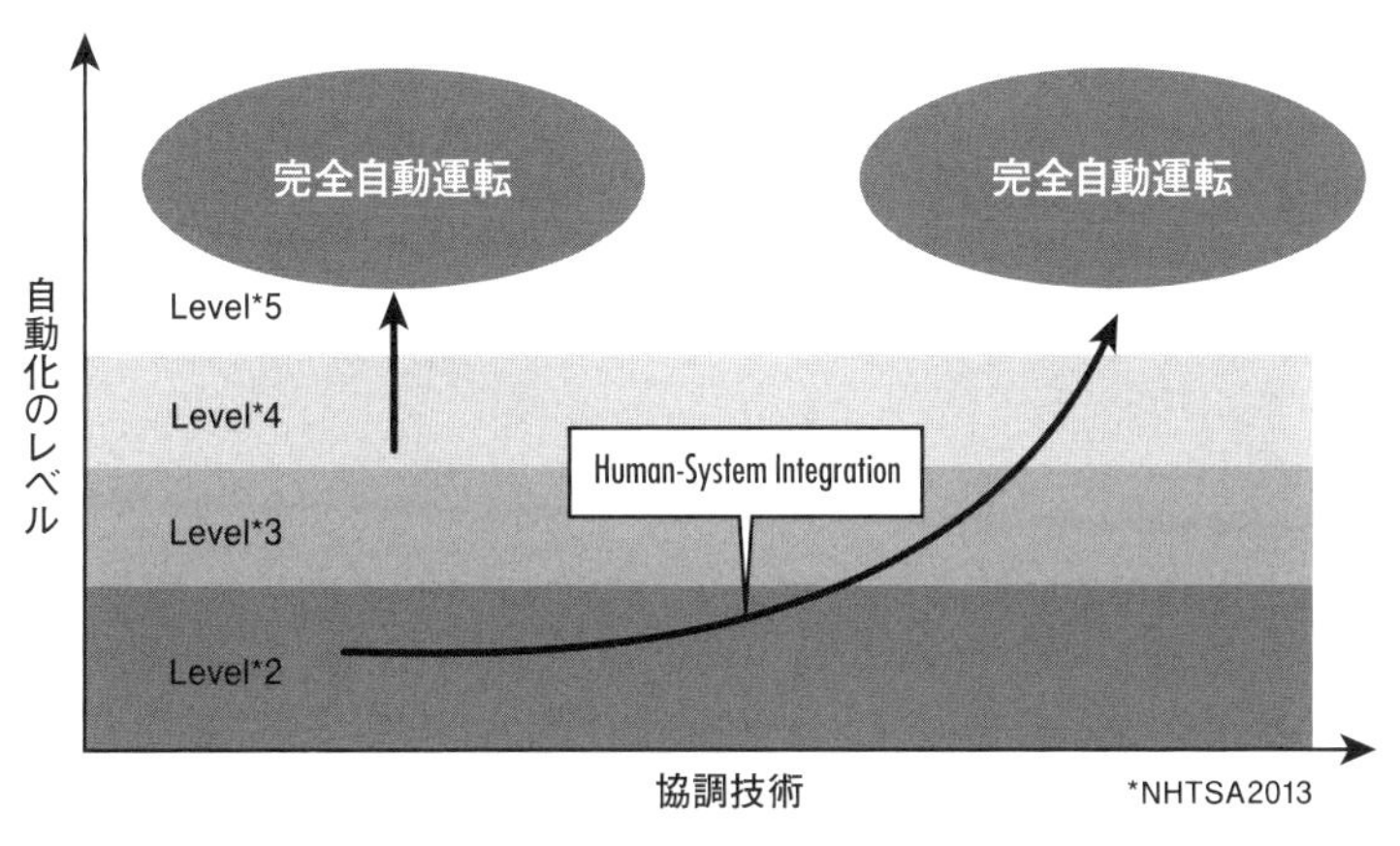

す（図6）。

レベル2というのは、まだドライバーに主権がある状態で、機械はあくまでアシストでしかありません。機械（車）は自動で走りますが、運転中ドライバーはハンドルを握っていなければならず、三〇秒以上ハンドルから手を放すとシステムが停止してしまう。これがレベル2です。

レベル3になると、今度は機械が運転を主導するようになり、運転中ドライバーがハンドルから手を放すことも可能です。しかし、この段階だとまだカメラやレーダーに限界があるので、車が霧に包まれたり、突然の豪雨に見舞われたりした場合は、運転の主権は人間に移ります。ただ、高速道路を自動運転モードで走行していると、相当な確率で人間は睡魔に襲われます。そのため、ドライバーが寝ていないかモニタリングしたり、寝ないように働きかけたりする機能も必要になってきます。このように、「寝たいけども寝られない」レベル3はいちばん難しいのです。

レベル4は、高速道路を隊列を組んで走るトラックや、過疎地の高齢者が運転する時速三〇キロまでしかスピードが出ない車、そういった限定条件下での自動運転です。

最高位のレベル5では、完全自動運転となります。とはいえ、環境認識技術、自動ブレーキ技術、歩行者を認知する技術など、一つひとつの技術はどんどん進んでいるものの、完全自動運転までには、やはりまだいくつも壁があるといわざるを得ません。

自動運転を支える三つの「知能化」

自動運転技術を支えるには、次の三つの知能化が必要です。

1.「運転」知能化

運転知能により、車が知識を取得・蓄積し、安全な経路を計画します。

これは積み上げシナリオベースで七〇〜八〇%までカバーできます。しかし、なかなか一〇〇%には届きません。たとえば道路の路肩の形状。これは日本国内でも一定ではなく、さらに欧米や中国など海外も含めると、かなり多くのパターンがあります。これらに車を対応させるには、

ＡＩにさまざまな画像データをどんどん覚えさせ、さらに機械学習や深層学習によって認識の精度を上げていかなければならないのです。

2.「つながる」知能化

霧で視界が五〇メートルしかない場合も、前走車から情報をもらえれば、前方に障害物が存在するといったようなことがわかります。あるいは、見通しの悪い交差点でも、対向車と会話ができれば前もって危険を回避することができる。これがつながる知能化です（次ページ図7）。

ただ、これを行うには「大量のデータをどのようにやり取りするか」という問題をクリアしなければなりません。日本だけでも何千万台もの車が走行しています。これらのデータをたった一台のクラウドコンピュータで処理できるかといえば、おそらく無理でしょう。

そうするとフォグコンピューティング（ネットワーク環境の中で、データがクラウドに行く前、端末に近い場所でのミドルウェアによる分散処理環境）で行うか、あるいは交差点ごとに分散処理をする仕組みをつくるとか、実現のための方法を考えていく必要があります。

3.「人と車の協調」のための知能化

先ほど、運転自動化のレベル3だと、ドライバーの状況をコンピュータがモニタリングするという話をしました。その一環として当社でも、「運転中の睡眠覚醒度の検知の研究」というのを

図7

「つながる」知能化

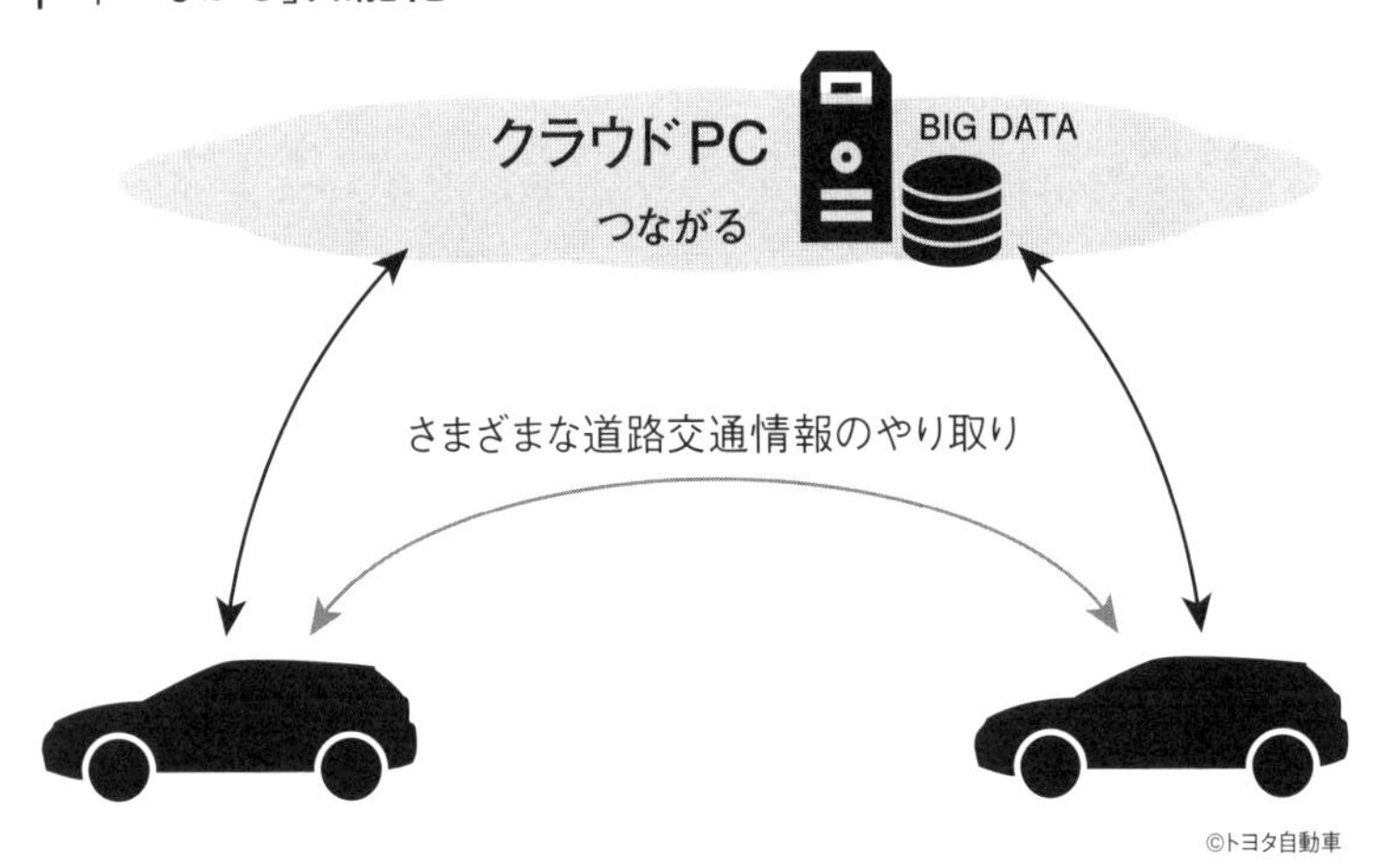

ずっと行っています。いちばん簡単なのは、ドライバーの表情から判断するという手法です。

ドライバーの覚醒度の六段階で、三段階になると瞼(まぶた)が閉じてくるので、こうなると窓を開けてもガムを噛んでも、三分でまたすぐ眠くなってしまいます。そのため、二、三段階で検知をしてドライバーに知らせることが重要なのです。ところが、二、三段階だとドライバー本人には「眠い」という自覚がありません。それなのに、機械に「あなた、眠くなっていますね」と言われると、多くの人は「余計なお世話だ」と感じるでしょう。そのため、ドライバーに対する働きかけが難しいのです。

ひとつのやり方としては、コレクト技術を使ってコールセンターの女性が呼びかける。機械の音声ではないので、ドライバーはハッとして目が覚め、コールセンターとの会話を楽しむこともできます。これも、最終的にはコールセンターからの呼びかけは「人のようで実はAIだった」というのが理想だと思っています。

自動運転が抱えるのは技術的問題だけではない

自動運転車の開発においては、比較的シンプルな道路環境である自動車専用道と、複雑な道路環境である一般道という二つの実環境を想定しています。

自動車専用道路の自動運転は、ETCゲートを通過後にオンになります。そうすると、インターチェンジから高速道路本線への合流も、流れに応じて車が自動的に加速や減速を行うので、人間がペダルを踏んでそれらを行うよりはるかに安全です。

本線を走行中は、前車との車間距離を一定に保ち、レーンチェンジや追い越し、さらにジャンクションへの分流なども車が判断して自動的に行います。

ただ、まだ解決しなければならない問題もいくつかあります。たとえば制限速度です。制限速度が時速六〇キロの道路に合流する場合、合流するほうも時速六〇キロしか出せないというのは、現実的ではありません。しかしながら六〇キロ以上出してしまうと、誰が責任をとるのか、今のところはっきりしていないのです。

自動ブレーキも、ドライバーが操作しなくても「車が勝手に止まってくれる」ということになると、事故が起こった場合、やはり「責任の所在はどこにあるのか」という問題が発生します。

このように、新しい技術を普及させるためには、技術だけでなく、法制度も整備しなければならないのです。

当社の東富士研究所には、車が丸ごと一台入るドーム型のシミュレーターがあります。通常のドライビングシミュレーターと違い、車の周囲三六〇度の映像が映るのです。さらに、ドームを傾けたり、車が載っている前後四〇メートル、左右二五メートルのレールを動かしたりすることで、実際の走行と同じ加速をドライバーが感じることができるようになっています。こういうものを使い、「人と車とのインタラクションをどうすべきか」といった研究を行っているのです。

トヨタが推進するAI戦略

当社はＡＩ開発の拠点として、二〇一六年一月、米シリコンバレーとボストンに「TOYOTA Research Institute, Inc.」を設立しました。

グーグル、アップル、Ｕｂｅｒといった I Tプレーヤーの参入により、自動車産業を取り巻く環境は大きく変わりつつあります。同時にビジネスの形態も、自動車単体の販売から、サービスやプラットフォームに移ってきました。

図8

新たなビジョン

AI技術を、将来の製品、サービスの開発基盤として活用
●ものづくり企業　⇒　ハード×ソフト × ビッグデータ
新たな創業も視野に

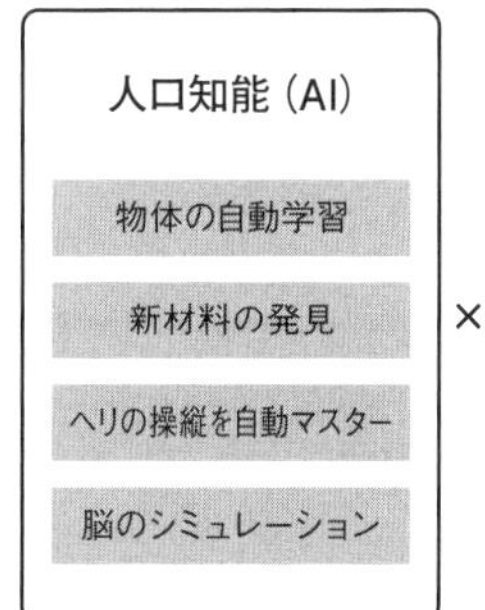

人口知能（AI）
物体の自動学習
新材料の発見
ヘリの操縦を自動マスター
脳のシミュレーション

×

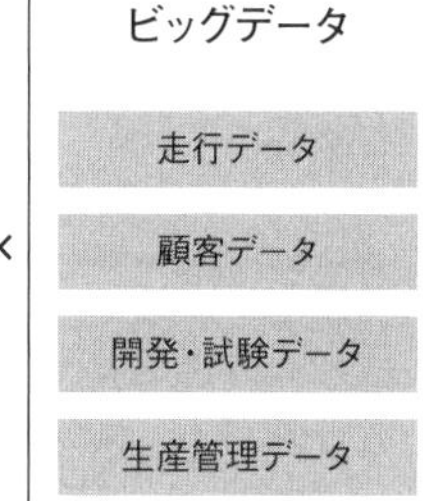

＝

©トヨタ自動車

こういった流れの中で、私たち自身も、将来の製品、サービスを開発する基盤としてＡＩ技術の活用は不可欠です。さらに、当社自身がサービスプロバイダになるためには、やはりビッグデータとＡＩ技術がなくてはなりません（図8）。アメリカに研究所を立ち上げたのは、そういった理由があるのです。

自動車業界におけるＩＴ技術の活用度と技術レベルをグラフにしてみると、現在は新規参入してきたＩＴ企業のほうが圧倒的に進んでいるといわざるを得ません。しかし、当社は、今後はTOYOTA Research Institute, Inc. にＩＴ人材を集め、さらに、ここを核に日米トップ大学と連携した研究や、ＡＩ関連ベンチャー企業との技術協力などを進め、五年で世界トップの技術レベルに

図9

研究体制の全体像

TRIを核に、外部機関と積極提携
●日米トップ大学と研究連携
●AI関連企業（含ベンチャー）と技術協力

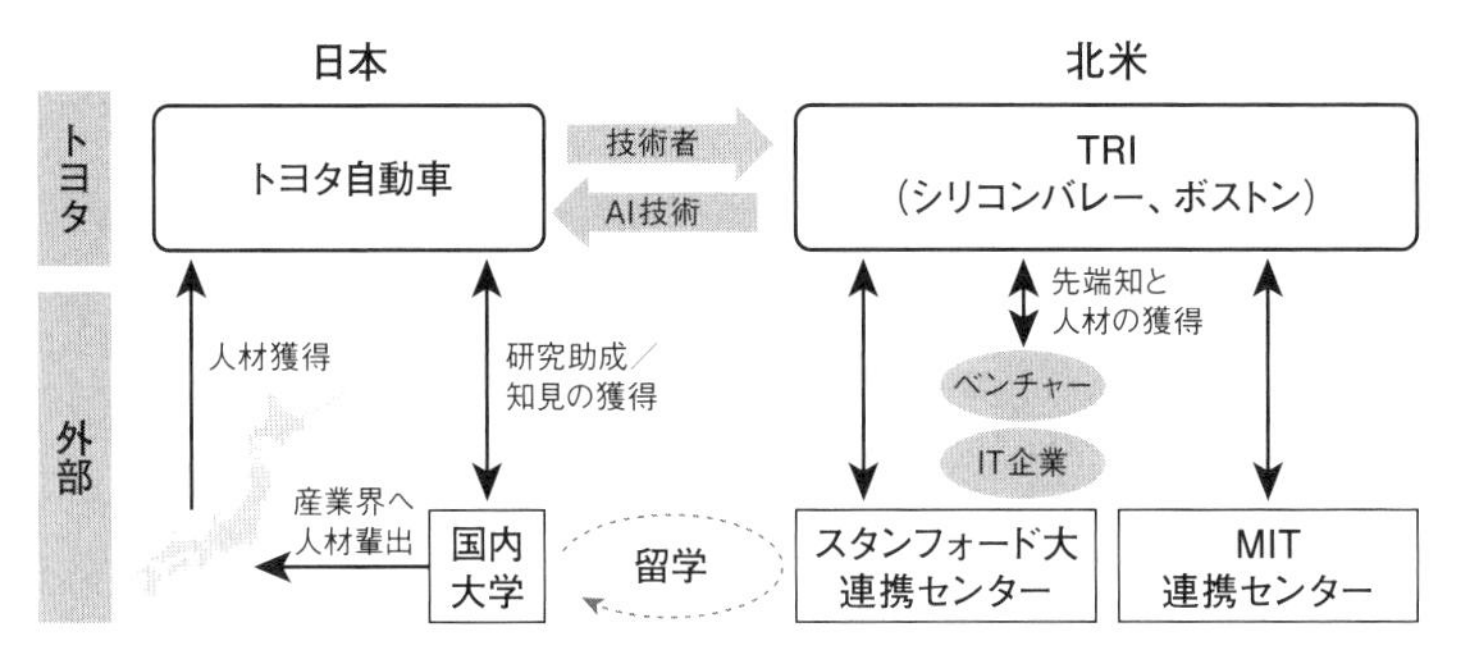

©トヨタ自動車

到達することを目指しています（図9）。

また、マネジメントの仕組みも大きく変え、現地のCEOに強力な権限を与え、これまでのようなマイクロマネジメントを排して、現場の自主性と自発性を重視し、柔軟な雇用形態も取り入れていきます（図10）。

さらに、従来の垂直統合と自前主義から、他社を含めた有機結合と共創に大きく舵を切り、外部の知見を結集して、新しいアーキテクチャを設計していきます（図11）。

最後に、自動運転にとってとくに重要なAIの音声技術のケーススタディとして、トヨタでは「KIROBO mini」というコミュニケーションロボットを開発しました。これは、最初の段階では三歳児程度の知能しかなく、対話によって言葉や会話を学習していく仕組みになっています。

図10

ビジョン実現のための戦略①

異なる業界との競争に勝てる体制を構築

- 有力人材との強く幅広いネットワークを活用
- これまでと異なるマネジメントの仕組み
  - ・CEOに強力な権限を付与
  - ・自主性／自発性を重視　⇔　マイクロマネジメントを排する
  - ・柔軟な雇用形態

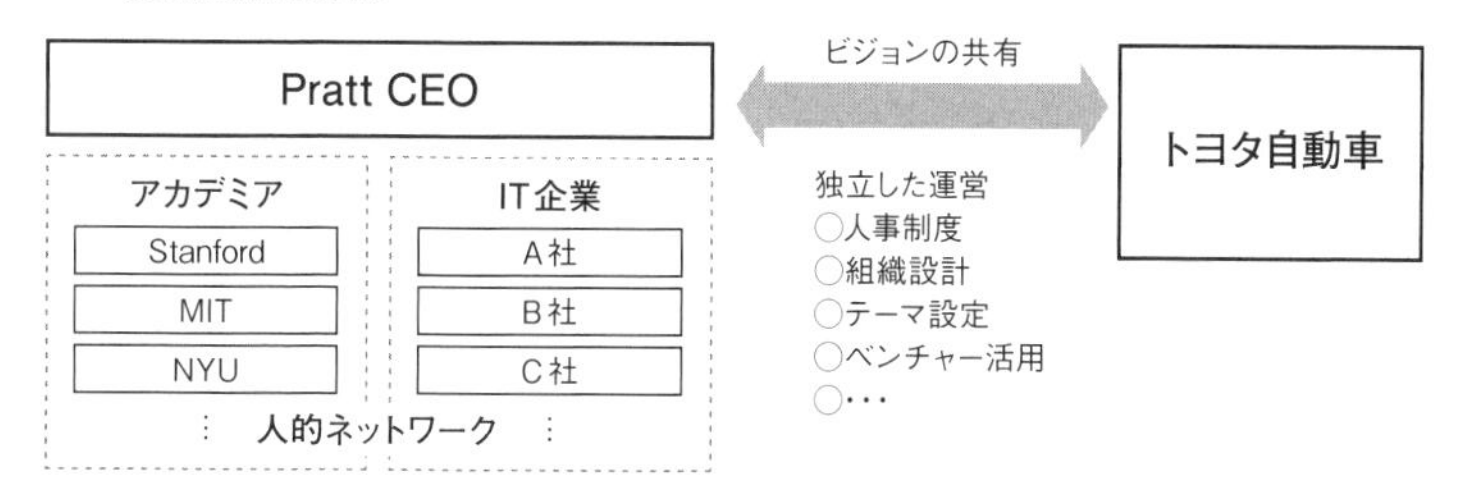

©トヨタ自動車

図11

ビジョン実現のための戦略②

外部連携によるオープンイノベーションを重視　⇒　脱自前主義

- 自分たちの不得意な領域をカバー
- 知見を結集して、新しいアーキテクチャを設計

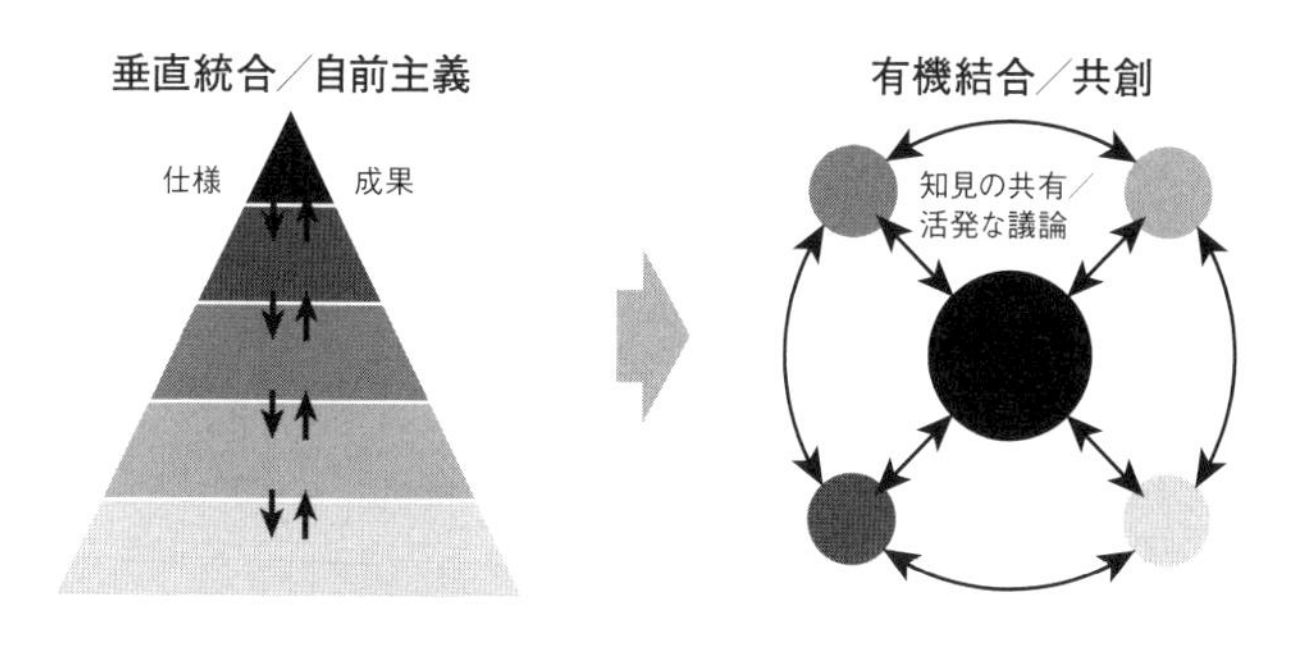

©トヨタ自動車

【質疑応答】

Q1　センシングが進んでくると、アラームや音声での指示などが増えて、かえって運転が煩わしくならないか。

岡島　それはたいへん重要な研究課題です。とくにドライバーが高齢者になればなるほど処理能力が落ちてくるので、あちこちに情報提示をすると、肝心の運転が疎かになりかねません。

やはり重要なのは、「ドライバーがどこまで能力をもっているか」をコンピュータが学習し、それに応じて適切なサポートをしていくことでしょう。「誰が運転していても同じように止まる」というのは最後の手段であって、その前の段階までは、人によってサポートの仕方が変わってくるようになると思います。

Q2　未来のシニア向けの車というのは、ハンドルもアクセルもブレーキもなく、運転中は寝ているだけで、目的地に着いたら起こしてくれるようなものになるのか。

岡島　そういう無人タクシーのような方向性は、たしかにあると思います。一方で、お年寄りの方と話をすると、元気なのは意外にもマニュアル車でパワステも付いていない軽トラックに乗って、毎日農作業に行っているような人たちなのです。「いろいろな安全デバイスを搭載して自動化してしまうのが、人間にとって本当に幸せなのか」ということに関しては、もっと考える必要があると思っています。

Q3　準天頂衛星などを使ってカーナビゲーションの精度を上げても、雪が降っていたり、木が茂っている下を通行したりする場合は電波が届かないことがある。この問題はどのように解決するのか。

岡島　精密な地図情報に基づいて運転するというのは、過渡期の技術だと考えています。なぜなら地図では通れることになっていても、実際は、路肩に雪が積もっているとか、工事中とかさまざまな理由で通行不能だったり、危険だったりすることもあるからです。そのため、実際の道路状況に対応できるようにすることを、究極のゴールにしています。

Q4　横断歩道の前で車を止めるドライバーはそう多くないが、自動運転ではどのように設定するのか。

岡島　日本の道路交通法では、「横断歩道を渡ろうとしている人がいるときは車は停車しなければいけない」と定められているため、自動運転でもそのルールはもちろん守ります。問題は、横断歩道の近くに立っている人が、道路を渡ろうとしているのかどうか。これは画像認識の精度を上げるだけではうまくいきません。人はこれを経験に基づいて判断しているのです。だから、自動運転の場合は、歩行者の意図推定ができる能力をＡＩにもたせる必要があります。

Q5　車がクラウドとつながると、悪意のある人がシステムに入り込む可能性も否定できない。そのあたりの対策も考えているのか。

岡島　実際に、ハッカーによって車が乗っ取られ、ドアをロックされたり勝手にエンジンを始動されたりといったデモンストレーションはすでに行われています。そういうことができてしまうので、自動運転においてはサイバーセキュリティ対策も、重要な課題であることは間違いありません。

トヨタの場合、通信でつながるのはナビなどのエンターテインメント部分であって、車を制御する部分にはファイアウォールを設けていますが、今後はこれをもっと強固にしていく予定です。

Q6　自動運転および電気自動車の技術開発に関しては、日本と欧米ではどれくらい差があるのか。

岡島　自動運転技術に関しては、ほとんど差はないのではないでしょうか。電気自動車も、モーターインバーターや電池の技術で、どこかが突出しているわけではありません。当社においては、そういった技術を外部から買ってくるのではなく、あくまで自分のところで開発するという方針で行っています。それゆえ、最後は航続距離、安全性、コストなどで差をつけられると考えています。

ただ、欧米のメーカーが早い段階で市場にどんどん投入していくのに対し、当社は、石橋を叩きに叩いてようやく表に出すため、どうしてもスピード感の点で後れをとってしまう。それが残念なところです。

Q7　グーグルは明らかに、吸い上げた運転情報を使ってビジネスをしようと考えていると思われる。トヨタはどうなのか。

岡島　グーグルが自動運転に参入した動機は、シリコンバレー界隈の朝晩の渋滞です。自動運転なら渋滞中もスマートフォンに触れるのでページビューが増えて広告収入も増えるというわけです。ただ、今は分社化して自動運転部門も独立採算が求められるようになったため、自動運転タクシーといった方向にシフトしているようです。

当社は、彼らのように広告で稼ぐのではなく、お客様が望むサービスを提供し、さらに、それにより人々の行動も変えて、この世の中をもっと快適にすることを目指しています。

Q8　ＡＩの出現で車の定義も変わりつつある。そうなると貴社も、車をつくって売る会社から変化していくのか。

岡島　たしかに、単なるものづくり企業のままでいたら、この先はＩＴ企業の下請けで終わってしまいかねません。そのため、私たちもソフトウェアやビッグデータを扱えるようにならなければいけないですし、そうすることでお客様に新しい価値やサービスを提供できる企業にならなければならないと考えています。

（二〇一七年一一月二五日「熱海せかいえ」にて収録）

第四章

DMMが考える
AIへの
向き合い方

亀山敬司

PROFILE

亀山敬司

Keishi Kameyama

合同会社DMM.com 会長
19歳の時、露天商で手作りアクセサリーを路上で販売。その後、24歳のときに石川に帰郷。雀荘、カフェバーなどの経営を経て、1980年代後半レンタルビデオ店を開業。1990年代にDVDの卸売業を通さない販売ルートをつくり事業を拡大。1998年、他社に先駆けてネット配信事業を開始した。現在は、オンラインゲーム、オンライン英会話、3Dプリント、外国為替証拠金取引(FX)、株式取引、仮想通貨取引、太陽光発電、欧州プロサッカーチーム、音楽レーベル、アニメ制作、アフリカ(投資および貿易)、水族館など40以上にわたる事業を展開。直近では、学歴や年齢に関係なく誰でも無償で学べるエンジニアの養成スクール「42 Tokyo」を開校、均等な教育機会の提供という面からも注目されている。

メディアに顔を出さない理由

――（聞き手：ビジネス・ブレークスルー執行役員　政元竜彦）次々と新規事業を生み出すディーエムエム・ドット・コムは、「ネット界のコングロマリット」とも呼ばれ、非上場ながらその企業価値は四〇〇〇億円を超えているといわれています。メルカリと並ぶ日本のユニコーン企業といってもいいでしょう。現在の売上はどれくらいですか。

亀山　二二〇〇億円くらいです。

――従業員は何人ですか。

亀山　ここ数年の間、買収が続いたので正確にわからないのですが、おそらく四〇〇〇人くらいだと思います。東京のほかに石川と北海道と沖縄、あとは海外で働いている社員がいます。

――亀山さんはメディアに絶対顔を出さないそうですね。何か理由があるのですか。

亀山　顔が売れると外でじろじろみられて大変ですよね（笑）。それに、海外で誘拐されるリスクも高まる。僕はひとり旅が好きで、海外にもよく行くんですよ。単に、楽に生きたいなぁというのが一番の理由です。

起業の原点となった露天商の経験

――最初に、亀山さんご自身のことについていくつか質問させてください。ご出身は石川県の加賀市。そこではどのような子ども時代を過ごされたのですか。

亀山　実家がうどん屋や喫茶店など飲食の商売をしていたので、勉強よりも店の手伝いをしている時間のほうが多かったですね。土日はうどんやソフトクリームをつくったりしました。夏休みは海の家に泊まり込みで仕事です。子どもが呼び込みをすると、お客さんも「あ、かわいい」と思って店に入ってくれるので、父が僕にその役目をさせるのです。僕自身も子ども心に、店が繁盛して儲かるのがうれしかったですね。残念ながら小遣いは増えませんでしたが（笑）。

その後、父はキャバレーも経営し始めて、そこで働くちょっとワケありのお姉さんたちも、僕の家に住むようになりました。食事も一緒にとり、温泉旅行にもみんなで行った記憶があります。いつも僕のことを「けいしくん」と呼んでかわいがってくれました。そんな歓楽街のサザエさんのような温かい家でした。

――地元の県立高校を卒業した後、簿記の専門学校に進んだそうですね。

亀山　大学を一〇校くらい受けたのですが、全部落ちたのです。それで、将来は税理士になろうと思い、上京して大原簿記専門学校に入りました。ところが、簿記一級を取得して、次の税理士課程の授業料を支払った翌日、先生から「これからは税理士も楽じゃないよ」といわれ、税理士に対する情熱が一気に冷めてしまいました。それまで僕は「資格さえ取れば一生安泰だ」と思っていたのですが、そうではないといわれたからです。

それで、次の日に退学届けを出し、今度は友人と二人で、そのころ流行っていた貸しレコード屋を始める計画を立てました。

まずは開業資金を用意しなければなりません。とりあえず二人で、三〇〇万円貯めようとアルバイトに精を出していたある日、六本木で偶然、道端でアクセサリーを売っている女性と知り合ったのです。いろいろ話を聞いてみると、これがアルバイトなどより全然儲かりそうなのです。それで、彼女から露天商の商売の仕方を教わりました。フランスのコインをペンダントにしたり、流行のアニメを描いたキーホルダーを自分でつくったりして、都内の繁華街などで売っていました。

露天商をしながら、ときどき海外を半年くらい放浪するような生活を二、三年続け、二三歳のとき、実家の家業を手伝うために石川県に戻ります。昼はフルーツパーラー、夜はカラオケ店を手伝っていました。でも、ただ手伝うだけではおもしろくないので、信用金庫から二〇〇〇万円借りて、麻雀荘や、当時人気の出はじめていたプールバーを始めたりしました。借金を返すのが精一杯で儲かりませんでしたけどね。

その後にいちばん当たったのがレンタルビデオショップです。これが5店舗まで増えて年間五〇〇〇万円ほどの利益が出て、ようやく食べられるようになりました。二六歳のころです。

「富山の薬売り商法」で映像ビジネスへ参入

――そこから今度はアダルトビデオの販売に向かうわけですね。

亀山　近未来を描いた映画『バック・トゥ・ザ・フューチャーPART2』を観たのがきっかけです。そのころのテレビは、まだテレビ局から勝手に映像が流れてくるだけでした。しかし、

「将来は、視聴者が好きなときに好きな映画をテレビで観られるようになるかもしれない」という予感が、なんとなくしたのです。それが衛星放送なのか、それとも別の手段なのかはわかりませんでしたが、いずれにせよ「そうなったら、レンタルビデオショップは軒並みつぶれる」と思いました。

生き残るためには自分でコンテンツをもつしかない。でも、映画やアニメを製作するには何億円もかかります。結局、自分が著作権を買えるコンテンツは、アダルトビデオくらいしか思いつかなかったのです。それで、営業マンをひとり雇って、「とにかく著作権を買ってこい」と東京へ送り出しました。契約した製作会社から送られてきた素材を、パッケージにしたりダビングしたりするのを地元の石川で行いながら、販売ネットワークをつくっていきました。それが二九歳のころです。

――貴社はアダルトビデオのイメージが強いですが、亀山さんご自身はアダルトビデオにあまり興味がないという話も耳にします。

亀山 あくまで「コンテンツ」という商品として扱ってきました。自分たちが担うのは著作権管理と流通部門です。当時はセルビデオというと売り切りが一般的でしたが、当社は「返品は自由」という条件で、全国の小売店に新作を送りつける「富山の薬売り商法」をとることにしました。一〇〇本送って八〇本が戻ってきたら、二〇本お買い上げというビジネスです。この方法であれば、小売店回りをする営業マンがいらない上、返品されたビデオテープもダビングしてまた使えるので、無駄にならないのです。

こうして流通網ができてきたら、次はPOSレジを小売店に無料で配りました。原価で一台一〇万円ぐらいしましたが、それまでは三カ月経たないとわからなかった売れ筋商品のデータが、一日に一度電話回線につなぐだけで、すぐにわかるようになりました。そのおかげで、製作会社への依頼がスピーディになり、商品を効率的に量産できるようになったのです。

既存会社に先駆けたインターネット配信へのシフト

――「新規ビジネスを成功させるには、競争相手の少ないブルーオーシャンを狙え」とよく言われますが、そういったことですか。

亀山　アダルトビデオは昔からあった業種なので、レッドでもブルーでもなく、〝ピンクオーシャン〟といったところですかね（笑）。「常に世間の偏見にさらされている」という負い目はありますが、ここにはアップルもグーグルも東宝も入ってきません。もし僕が映画業界に行っていたら、早々につぶれていたと思います。

——大手の入ってこない〝ピンクオーシャン〟という市場に加え、いち早くデータ分析を取り入れたことも勝因でしょうか。

亀山　一般的に小売店では、店長の判断で何をどれくらい仕入れるかが決まります。しかし、それがお客さんの買いたいものかといえば、そうとは限りません。店長が「これはいい」と仕入れても、実際には「全然売れない」という作品はたくさんあります。ときどき在庫処分品として安売りされているのは、たいていそういう作品です。

その点、委託販売の場合は、とりあえず店頭に並べてもらえるため、お客さんの反応がすぐにわかります。POSレジが入っていれば、そういう情報がよりスピーディにこちらに届きます。しかも、店側は在庫リスクがなく、拒む理由がないので、販売ネットワークをどんどん広げることも可能です。その結果、当社の作品は、他社より二割くらい多く売れるようになりました。

二割多く売れれば、製作費も二割余計にかけられるようになります。つまり、コンテンツが二割よくなるというわけです。おまけに直販で、間に流通問屋を通していないため、利益率も高いときています。

また、小売店舗と直接取引することで、貸し倒れリスクが分散でき、資金繰りの予想が立ちやすくなりました。参入当初は一〇社ほどの流通問屋に卸していたのですが、アダルト業界の問屋はずさんな会社が多く、支払いが遅くなったり倒産するところもありました。しかし、一〇〇〇店以上の小売店と直接取引をすることで、リスクが分散でき経営が安定していきました。

——自前のコンテンツをもつことは正解だったということですね。

亀山　しばらくしてインターネットが出てきましたが、今ほど普及していませんでした。それでも「将来はインターネットを通して、コンテンツメーカーがユーザーに直接届けるようになる」と思っていました。なぜなら、それがいちばん早いからです。

だから、そのようなプラットフォームは映画会社や出版社のような、コンテンツをもっている会社がつくるだろうと予想していました。しかし、既存の会社は従来のビジネスモデルに自信をもちすぎていて、新しいやり方にチャレンジしようとしませんでした。

僕も、とりあえず「コンテンツがあれば食べていける」という考えが頭にあっただけでしたが、「誰もやらないのであれば、自分たちでネット配信ビジネスができるのではないか」という気になってきました。それで、ＤＭＭ配信を始めたのです。

そうしてアダルトビデオの配信をしているうちに、ユーザーが増えてきました。それをみて、今度は映画も電子書籍もできる、ＦＸ（外国為替証拠金取引）もできそうだと、あれこれ手を出しているうちに、いつの間にか事業が広がって現在に至るということです。最初から大きなビジョンがあったわけではありません。周りをみながら、成り行きでこうなったのです（笑）。

ただ、もしインターネット配信が主流になれば、ビデオやＤＶＤ自体がなくなるという危機感はありました。それなら、自分たちをつぶすビジネスを自分たちで始めなければならない。そうすれば、会社も社員も生き残れると考えたわけです。

――アダルトは今後も続けていかれるのですか。

亀山　グループの事業が四〇以上に多角化すると、アダルトを扱っていることが弊害になることが増えました。そこで二年前に、アダルト部分を分社化し、DMM.comから切り離しました。そして、コンテンツをもっていた会社も売却しました。

知人との会話がきっかけとなったＦＸへの参入

――ＦＸを始めたのは何がきっかけだったのですか。

亀山　ビジネスは結局、縁の部分が大きいですね。あるとき証券会社で働いている知人に「最近何が儲かっていますか」と何の気なしに尋ねたら、「そうですね、FXですかね」という答えが返ってきました。「FX」と聞いてもそのころの僕には、何のことか見当もつきません。ただ以前、近所の人たちとバーベキューをしたとき、参加者がFXの話をしていたことが、頭の片隅に残っていました。

後日確認してみると、その人はシステム会社の経営者で、彼のチームは他社でFXの開発をしていたといいます。しかも、僕のところでFX取引のシステムを組むこともできるというではありませんか。「だったらやってみようか」と社内を見渡すと、「自分にやらせてください」という社員がひとり見つかりました。彼は金融系ではないのですが、社内で別の事業を成功させた経験があるので担当者に抜擢、ご近所さんのシステム会社にサポートしてもらいながら、FX事業部を発足したのが始まりです。

僕自身はFXをいまだにしたことがないし、仕組みもよく理解していません。この事業が成功したのは、この彼とご近所さんチームの実力によるものです。

社外からアイデアを募って出資する「亀チョク」

——亀山さんといえば、社外の人たちに事業のアイデアを直接プレゼンテーションしてもらい、「これはいけそうだ」と感じたら、業務委託契約を結んで出資もするという「亀チョク」が有名です。これを始めた理由を教えてください。

亀山　四〇代後半になったころから、ビジネスのアイデアが浮かばなくなってきたのです。どうしようかと思っていたとき、ソフトバンクアカデミアのことを知りました。これはソフトバンクグループ代表の孫正義さんの後継者を発掘・育成するためのプログラムです。これに参加してもう一度初心にかえって修業し直そうと、すぐに申し込んで面接に行きました。面接では、「給料はいらないので、ヤフーでＥＣ（電子商取引）をやらせてください」とアピールしたものの、一次面接で敗退です（笑）。

でも、このソフトバンクアカデミアの仕組みはヒントになりました。後継者とまではいいませんが、「外部から新しい血が入ってくると組織が活性化する」ことに気づいたのです。それで外に向けて、「やりたいアイデアがあれば投資するからもってこい」という発信を始めました。これが現在の亀チョクです。

これまで二〇〇人以上に会って話を聞き、五〇人くらいを採用して、現在も残っているのは五人くらいです。爆発的ヒットをしたオンラインゲームの『艦これ』やオンライン英会話も、その亀チョクから生まれました。

——採用する決め手となるのはどういうところですか。

亀山　ビジネスプランや人柄も大事ですが、実際にそのアイデアを実現できるかどうかです。「こんなことをやりたい」というプランだけをいくら熱心に説明されても、それを実行に移せるだけのキャリアを積んできていなければ、絵に描いた餅で終わる可能性が大きいです。だから、そういう人はまず採用されません。アイデアだけ募集しているわけではないのです。

たとえば二年前に、ユニバーサル・スタジオ・ジャパンで水族館のプロジェクトにかかわってきた人が来ました。経営体制が変わってそのプロジェクト自体がなくなってしまったので、ウチでやりたいというので採用しました。だから、二〇二〇年には水族館がオープンしますよ。

正直いって何が当たるかは、やってみないとわかりません。ただ、「これはビジネスとしてダメだろう」というものはわかります。亀チョクにくる提案の九割はそういうものなので却下し、残りの一割の中で「よくわからないけど可能性がありそうだ」というものだけを残して、チャレンジしているような感じです。

それでもその中で成功するのはさらに一割程度ですが、「わからないものに投資できるか」が、とても重要なことだと思っています。

——亀チョクの待遇はどのように決められるのですか。他の社員と違う方法なのですか。

亀山　まず企画をもちこんだ本人に、「半年間いくらでやりたい？」と尋ねます。その答えに納得できればその金額を出しますし、できなければ「やめましょう」です。交渉はしません。

採用した場合、その事業をどれくらい続けるかは、僕の独断と偏見で決めます。たとえば、オンライン英会話は当初二年で利益が出る予定でしたが、結局五年目まで赤字でした。それでも続けることに意義があると判断し、投資し続けたのです。

亀チョクは「お互いが必要だと思えば続くし、そうでなくなれば終わる」というざっくりとした契約です。他の社員に比べて明暗が分かれやすい報酬になります。

グループにはいろいろな業種、職種があり、一律で決めるのは難しいんですよ。社内の報酬にしても、物流センターでは毎年定期昇給をしますが、インセンティブが多い営業会社もあります。評価の仕方もポジションによってばらばらです。

新規事業の成否を見極めるポイント

——亀山さんはこれまでいろいろな事業を育ててきていますが、成功の秘訣のようなものはありますか。

亀山　自分の限界を知って、変化を受け入れるということですかね。僕も四〇代くらいまでは自分で事業をつくれました。でも、五〇代になったら、ビットコインやＡＩなど流行のテクノロジーについていけない。それで亀チョクを始めたり、社員に権限をどんどん委譲したりするようになったのです。

今は若い人に、お金は出しても口は出さないのがいちばんいいと思っています。最近、当社が買収したベルギーのプロサッカーチームも、買収した役員に任せて一度もみたことがありません。

昔は「俺についてこい」という感じで進めてきましたが、今は若い社員にいろいろとさせてみて結果をみる。「九割がダメでも一割が成功して、それが一〇年間稼いでくれればいい」という感じです。

――事業の撤退を決める基準はあるのですか。

亀山　オンラインゲームのように半年の結果でみる事業もあれば、数年の結果でみる事業もあります。基本は当初立てた事業計画どおりにいっているかです。ギャンブルと同じで、負けた分を取り戻そうと深追いをしないことですね。

でも、現場では撤退の判断がなかなかできません。やめたら自分たちの仕事がなくなってしまうからです。だから、始めるときは気前よく「好きにやっていいよ」といっても、先がないと見切ったら、僕のほうから「やめろ」といいます。幸い会社も大きくなったので、やめてもその事業部の社員を他部門に回すことができるようになりました。受け皿があれば、失敗しても「次でがんばろう」という気持ちになれますから。

ただし、失敗したリーダーは、次の部門では格下げになります。新しいリーダーの下でもう一度勉強し直してもらわなければなりません。力がある社員ならそこから奮起して、もう一段大きくなりますよ。

ビジネスのポイントは「利益を出す仕組みづくり」

――大胆な経営手法をとっているように思われますが、新しいビジネスにはどのような投資判断があるのですか。

亀山　僕はこうみえて、実は堅実な人間なんですよ（笑）。現実的に勝てそうなビジネスしかできない。ZOZOのようにアマゾンとぶつかったり、メルカリのようにヤフオクと戦ったりするビジネスは、性格的にもつくれません。地道にコツコツ積み上げるようなビジネスが僕には合っているのです。社運を懸けた勝負をしないので、三五年間、増収増益を続けてこれたのだと思います。

「会社を続けるためには、利益をどれだけ出すかよりも、利益を出す仕組みを作り続けることが大事だ」というのが、僕のビジネスに対する考え方です。

常に新しい成長産業にチャレンジし続けるのは、既存のビジネスがダメになる前に、利益を出す次の仕組みを確保しておきたかったからです。だから、今はインターネット配信で食べられなくなる前に、IoTや3Dプリンタ、VRを手掛けようと動いています。

ただ、DVD業界は全体が落ち込んでいるものの、それでも当社はまだ利益が出ています。どんな業界でも下位からつぶれていくものなので、上位にいれば意外に長く生き残れるものなのです。残存者利益ということですね。だから、ニッチな業界でもいいから一位や二位を狙える業種に投資していきたいと思っています。

――最近は二〇代のスタートアップの買収を多くされているようですが。

亀山　そういう仕事のやり方をずっと続けてきて、少しゆとりも出てきたので、最近はいくらかの予算を、夢のある投資に向けてみようかという気持ちが芽生えてきました。アプリ開発のピックアップや、音楽コミュニティアプリ「nana」を運営するnana musicの買収には、そういう意味も含まれています。

最近は、葬式の手配をする「終活ねっと」や、中古農機具の売買をする「ファーマリー」、新しい消防車をつくる「ベルリング」を買収しましたが、いずれも二〇代のスタートアップ企業です。そんな自分ではできない大胆な発想の若者たちにも投資をしています。

一方で、地道なほうは相変わらずです。現在、日本のあちこちに太陽光の発電所をつくっているのですが、これは「利回りは何%」といった計算を厳密に行っています。そして、物流センターでは、今でも物流効率を上げるためストップウォッチで計ったり、段ボールも毎年業者の入札を行ったりなど、コストを一円でも下げるための努力を欠かしません。無駄は最大限排除する。使うときは大胆に使う。どちらも経営には必要だと思っています。

AIで東京大学や早稲田大学とコラボ

――東京大学や早稲田大学と連携し、最先端AI基盤の開発と実践的応用に関する研究を行っているとうかがっています。これは夢のあるビジネスの一環ですか。

亀山　ＡＩは夢というより必然的なものです。「二〇年前にインターネットビジネスを始めなかったら、自分たちは今どうなっていたか？」を想像すると、ＡＩは始めざるを得ないでしょう。

インターネットが世に出てきたころは、そこに何か可能性があると薄々感づいていながら、「必要になったら外注すればいい」くらいの意識で、自分のところで技術者を育てようと考えた会社はほとんどありませんでした。テレビ局も映画会社もせっかくコンテンツをもっていながら、インターネットに関しては業者任せ。本当であれば、フジテレビやＴＢＳがライブドアや楽天を買収すべきだったのです。

その結果、どうなったかといえば、現在ネットの世界で大活躍しているのは、当時外注先だった企業やエンジニアばかりで、外注するほうの立場だった大手企業はみな四苦八苦しています。

「わからないテクノロジーは外注すればいい」というスタンスでは、社内からは絶対にテクノロジーのサービスは生まれません。そこから「何かを新しく生み出す」という文化が育たないのです。

そういう僕だって、いまだにプログラムの一行も書くことができません。でも、それができる人間は社内にたくさんいます。そういう人材を積極的に採用してきたからです。

ＡＩも同じで、僕にはそれが何かは正確にはわからないけど、「この先ＡＩをうまく使いこなせなければ、五、六年後には生き残れないだろうな」というイメージが僕の中にあります。だから、社内にラボをつくってＡＩ文化が根づくように努力しているのです。

ロボット、IoTビジネスで知った、日本の家電メーカーのすごさ

――ロボットやＩｏＴも、ＡＩと同じ理由で始められたのですか。

亀山　DMM.make ROBOTSをやっていましたが、うまくいきませんでした。DMM.make AKIBAは現在、ハードウェア系スタートアップの聖地みたいになっていますが、大赤字です。やはりハードウェア系ビジネスというのは難しい。ＩＴであれば極端な話、つくったアプリが当たればいいだけなので単純です。売上からマーケティング費用と人件費と家賃を引くと残りは利益ですからね。

ところが、ハードの場合、大量生産から営業体制、流通ルートといろいろなものが必要で、そのための運転資金も膨大です。在庫管理も仕掛品や在庫評価など、とても複雑になります。ハードをやり始めてみて、改めて家電メーカーのすごさを思い知らされました。

すでに五年間で五〇億円以上使っているのに、いまだに赤字です。だから、DMM.make ROB

OTSやDMM.make AKIBAに関しては、ビジネスの成功例とはいえないですね。

それでもDMM.make AKIBAをやめないのは、評判がいいからです。多くのスタートアップ企業が集まり、ワークショップを行っている秋葉原には、総務省や経済産業省が見学ツアーを組んで訪れたり、修学旅行の学生が来たり。海外から大臣が視察にいらしたこともあります。儲からないけど施設自体は評判が良すぎて、やめられないといったところです（笑）。

ただ、ここから多くのハードウェア系スタートアップ企業が生まれているのも事実です。そういった意味では、社会的には価値のある場所にはなっていると思います。ライブハウスと一緒ですね。そこで歌っていた吉田拓郎や中島みゆきがメジャーデビューしたとしても、ライブハウスは儲かりませんから。

無料のプログラミング学校「42 Ｔｏｋｙｏ」の開校

――高卒の若者向けに就職支援を行っているハッシャダイや、プログラマー養成を行う一般社団法人42 Ｔｏｋｙｏについて教えてください。

亀山　ハッシャダイは無料でヤンキーに営業スキルを与えて就職させる会社です。もともと二〇代の若者が後輩のために始めたのですが、おもしろいと思って買収しました。高卒でも教育機会さえあれば優秀な人材になるということを実践していると思います。

42 Tokyoは完全に事業ではなく、無料でプログラミングを教え、就職先も自分で好きに選べばいいという非営利学校です。フランスで生まれたシステムを日本に誘致しました。とくに良いと思ったのは生徒同士が教え合って育っていくというシステムです。一つの課題を協力し合い解決していくことで、プログラミングだけでなくコミュニケーション力も身につく。これは実戦の仕事の中では必要不可欠なことです。

こういった取り組みはビジネスにはなりませんが、グループの利益の一〇%くらいはこういった社会的に価値のある活動に使っていこうと思っています。会社はある程度の規模になると、社会に必要であると認知される必要があります。これも長い目でみた、会社を継続するための投資だと思っています。

【質疑応答】

Q1　キャッシュレスが広まる中、フィンテックについて参入のビジョンはあるか。

亀山　金融系だと現時点での弊社の体力では、ＦＸやビットコインの取引所くらいしか参入できませんね。決済や送金サービスを手がけるベンチャー企業もありますが、最後はパワー勝負になるので、大手に勝ちきるのは難しいと思います。

決済、送金は巨大で魅力的な市場です。シェアを取れれば、取得したデータを使って大きなビジネスができます。ただ、利便性を上げるために、多くのユーザーや加盟店を集める必要があり、広告費などの莫大な先行投資が必要になります。

そして総合サービスの大手企業に、手数料で稼ぐというよりデータを集める手段にされると、そのデータを有効に使える会社しか生き残れないと思います。

ＤＭＭはかつてオンライン英会話やＭＶＮＯという格安携帯に参入しましたが、そのときはそのサービス単独で採算が取れなくても、そのサービスを利用するユーザーに別のサービスが売れればいいという戦略がありました。つまり、そこで稼ぐ気のない総合サービスのプレーヤーは圧倒的に強いということです。そして、決済はその規模がさらに大きくなります。

DMMはニッチでは利益率の高いサービスをしていますが、取扱高や利用者数という点ではECにもキャリアにも到底太刀打ちできません。楽天やヤフーなど総合プラットフォームが完全に有利です。他にもGAFA（グーグル、アマゾン、フェイスブック、アップル）やNTTドコモなどのキャリア、カード系など、ライバルが大きすぎます。

Q2 銀行はどのようになると思うか。

亀山 アフリカのように銀行口座をもたない人が多い国では、銀行の発展をすっ飛ばしてモバイルマネーが普及しました。一般の人にとってはそもそも銀行がなくても困らないという進化を遂げました。もちろん銀行には、決済や送金手数料以外に融資業務がありますが、ここも徐々にプレーヤーが代わると思います。

アマゾン、楽天、ヤフーなどのECは、出店者には、ほぼノーリスクで運転資金を融資できますし、ユーザーの個人情報をAIで分析すれば、消費者融資も効率的にできるでしょう。法人向けの大口融資や不動産などの担保融資以外は、早い段階で変わると思います。

Q3　人材育成事業への投資を増やしているが、教育方針についてはどのような考えか。

亀山　DMM.make AKIBAも42 Tokyoも人材プラットフォームみたいなもので、要するに、人が集まり学べる場所さえつくればそれでいいという感じです。教育や指導、方向性などは決めず、広い公園をつくってそこに来てもらって、勝手に遊んでいいよ、と。そうすると、生徒が自然と木登りや鬼ごっこを始めて、新しい友達ができて、新しいものが生まれるというイメージですかね。

Q4　貴社の企業理念やミッションを教えてほしい。

亀山　わかりやすく言うと、「若いヤツを大きく育てて、上前をはねる」ですかね（笑）。親会社をホールディングス会社にして、各自に独立した権限をもたせる子会社をたくさんつくっています。グループ全体で、新しい事業をつくり続けるプラットフォームになれたらいいと思っています。

ひとつの企業理念のもとに大きなピラミッドをつくるというのではなく、いろいろな企業理念と文化をもつ小さなピラミッドがたくさんできるイメージです。大きなピラミッドの中では同じ文化に染められて、新しいものは生まれませんから、各社が自分で理念をつくれという感じです。

成熟して利益が出ている会社から配当で吸い上げて、新しい会社に投資する。成熟会社が衰退に入ったら、育った若い会社が世話になった会社の社員を保護する。そんなエコシステムを目指しています。

Q5　現在売上約二二〇〇億円、社員数は四〇〇〇人ほどということだが、ここに至るまでどのタイミングでどの程度の投資をしてきたのか。

亀山　基本的には税引後に残る分のお金は、全部投資に回すようにしています。アマゾンも考え方は一緒ですねよ。利益が出そうになったら値引きしたりコンテンツに投資をしたりして、売上だけ伸ばして利益は出さない。僕はそれが会社の正常な姿だと思ってしまいます。だから、儲けているうちはまだまだですね。本当は、税引前に全部使ってしまうのがいちばんいいと思います。それでも翌年は売上が上がる仕組みになっていればいいのです。いつでも利益は出せるのだけれど、あえて出さずに投資し続ける。それができるのが最強の会社です。

五〇歳になってビジネスが行き詰まったと感じたのは、それまで育ててきたビジネスが成熟して、恒常的に利益を生むようになったからです。利益が上がることはいい。だけど、その利益を再投資するところがない。僕からも社内からもそのアイデアが出ない。

それで、動かせないお金が金庫の中にどんどん貯まってくる。

僕には、「お金は置いておいたら腐る」というイメージがあります。今はいいけど、一〇年後も生き残ろうと思うと、次の何かに投資しないといけない。だから、これはまずいと思ったから、亀チョクや買収をはじめたのです。

今していることだって、放っておけばそのうちダメになります。日本の経済成長率が仮に一%だとしましょう。そんな状況でもがんばって五%や一〇%成長している会社があるわけで、それでも経済成長率が一%ということは、がんばっている会社以上に衰退して消えていく会社があるからにほかなりません。つまり、大半はダメになっていくのです。下がりはじめてから手を打っても遅いのです。社員のモチベーションが上がってきません。利益が出ている間に、その利益を将来のための投資に充てるべきなのです。

僕はよく野心家といわれますが、別に事業を拡大するのが目的ではなく、ただ生き延びたいから、早めに新しい分野を探して投資をしているだけなのです。

Q6　幹部社員は何人いるのか。

亀山　決裁権や人事権を持っているのは一〇〇人くらいいますが、僕が直接指示をする人間ということですと、だいたい一〇人です。社員一〇人のときも一〇人。一〇〇人のときでも、四〇〇〇人のときでも、やはり一〇人です。そんなにしゃべってばかりいられないので、密につきあう人間はどうしても一〇人くらいになります。

昔からいた一〇人が今の幹部ということではありません。人が増えてくると、人を仕切れる人間が幹部になります。もっと増えてきたら、一〇人しか仕切れない人間の上に一〇〇人仕切れる人間が入る。そんな感じで幹部の入れ替えは常に起こります。ただ、幹部でなくなった社員でもそれまで会社に貢献してきたのですから、何らかのポジションを与えて雇用は守りたいと思います。業種は変わっても、社員はなるべく終身雇用ができればと思っています。優秀な営業マンは別の商品を売れますし、優秀な経理マンはどこでも通用します。それぞれを適材適所に置くのが、経営者の義務だと思っています。

Q7 AIといっても範囲が広いが、ビジネスとしてどのあたりを狙っているのか。

亀山 AIに関しては、グーグルやIBMのWatsonと戦おうというのではなく、それをどう使うかの問題だと思っています。二〇年前はインターネットをしていなかった人も、今は自然にスマートフォンでものを売り買いしたり、ユーチューブに配信したり、グーグルに広告を出したりしています。だから、やはり道具としてのAIの使い方です。

もっと具体的にいうと、たとえばユーザークレームなどを受け付けるカスタマーサービス。これは現在人の手で行っているのですが、これをAIにさせようとすると精度が八〇%くらいなので、まだ実用に耐えません。しかし、これが九九%までいったら、そのときはもう完全に人と入れ替わります。ただし、そうなると現在のオペレーターは一気に失業してしまう。こういうことがいろいろな分野で起こるはずです。そこをどうするか、これは大きな問題だと思います。ＡＩに投資をしているのは、そういうことも含めて、もっと勉強したいからです。インターネットも、ＩｏＴも、ソーラー発電も、何でも、お金を入れれば、いやでも勉強するではないですか。

あと、ＡＩは金融と相性がいいと思っています。それで、日本の大学に一緒に何かできないかと相談に行ったりもしたのですが、あまり乗ってきませんね。どうも金融工学というものは日本ではあまり認められていないみたいで、論文にはなりにくいらしいのです。一方で、アメリカでは金融工学は学問として認知されています。このままいくと日本の金融はどんどんアメリカに負けてしまうのではないでしょうか。

Q8　AIに投資して、発見したことや学んだことはあるか。

亀山　ＤＭＭの成長過程と似たところがあると感じました。

ＡＩは決定論的に解を出すというより、多くの情報の傾向から確率的に解を出すという方法です。とくにディープラーニングは、どうしてこんな答えが出たのかわからないまま、確率の高いＡＩを採用するということだそうです。このブラックボックスであっても「結果を出したものをよし」とする考え方は、僕の経営手法とよく似ています。

僕の経営は「下手な鉄砲も数打てば当たる」というやり方で、将来性のありそうなビジネスをとりあえずやってみる。やりながら人材や情報を集める。そして、結果的にうまくいったビジネスを残し、ダメなものはやめる。つまり、なぜうまくいったのかを重視していないところが似ています。

ビジネスが成功する原因には、ビジネスモデル、組織力、資金力、その時代のトレンドなど、さまざまな要因があるでしょうが、これらすべてを論理的に組み立てるのは、不可能であり、不効率です。それより、まずは投資して始めてみる。進めていく中で情報を集めて学んでいく。そして、結果の出たものにさらに投資して情報を集めていく。

一見、論理的でなく野蛮な手法にみえますが、自然現象を決定論で解明できないときに確率論が現れたのと同じように、これからの不確定な未来では、ビジネスでも確率的手法がますます必要になってくると思います。

そして一方で、ＡＩの登場は「そもそも人とは何か？」が同時に問われているのだと思います。「ビジネスでの成功が人としての成功か」について、僕も含めて経営者は考えなければならないことだと思います。ＡＩを学びながらもＡＩに負けない人間が育つ、そんな場所がつくれればいいなと考えています。

（二〇一七年一一月二五日「熱海せかいえ」にて収録）

パート2
フィンテック編

第一章　大前研一
（株式会社ビジネス・ブレークスルー 代表取締役会長、
ビジネス・ブレークスルー大学 学長）

第二章　辻 庸介
（株式会社マネーフォワード 代表取締役社長CEO）

第三章　柴山和久
（ウェルスナビ株式会社 代表取締役CEO）

第四章　沖田貴史
（SBI Ripple Asia 代表取締役　※講演当時）

第五章　森 正弥
（楽天株式会社 執行役員、楽天技術研究所 代表　※講演当時）

第一章

フィンテック最前線

大前研一

スマートフォンが変えた金融決済

テクノロジーとの融合があらゆる領域で進行している。とくにこの動きが顕著なのが、金融の分野だ。「フィンテック」という言葉は、ファイナンスとテクノロジーの融合（FinTech：finance + technology）を意味する造語である。

このフィンテックは、既存の金融サービスを単にインターネットやスマートフォンで提供するというレベルにとどまらず、すでに新たな金融サービスを提供するまでになってきている。

その結果、これまで金融サービスを受けられなかった人たちも、恩恵を享受できるようになったり、キャッシュレス化により人々のライフスタイルが変化したりといったことが、世界中でみられるようになった。とりわけ新興国ではフィンテックの影響によって、「蛙跳び（リープ・フロッグ）」と称されるほどの急激な変革が起こっている。

また、フィンテックの技術革新によりスマートフォン決済が普及すると、金融取引の管理はブロックチェーンを活用した分散型に移っていく。ところが、日本ではスマートフォン決済がなかなか広がらない。全国銀行協会が「CAT（Credit Authorization Terminal）」という信用照会端末を使ってクレジットカード加盟店を一括して管理するなど、中央集権色が強いためだ。

一方、世界に目を向けると、それぞれの地域に即したかたちでフィンテックが浸透していることがわかる。

中国では、アリババやテンセントといったＩＴ企業がフィンテックの新しい金融サービスを展開し、数億人規模のユーザーを獲得している。

インドでは、アドハー（Aadhaar）という生体認証付きのＩＤで個人を識別する制度が導入されており、全人口約一三億人のうち一一・六億人がすでに登録済みとなっている。これにより、誰もが簡単な身分証明で金融機関に口座を開設できるようになった。これに加えて、モディ首相が一〇〇〇ルピーと五〇〇ルピーの高額紙幣を廃止したため、預金残高や口座数が増加。これによりサイバー金融経済化が進み、キャッシュレス社会に一気にシフトした。トイレもなく電気や水も来ていないような地域の人たちも、みなスマートフォン決済を利用しているのだ。

北欧はキャッシュレス先進地域として知られているが、なかでもスウェーデンはキャッシュレス比率が最も高い。国民の大半が「Swish（スウィッシュ）」というスマートフォンのアプリで決済を行っているものの、人口が八〇〇万人と小さいため、影響は限定的だといわざるを得ない。同様にエストニアも早くからキャッシュレス社会化が進んでいるが、人口が一二〇万人しかいないことから、世界に対するインパクトはあまり大きくないといえる。

アメリカはクレジットカード社会であるため、スマートフォン決済の普及はかなり遅れている。クレジットカードの場合、商品やサービスの購入が先、支払いは後となっていて、貸し倒れが発生した場合はクレジットカード会社が代わって支払い、後で手間暇をかけて回収するというシステムである。

利用金額の約三%をクレジットカード会社が取るのは、回収に費用がかかるからなのだ。これに対しスマートフォン決済の場合、購入時にその人の口座から代金が引き落とされるデビット方式なので、手数料はずっと低い。そのため、本来であれば、もっと早く普及するはずなのだが、銀行がクレジットカードの既得権益の上にあぐらをかいているために、日本やアメリカではそうなっていないのである。さらに、アメリカでは、普段は現金を金利が発生するところに置いておいて、決済日の直前に必要な額だけ普通預金に移すという人が多いため、デビットカード方式の即時引き落としが好まれないというのも、スマートフォン決済になかなか移行できない理由のひとつだといえる。

だが、たとえばアマゾンが決済方法をクレジットカードからデビットカードに変更するといったことがあれば、アメリカにおいてもスマートフォン決済が一気に広がる可能性は大いにある。

日本は、現金決済の利便性が高いこともあり、先進諸国の中では最もキャッシュレス化が遅れている。また、先ほども述べたように、実質的に全銀協の支配下にあるクレジットカードがスマートフォン決済への移行の足かせになっている。しかし、スマートフォン決済に慣れ親しんだ中国人インバウンド旅行者の増加や、二〇二〇年開催の東京オリンピックで多くの外国人旅行者が来日することを考えると、スマートフォン決済の普及は急務だといえる。ただ、日本だとデビット方式であっても全銀協のシステムを使わなければならず、その際に費用が発生する。

そのコストを下げられないと、なかなかうまくいかないだろう。私は、ブロックチェーンが完全に機能するようになるためには、全銀協のシステムを一度ご破算にするくらいの覚悟が必要だと思っている。

フィンテックにおいて、日本が取り組むべき課題

今後フィンテックは世界をどう変革していくのか。中国のアリババやテンセントといったＩＴ企業が二一世紀の巨大な新銀行となり、フィンテックでグローバル金融市場を牽引していく可能性は大いにある。たとえば、アリババが日本で銀行業を始めれば、日本でもスマートフォン決済がたちまち広がるだろう。そのためには日本の銀行を一行買えばいい。なにもメガバンクである必要はない。つぶれそうな地銀であっても大手と同じように全銀協のシステムにアクセスできるのだから、そのような銀行を二束三文で買収すればいいのである。

あるいは、アマゾンが豊富な資金力にものをいわせて自分のところでＭＭＦ（マネー・マネジメント・ファンド：換金性が高い追加型公社債投信の一種）をはじめ、ユーザーにはそこに口座をつくらせて、購入代金の引き落としがその口座からできるようにする。これなら全銀協のシステムを経由しなくてもいいので、問題なくデビットカードで支払えるようにできる。金融庁は難色を示すだろうが、やろうと思えばできないことはない。

図1

フィンテックとは?

FinTech（Finance × Technology）

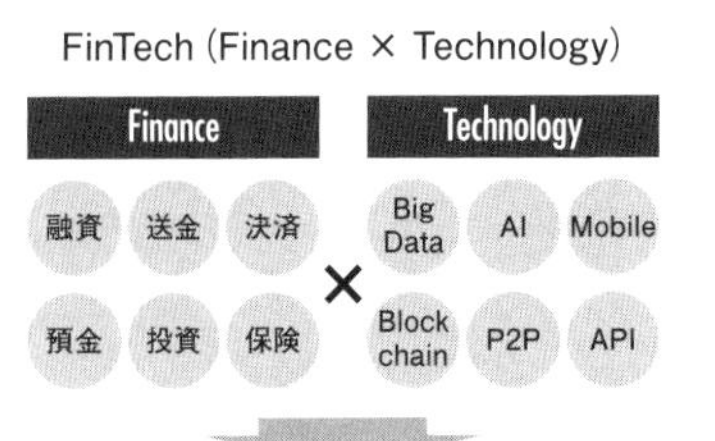

フィンテック関連の事業やサービスを整理すると、

決済サービス系　融資・資金調達系　資産管理運用系　送金サービス系　仮想通貨系

に分類することができる

テクノロジーで置き換えられる金融サービス

これまでの金融サービス	新しい金融サービス
預金・振込みなどの窓口業務	スマホアプリが窓口に。納税事務もバーチャル銀行員が対応するようになる
融資・外為業務	AIが自動的に判断し金利などの条件も提示
証券・投資信託販売業務	自動売買のアルゴリズム取引が主流になる
信託業務	管理・運用に加え、遺言信託や相続対策などのアドバイス業務もAIに置き換えられる

- ●Banking is necessary, but banks are not.（ビル・ゲイツ）
- ●各分野の専門企業がIT技術を活用して提供
- ●金融機関のディスラプト、アンバンドリングが進む
- ●2025年までに銀行収益の10～40%が喪失するリスクも

資料：各種資料より作成 ©BBT大学総合研究所

さらに、LINEやViber（バイバー）のようなSNSを金融の分野にまで拡大する方法もある。

日本企業は現在、それぞれが個別にペイペイやLINEペイなどのキャッシュレス支払方法を導入している。全体を統合するプラットフォーマーの登場を待ちたいところだが、まだその姿がみえない。将来のプラットフォーマーを目指すのか、それともプラットフォームを利用するのか、方向性をしっかり定めてフィンテックに取り組むべきだろう。

従来の金融サービスは、テクノロジーでほとんどが置き換えられる

ファイナンスとテクノロジーの融合がフィンテックだ（前ページ図1）。ファイナンスには、融資、送金、決済、預金、投資、保険が含まれる。テクノロジーには、ビッグデータ、AI、モバイル、ブロックチェーン、P2P、APIなどが含まれる。これらの組み合わせによって生み出される事業やサービスは「決済サービス系」「融資・資金調達系」「資産管理運用系」「送金サービス系」「仮想通貨系」などに分類することができる。

フィンテックが進むと、これまでの金融サービスはテクノロジーによりほとんどが置き換えられるようになるだろう。

たとえば、預金や振り込みなどの窓口業務はスマートフォンのアプリになり、納税事務はバーチャルな銀行員が対応するようになる。融資や外為業務はAI、証券や投資信託販売は自動売買のアルゴリズム取引が主流になる。信託業務の管理・運用や遺言信託、相続対策などのアドバイス業務もAIに換わるはずだ。

まさに、未来はビル・ゲイツのいう〝Banking is necessary, but banks are not.（バンキングは必要だが、銀行はそうではない）〟のような状況になると思われる。そうなると、金融機関のディスラプト（崩壊）やアンバンドリング（分解）も当然これからますます起こってくるだろう。「二〇二五年までに銀行収益の一〇〜四〇％が喪失する」という試算もあるが、銀行業務の非効率さの弊害を日常的に味わっている私にとって、この数字は一〇〇％でもおかしくない気がする。

図2

世界で投資額が増加するフィンテック分野

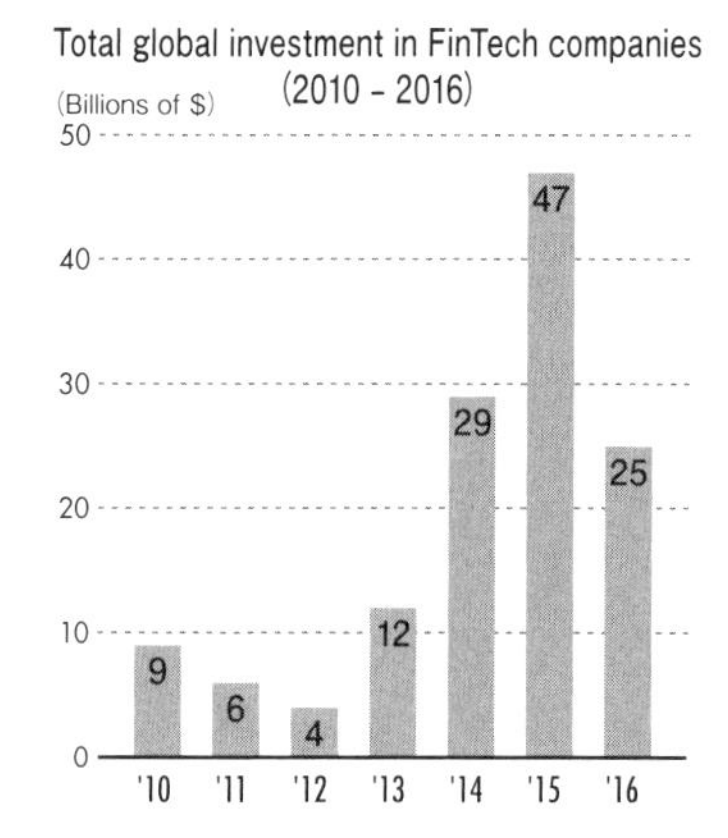

2017 FINTECH100
Leading Global Fintech Innovators

順位	国	企業名
1	中国	Ant Financial
2	中国	ZhongAn
3	中国	Qudian
4	US	Oscar
5	US	Avant
6	中国	Lufax
7	ドイツ	Kreditech
8	UK	Atom Bank
9	中国	JD Finance
10	US	Kabbage

資料：VENIONAIRE CAPITAL「Fintech 2016: Investment Activity Overview」、KPMG [The Fintech 100 - Announcing the world's leading fintech innovators for 2017] ©BBT大学総合研究所

フィンテック分野への投資は世界中で増加している（図2）。投資額の多い企業の上位一〇社をみると、中国籍が五社、アメリカ籍が四社と、完全にこの両国が抜きんでている。フィンテック関連の論文や特許の数も、米中が圧倒的に多い。

世界中でフィンテックが広がりつつある理由

世界中でフィンテックが広がりつつある背景と要因を分析してみよう（次ページ図3）。

まず、供給側のテクノロジーの進化がある。スマートフォン、ＡＩ、ビッグデータなど、金融サービスにインパクトを与えるいくつかの新しいテクノロジーが、近年次々と登場してきた。ブロックチェーンに

図3

フィンテックで加速するライフスタイルの変化

世界でフィンテックが広まる背景・要因	フィンテックによって世界で生じている大きな潮流
供給（テクノロジーの進化） スマートフォン、AI、ビッグデータ ●金融サービスにインパクトを与えるいくつかの新しいテクノロジーがほぼ同時期に登場 ブロックチェーン ●「中央型」から「分散型」へ	**キャッシュレス革命** ●キャッシュレス決済が広まることで、ライフスタイルが劇的に変わった ●小売り・流通・サービス、シェアリングエコノミーなど、ビジネススタイルの変革が求められるようになった
需要（ユーザーの変化） ミレニアル世代 ●スマホ・セントリックの購買行動 ●米国でクレジットスコアを得られない人は4,500万人 新興国・途上国 ●世界で銀行口座をもっていない成人は20億人 ●資金が得られない新興国中小企業2億社	**金融包摂（ファイナンシャル・インクルージョン）** ●スマホの普及により、これまで金融サービスを受けることができなかった人・企業が金融サービスを受けられるようになった ●既存金融機関と異なるプレーヤーが、今までカバーされていなかった人々に金融サービスを提供するようになった

資料:日本銀行「決済システムレポート・フィンテック特集号 - 金融イノベーションとフィンテック-」2018年2月ほかより作成

より分散型の処理が可能になったことも大きい。

さらに、需要側であるユーザーの変化である。いちばん顕著なのがミレニアル世代の登場だ。二〇〇〇年代に成人を迎える一九八〇年代から二〇〇〇年代初頭生まれをミレニアル世代というが、彼らのいちばんの特徴は、スマートフォンが染色体に刷り込まれている点だ。買い物もスマートフォンで行う彼らのスマホ・セントリック（スマートフォンがあらゆる行動の入り口になっていること）な購買行動は、フィンテックと非常に相性がいいのである。

それに加え、スマートフォンでデビット決済をすれば、クレジット審査のようなものは必要ない。アメリカにはクレジットスコアを得られない人が四五〇〇万人いるとされるが、そのような人たちもスマートフォンのデビット決済であれば、引き落とし口座に残高があれば問題なく買い物ができるのである。

また、世界には銀行口座をもっていない成人が二〇億人、資金を得られない新興国の中小企業が二億社存在するが、これらの人々や会社に対して、既存の金融機関と異なるプレーヤーが、新たな金融サービスを提供する「金融包摂（ファイナンシャル・インクルージョン）」という動きも大きくなってきている。「人や会社をアプリオリ（与件なく）に差別しない」というのもミレニアル世代に顕著にみられる特質だ。

フィンテックが広がった影響は、これまで金融サービスを受けられなかった人々も恩恵を受けられるようになっただけではない。キャッシュレス化により人々のライフスタイルが変わったのもそのひとつだ。さらに、小売り、流通、サービスなどのビジネススタイルも変化し、「シェアリングエコノミー」（モノ・サービス・場所などを、多くの人と共有・交換して利用する社会的な仕組み）という新たな形態も生まれた。自宅にいながら自分の体にフィットするスーツが買えたり、日用品から生鮮食品までスマートフォンで注文して部屋の前まで届けてもらえたりできるようになったのも、フィンテックのおかげなのである。

リープ・フロッグ型発展をみせるスマートフォン決済

図4

蛙跳び(リープ・フロッグ)」型発展

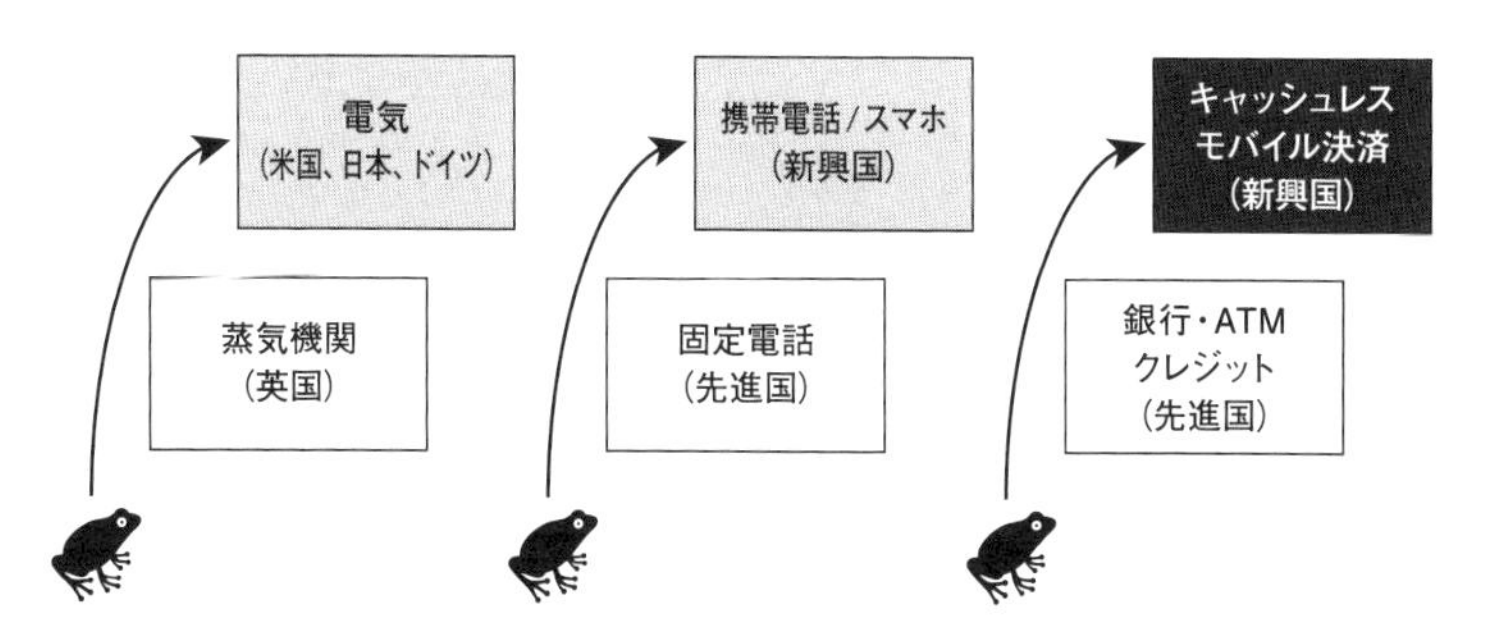

***リープ・フロッグ (Leapfrog) 型発展**

既存の社会インフラが整備されていない新興国などにおいて、新しいサービス等が先進国が歩んできた技術進展を跳び越えて一気に広まる現象

資料:現代ビジネス「中国の「フィンテック」が日本のはるか先を行くのは当然だった(野口 悠紀雄)」を参考にBBT大学総合研究所作成 ©BBT大学総合研究所

既存の社会インフラの整備が遅れている新興国などで、それまで先進国が歩んできた技術進展の時期を経ず、新しいサービス等が一気に広まることを、「リープ・フロッグ型発展（既存の社会インフラが整備されていない新興国において、新しいサービス等が先進国が歩んできた技術進展を跳び越えて一気に広まること）」と呼ぶ（図4）。

蒸気機関が生まれたのはイギリスだが、次の電気の時代になると、アメリカ、ドイツ、日本といった国が一気にイギリスの先に行ってしまった。

固定電話も先進国で先に広まったのが、携帯電話やスマートフォンになると、逆に新興国のほうが普及は早かった。

キャッシュレス化やモバイル決済も、銀行ATMやクレジットカードで先行してい

図5

世界中で到来しているスマートフォンを中心とするキャッシュレス社会

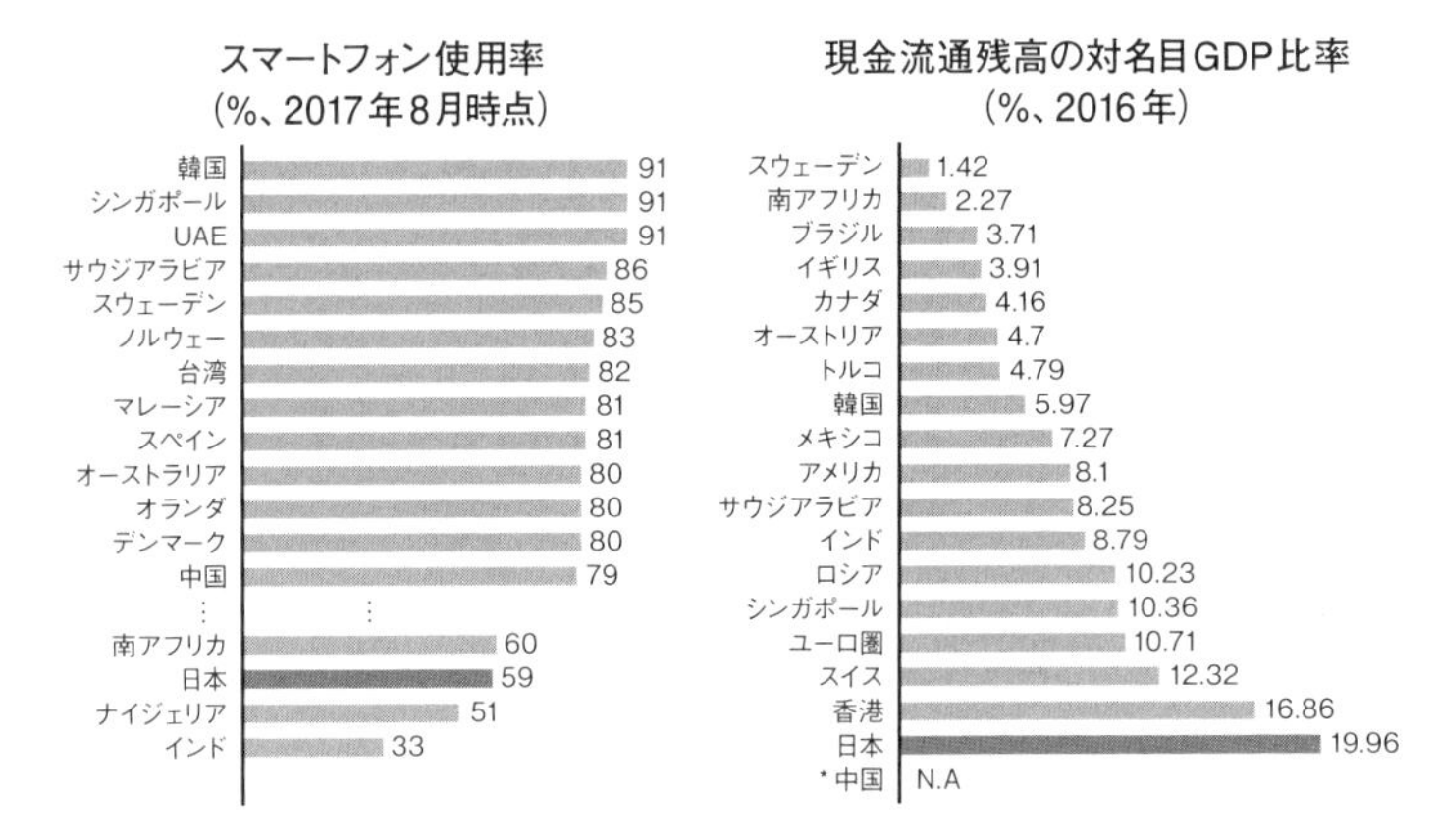

資料:AUN CONSULTING、BIS「Statistics on payment, clearing and settlement systems in the CPMI countries Figures for 2016」より作成 ©BBT大学総合研究所

た先進国よりも、進展は新興国のほうがはるかに進んでいる。

ちなみに、このような例は有史以来いたるところでみられる現象である。

スマートフォン決済を中心としたキャッシュレス社会の到来は、今や世界的現象となっている。そんな中で日本はといえば、スマートフォン使用率は五九％と決して高くない（図5）。一方で、現金流通残高の対名目GDP比率は一九・九六％と、こちらは際立っている。つまり、日本はまだ現金決済が主流であり、キャッシュレス化はかなり後れをとっているといわざるを得ない。

これに対し隣国の中国は、すでにキャッシュレス社会に突入しているといっていいだろう。その中国でスマートフォン決済に利用されているQRコードも、スマートフ

図6

金融取引の管理

現状（中央集権型）

端末

取引データ

BANK

取引台帳
↓
銀行の担当部署が集中管理

- 全銀システム、SWIFTなど、送金コストが高い
- 大規模なデータセンター
- システム障害、ハッキング
- 9～15時の稼働、週末は停止

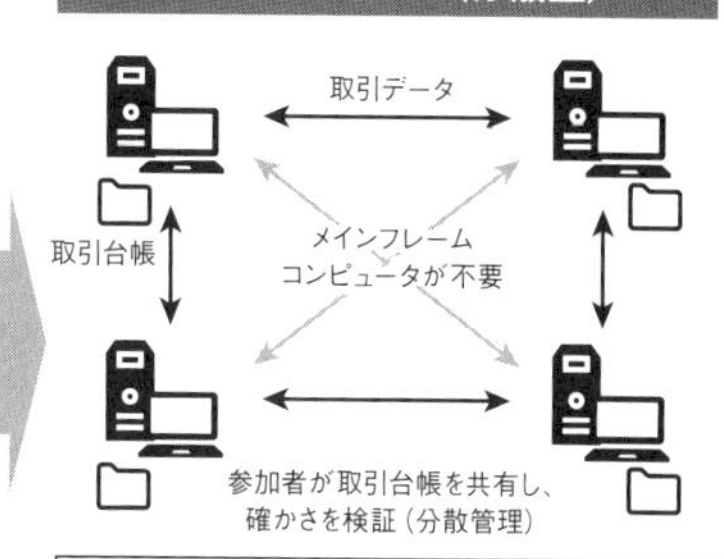

- インターネット経由で送金コストがかからない
- システム維持コスト低減
- データ改ざんが不可能
- 24時間365日稼働

資料：各種資料より作成 ©BBT大学総合研究所

ォン決済の次に来る顔認証もともに元々日本の技術だと思うと、ため息が出てしまう。

金融取引は、分散型ブロックチェーンに移行していく

全銀システム、SWIFTなどの、現状の金融取引システムは、端末からのデータが銀行に集まってきて、取引台帳を担当部署が管理する中央集権型である（図6）。そのため大規模なデータセンターが必要で、常にシステム障害やハッキングの危険性にさらされている。また、稼働時間も一日九～一五時、週末は停止するといった制限を受ける。

しかし、フィンテックが進展すれば、金融取引は分散型のブロックチェーンに移行していくだろう。そうなるとメインフレームコンピュータは不要となる。各参加者が取引台帳を共有することで確かさを検証できるからだ。そうなると取引はインターネット経由なので送金コストはかからず、システム維持コストも非常に安くなるはずだ。データ改ざんはほぼ不可能。しかも二四時間三六五日いつでも取引ができるようになる。

ただし、ブロックチェーンは理論的には可能であり、すでに実験も行われているものの、再現性があり真贋鑑定もできるといった完璧なものは、今のところ、まだどこからも提示されていない。

国や中央銀行が発行する通貨に対し、それらの管理下になくコンピュータでマイニングして生み出す仮想通貨にも注目が集まっている（図7）。この仮想通貨の基軸通貨がビットコインである。そのほかにもイーサリアム、リップル、ビットコインキャッシュ、イオスなどがある。

①決済手段（金銭的価値の移転）、②転々流通性（交換可能性が高い）、③国家の裏付けが不要（法定通貨の代替）というのが、仮想通貨の特徴だ。

現状は、投機や資産フライトが主な売買目的になっているが、今後は、国際送金や自国通貨リスクが大きな新興国、途上国での実需が見込まれている。

また、仮想通貨には、①変動リスク（価格の変動が大きい）、②信頼リスク（新仕様と旧仕様の互換性がなくなるハードフォーク問題など）、③取引所リスク（情報漏洩、ハッキングなど）、

図7

仮想通貨

仮想通貨の種類と概要

順位	コイン名	時価総額（兆円）	概要
1	ビットコイン	16.9	仮想通貨の基軸通貨であり、他の仮想通貨を購入する際にビットコインから買われることが多い
2	イーサリアム	7.3	スマートコントラクトのプラットフォームを目指す
3	リップル	3.6	国際送金プラットフォーム
4	ビットコイン キャッシュ	2.5	大量の取引処理が可能
5	イオス	1.7	分散型アプリケーションを構築
6	カルダノ	1.0	分散型プラットフォーム
7	ライトコイン	0.9	中国で２番目に生まれた通貨
8	ステラ	0.9	個人間送金に重点をおく
9	トロン	0.7	中国初のコンテンツエンターテインメントに特化した仮想通貨
10	アイオータ	0.6	ブロックチェーン不要の通貨

注）時価総額は2018年5月2日時点

仮想通貨の特徴とリスク

仮想通貨の三要素

1. 決済手段（金銭的価値の移転）
2. 転々流通性（交換可能性が高い）
3. 国家の裏付けの不要（法定通貨の代替）

- 現状は投機や資産フライトが売買目的に
- 国際送金や自国通貨リスクが大きな新興国・途上国での実需が見込まれる

仮想通貨の4つのリスク

1. 変動リスク（価格の変動が大きい）
2. 信頼リスク（ハードフォークなどの問題）
3. 取引所リスク（情報漏洩、ハッキング）
4. 管理リスク（パスワードの自己管理）

- 2014年マウントゴックス（ビットコイン流出）
- 2018年1月コインチェック（ネム流出）
  マネックスグループが36億円で同社を買収
- 各国で仮想通貨取引を規制する動き

資料:coinmarketcap、週刊エコノミスト2018/2/16、ダイヤモンド社「Harvard Business Review」2017年8月号、ほかより作成 ©BBT大学総合研究所

④管理リスク（パスワードの自己管理）という四つのリスクがある。

二〇一四年にはマウントゴックスがビットコイン、二〇一八年にはコインチェックがネムをそれぞれ流出するといったトラブルが発覚した。

さらに、中国では、富裕層が国内の金融資産を海外に持ち出す手段として仮想通貨が使われているため、最近は国が仮想通貨の取引に規制をかけるようになってきている。

中国における独特のモバイル決済

ここからは国別にフィンテックの動向をみていこう。

グラフをみてもわかるように、中国では

図8

中国で独自に進むモバイル決済の普及

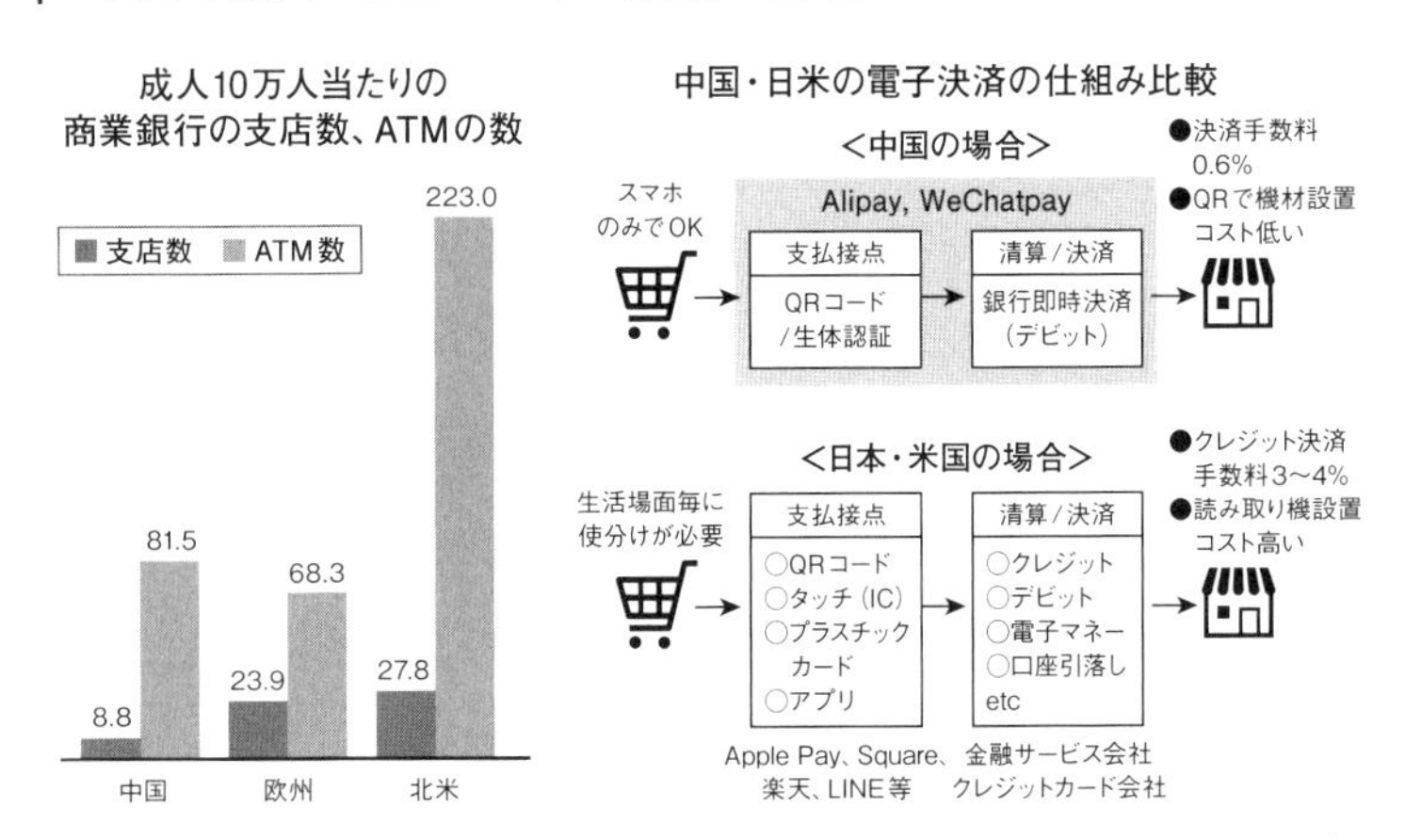

資料:WSJ「キャッシュレス社会の中国、背景に特殊な事情」2018/1/5、ほか各種記事より作成 ©BBT大学総合研究所

従来型の銀行システムやクレジットカードがあまり浸透していなかった。これが後に、独特のモバイル決済の急激な普及につながってくる（図8）。

現在、中国で非常に人気が高い決済システムが、「アリペイ」と「ウィーチャットペイ」の二つだ。ともに利用するにはスマートフォンがあればいい。支払いはQRコードか生体認証で、デビットだから銀行即時決済だ。決済手数料はだいたい〇・六％。QRなので機材設置にも高額な費用はかからない。

これを日本やアメリカと比べてみると、まず「Apple Pay」「Square」「楽天」「LINE」などいろいろなシステムが混在しているため、消費者は場面に応じてそれらを使い分けなければならない。支払い接点も、

図9

2017年中国のフィンテック10大企業ランキング

順位	企業名	概　要
1	京東金融	ネット通販2位の京東（JD）グループの金融会社。京東集団の筆頭株主はテンセント
2	アント・フィナンシャル	アリババグループの金融会社。推定時価総額は1,000億ドル
3	テンペイ	テンセント系モバイル決済を運営。テンセントグループのモバイル決済の安全に関する基層技術を支えている
4	百度金融	2001年に設立された百度グループの金融会社。自社設計の金融商品では収益8%を計上
5	WeBank	2015年深圳で設立された、テンセント系の国内初となる完全民営銀行（無店舗ネットバンク）
6	Lufax	2011年上海で設立。平安科技と同じく平安集団の子会社
7	平安科技	先進的なAIシステムを構築し、平安集団各事業会社向けにフィンテック開発サービスを提供している
8	銀聯商務	銀聯カードの傘下企業。カード使用環境の促進・市場形成・付帯サービスを行う。百度と提携
9	Mybank	螞蟻金服の子会社で無店舗ネットバンク。アリババグループの各種金融商品の開発も行う
10	宜信	2006年に設立された小口金融と財産管理、情報サービス機構。20社を超すフィンテック企業に投資

■ バイドゥ系　■ アリババ系　■ テンセント系　■ 中国平安系
※総合、ブランド影響力、顧客満足度、競争力などから作成

資料:ZUU onlineより作成 ©BBT大学総合研究所

システムによってQRコード、タッチ（IC）、プラスチックカード、スマートフォンアプリとさまざまだ。精算・決済の方法も、クレジットカード、デビット・電子マネー、口座引き落としなど、やはりサービスによって異なる。しかもクレジット決済の手数料が三〜四%かかるうえ、読み取り機設置のコストが大きい。

金融研究機構「軽金融」が発表した二〇一七年中国の金融科技（フィンテック）一〇大企業ランキングをみると、バイドゥ（百度）、アリババ、テンセントのBAT系と中国平安系で九社を占めている（図9）。

アリババの馬雲（ジャック・マー）、テンセントの馬化騰（ポニー・マー）、中国平安保険の馬明哲（ピーター・マー）の三人が中国のフィンテックを牽引する、いわゆ

図10

中国のフィンテックを牽引する「三馬（サンマー）」と呼ばれる経営者

中国の「三馬（サンマー）」

馬 雲 （ジャック・マー）	馬 化騰 （ポニー・マー）	馬 明哲 （ピーター・マー）
1964年9月10日生	1971年10月29日生	1955年12月5日生
アリババ集団／創業者・会長	テンセント／董事会主席兼CEO	中国平安保険／董事会主席兼CEO
万里の長城でガイドを行っている時にYahoo！ファウンダーでその後のアリババの投資家となるジェリー・ヤンに出会ったことがきっかけでインターネットビジネスに目覚める	大学で情報工学を学び深圳の通信会社にソフトウェアエンジニアとして入社。5年後に会社を辞めると、4人の友人とともにテンセントの前身となる会社を立ち上げる	1988年に創業して以来、一貫して同社を牽引する。米フォーチュン誌が選定する「2015年度世界ビジネスパーソントップ50」では18位にランクイン

資料:ZUU onlineほか各種資料より作成 ©BBT大学総合研究所

る「三馬（サンマー）」だ（図10）。

フィンテックに関して中国は全世界から注目されているが、本当にすごいのは、この三人を含めほんの数人なのである。日本の高度成長期も本田宗一郎や盛田昭夫といった突出した少数の経営者が引っ張った。それを考えると、中国のフィンテックの現状は当時の日本に似ているともいえる。

「アリペイ」（アリババグループ）の電子決済システム

アリババグループの電子決済システムが「アリペイ（Alipay）」だ（次ページ図11）。消費者が決済に「アリペイ」を利用すると、そのデータが個人情報として「アリペイ」側に蓄積される。それを「芝麻信用」とい

図11

アリババのフィンテック事業

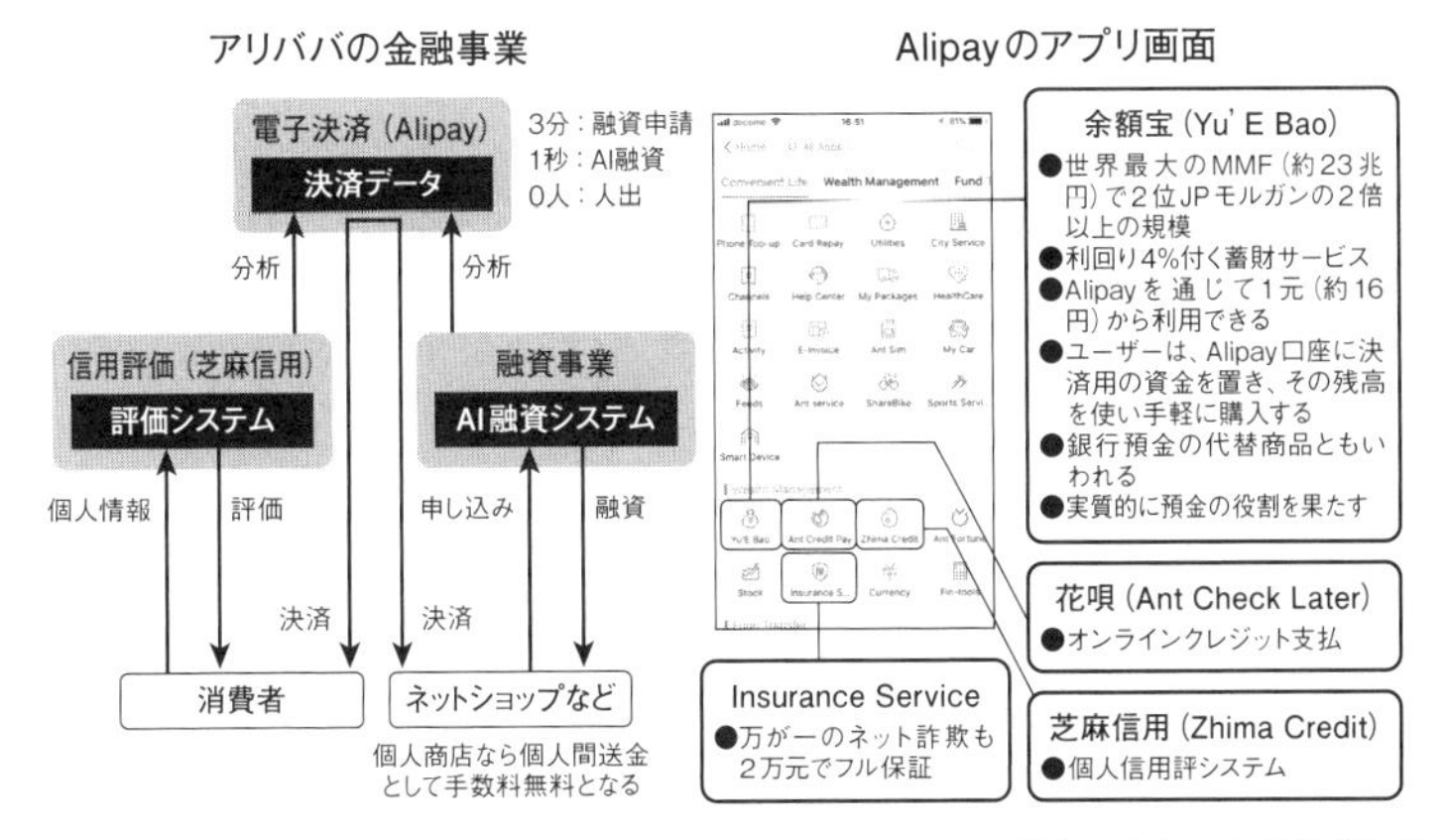

アリババの金融事業
電子決済（Alipay）
決済データ
3分：融資申請
1秒：AI融資
0人：人出
分析
分析
信用評価（芝麻信用）
評価システム
融資事業
AI融資システム
個人情報
評価
申し込み
融資
決済
決済
消費者
ネットショップなど
個人商店なら個人間送金
として手数料無料となる
Alipayのアプリ画面
余額宝（Yu' E Bao）
●世界最大のMMF（約23兆円）で2位JPモルガンの2倍以上の規模
●利回り4%付く蓄財サービス
●Alipayを通じて1元（約16円）から利用できる
●ユーザーは、Alipay口座に決済用の資金を置き、その残高を使い手軽に購入する
●銀行預金の代替商品ともいわれる
●実質的に預金の役割を果たす
花唄（Ant Check Later）
●オンラインクレジット支払
Insurance Service
●万が一のネット詐欺も2万元でフル保証
芝麻信用（Zhima Credit）
●個人信用評システム

資料：日本経済新聞2017/12/6、ほか各種記事より作成 ©BBT大学総合研究所

う評価システムが点数化して、一人ひとりの信用評価が決まるのである。従来のクレジット会社は年収や住居の財産価値など（の自己申告データ）を評価基準としていたが、「アリペイ」の「芝麻信用」では毎回の支払い状況で評価するのである。「芝麻信用」の評価スコアが九〇〇点以上の人は非常に信用が高いとみなされ、さまざまな優遇を受けることができる。反対に三〇〇点以下だと、「この人は信用できない」ということになって、取引を制限されるといった不利益が生じる。

さらに、「アリペイ」では融資事業も行っている。ネットショップなどがスマートフォン経由で融資の申し込みをすると、「アリペイ」ではAIが与信評価を行って、瞬時に融資額を決定する。こうして「アリペ

図12

拡大するアリババ経済圏

ライフスタイル・サービス

アリババ・グループ

- 「阿里巴巴」Alibaba（B2B）
- 「天猫」T-Mall（B2C事業）
- 「淘宝網」Taobao（C2C事業）
- 「阿里雲」Aliyun（クラウド事業）

33%出資 →

決済

支付宝 Alipay

金融サービス

アント・フィナンシャル・サービス・グループ

- 「支付宝」Alipay（第3者決済）
- 「余額宝」Yue-bao（資産運用）
- 「芝麻信用」Zhima Credit（信用格付け）
- 「花唄」Ant Check Later（クレジットカード）
- 「招財宝」Zhao Cai Bao（理財。P2P融資）
- 「網商銀行」Mybank（民営ネット銀行）

ライフスタイル分野の用途拡大

シェア自転車／ofo（オッフオ）
出前アプリ、配車アプリ
動画配信
生鮮食品小売など

海外での利用可能な地域拡大

東南アジア（タイCP傘下と電子決済で提携）
インド（電子決済最大手Paytmに出資）
フィリピン（GlobeTelecom子会社Myntに出資）
インドネシア（Emtekと電子決済合弁会社設立）
日本（ローソン等提携）

資料:各種資料より作成 ©BBT大学総合研究所

イ」では「融資申請三分、審査一秒、人手〇人」を実現しているのだ。

「アリペイ」は「Yu'E Bao（余額宝）」というMMF（マネー・マネジメント・ファンド）も扱っていて、その規模は約二三兆円。これは二位のJPモルガンの二倍以上の額だ。利回りは約四％で、「アリペイ」のスマートフォンアプリを通じて一元（約一六円）から購入できる。このMMFは、要するに銀行預金の代替商品なのだ。実際、ユーザーが「アリペイ」で買い物をした際は、このMMF口座から代金の支払いがされる。

このようにアリババは、「決済」「融資」「預金」という銀行の三大業務をすでに行っているのである。

アリババはもともとBtoBのeコマース

を行っていた。そこから「T-Mall（天猫）」がBtoC、「タオバオ（淘宝網）」がCtoC、「Aliyun（阿里雲）」がクラウド事業というように、グループ内に会社を設立して領域を広げていき、いまではライフスタイル全般をカバーするようになってきている（前ページ図12）。さらに、金融サービスの分野でも、アント・フィナンシャルサービス・グループの「アリペイ（支付宝）」が第三者決済、「Yue-bao（余額宝）」が資産運用、「Zhima Credit（芝麻信用）」が信用格付け、「Ant Check Later（花唄）」がクレジットカード、「Zhao Cai Bao（招財宝）」が理財やP2P融資、「Mybank（網商銀行）」が民営ネット銀行をそれぞれ行っている。さらに、東南アジアやインド、フィリピン、インドネシア、さらに日本でも地元の企業と提携するなどして、サービスの利用可能地域を拡大している。

「ウィーチャットペイ」（テンセント）の決済アプリ

テンセントの決済アプリ「ウィーチャットペイ」も、生活のあらゆる場面の決済に用いられており、決済金額ベースでアリババの「アリペイ」を猛追している（次ページ図13）。

利用者数を比べると、「アリペイ」の会員が約五・二億人なのに対し、「ウィーチャットペイ」のほうは約九億人もいる。テンセントはもともと「微信（ウィーチャット）」というSNSを運営して、そこと連動しているので、会員数は多いのだ。

図13

テンセントのフィンテック事業

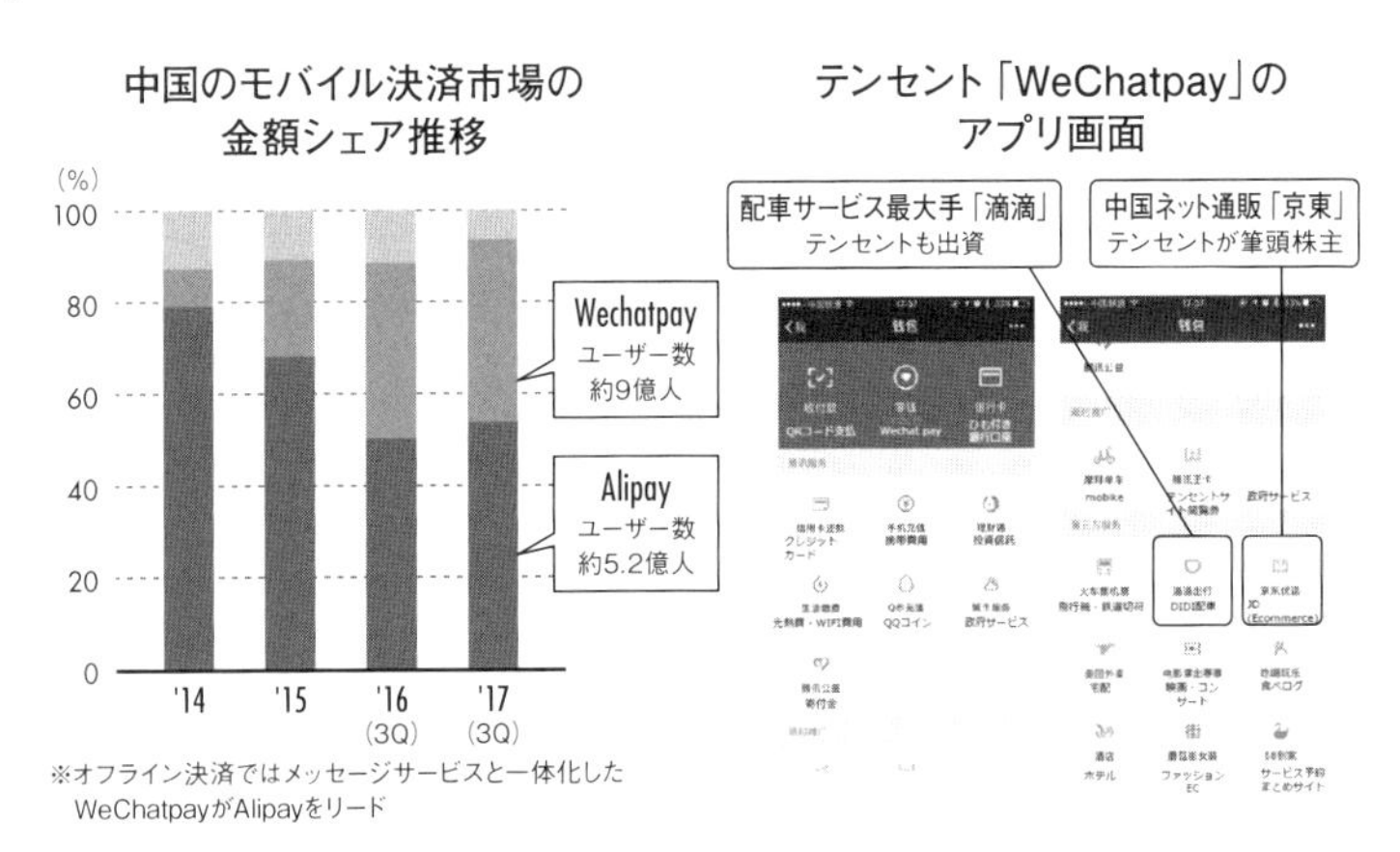

資料:日本経済新聞、易観国際より作成 ©BBT大学総合研究所

テンセントは、ネット通販で中国二位の「ジンドン（京東）」の筆頭株主であり、配車サービス最大手の「ディディ（滴滴）」にも出資をしている。

キャッシュレス決済技術や生体認証の応用は、無人コンビニや無人スーパーなどの小売りだけでなく、地下鉄改札の顔認証、高速道路料金所のナンバー読み取りなど各種サービスにも広がっている（図14）。たとえばＫＦＣ杭州では顔認証（顔パス）で決済ができるようになっている。

中国では、お金を貸したい人と借りたい人に対してウェブサイトを通じて結びつけるＰ２Ｐレンディングが拡大している。その背景にあるのは、中国の銀行はもともと国有企業への融資を重視する傾向が強く、中小企業や個人はなかなか銀行からお金が

図14

中国で進む無人化・キャッシュレス化

無人コンビニ「Take Go」	無人コンビニ「BingoBox」	車の自動販売機	地下鉄（改札）
手のひら認証	QRコード	顔認証・芝麻信用 芝麻信用スコアを通じて即座に自動車ローンの条件を提示	顔認証
小売店「7 Fresh」	**高速道路料金所**	**スマートトイレ**	**スマートレストラン**
現金・WeChatpay、クレジットカード、顔認証に対応	車のナンバープレート認証（Alipay・芝麻信用と紐付き）	トイレ内のスマートミラーを活用したバーチャル化粧体験、商品は天猫から購入可能	顔パス決済／KFC杭州（顔認証、Alipay）

資料:各種報道より作成 ©BBT大学総合研究所

図15

中国で発達したP2Pレンディング

中国でP2Pレンディングが拡大する背景

- 中国の銀行は国有企業への融資を重視するため、個人や中小企業などは融資を受けることが難しかった
- 預金者にとっては銀行の金利が1.5%程度で低いという不満があり、より高い金利収入を求めてP2Pレンディングの利用に流れている

中国のP2P金融残高（兆円、各年末）

（1元=15円で換算）

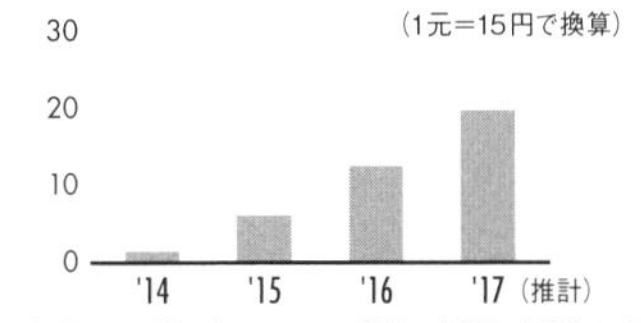

※信用リスクが高い分だけ8～12%程度の高利回りを見込め、運用期間は1年未満というケースが多い。ただし、加熱しすぎて詐欺などが横行したため中国当局が規制を強くし始めている

主なP2Pレンディング企業

Lufax

- 2017年度のKPMGの世界フィンテックランキングでも6位にランキング
- 平安保険集団のグループ会社
- P2Pレンディングで事業を拡大
- 大規模資調達後に総合金融会社に業態転換

Dianrong

- 米P2P金融LendingClubの創始者の一人でCTOを務めていた人物（ソウル・ヒタイト氏）が創業
- シンガポール政府系ファンドGIC、オリックス、中国中信集団などが出資

資料:日本経済新聞他、各種記事をもとに作成 ©BBT大学総合研究所

借りられないという現実だ。また、貸すほうも、銀行の金利が一・五%程度と低いため、信用リスクが高いため八〜一二%の高い金利が見込めるため、P2Pレンディングにお金が集まってきているという側面もある。

主なP2Pレンディング企業には、世界四大会計事務所のひとつであるKPMGが発表した世界フィンテック企業ランキングで第六位のLufax、米P2P金融「LendingClub」の創業者のひとりで、同社のCTOも務めていたソウル・ヒタイト氏が創業したDianrongなどがある（前ページ図15）。

インド、北欧、アメリカ、日本の決済システム

【インド】

インド経済はこれまで、①身分証がなく銀行口座が開けない人が相当数いる、②インターネットの整備が遅れており、スマートフォンの普及率も低い、③現金依存が強く地下経済が発達している、といった問題を抱えていた。

そこで、二〇一四年五月に首相に就任したナレンドラ・ダモダルダス・モディ氏は「モディノミクス」を宣言、その一環として国民IDシステム「アドハー」の推進、デジタル・インディア

図16

インドで導入が進むフィンテック

モディ政権後の「デジタル・インディア」推進

これまでのインドの問題点

- 身分証がなく銀行口座を開けなかった
- 低ネット普及率 低スマホ普及率
- 現地依存型 地下経済 資金洗浄 税金徴収漏れ

↓

モディ政権後(2014年5月)の政策

- 国民IDシステム「アドハー」推進(生体認証)
- デジタルインディア政策推進構想
- 高額紙幣廃止

↓

インドのキャッシュレス化が進展

各国の分野別フィンテック導入率

送金・決済		資産管理		貯蓄・投資		借入		保険	
中国	83%	中国	22%	中国	58%	中国	46%	インド	47%
インド	72%	ブラジル	21%	インド	39%	インド	20%	英国	43%
ブラジル	60%	インド	20%	ブラジル	29%	ブラジル	15%	中国	38%
欧州	59%	米国	15%	米国	27%	米国	13%	南ア	32%
英国	57%	香港	13%	香港	25%	ドイツ	12%	ドイツ	31%

インドの主なフィンテック企業

- ●Paytm(決済大手、ソフトバンク、アリペイなどが出資)
- ●Fingpay(アドハーIDを活用した電子決済認証システム)
- ●FRS Labs(電子決済におけるセキュリティサービス)、など

↓

- ●インドは中国ほど国内のネット・スマホが浸透しておらず、これまでにECなどのネット事業が発達していなかった
- ●そのためアリババのような巨大プレーヤーが出現していない

資料:EY "FinTech Adoption Index 2017" ほか各種資料より作成 ©BBT大学総合研究所

構想、高額紙幣の廃止を行った(図16)。

その結果、インドではキャッシュレス化が一気に進んだ。国別にみても、インドは今や中国に次ぐフィンテック大国だ。

インドの主なフィンテック企業には、Paytm、Fingpay、FRS Labsなどがある。インドは中国のようにネットやスマートフォンが浸透していないため、eコマースなどのネットビジネスが遅れていて、まだアリババのような巨大プレーヤーは現れていない。だが、その分今後の成長の伸びしろは大きいといえる。

【北欧】

スウェーデンでは、二〇一二年に「Swish」がサービスを開始するとキャッシュレス化が急激に進み、今ではマーケットで現

図17

スウェーデンで進むフィンテック

スウェーデンのSwishアプリ

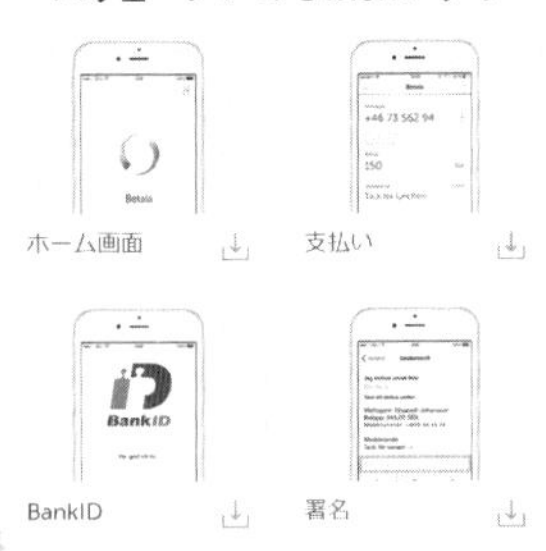

●Swishとは？
・スウェーデンで2012年12月にサービス開始。
・スウェーデンの主要銀行が参加
・スマートフォンなどにアプリを導入することで、個人間・個人と小売店での支払いが可能

Q：過去1カ月に使った決済手段は？（複数回答可）

決済手段	2010	2012	2014	2016
現金	94%	93%	87%	79%
デビットカード	91%	94%	93%	93%
クレジットカード	27%	29%	31%	32%
Swish*	-	-	10%	52%
オンライン銀行	53%	48%	57%	57%

●スウェーデンの通貨制度
スウェーデンはユーロ通貨を導入しておらず、独自通貨制度（スウェーデンクローネ）を維持している。これにより国策として脱現金社会を進めると同時に電子決済を促進しやすい

●デビットカードが普及
スウェーデンの銀行では、銀行口座を持つ7歳以上の国民全員に対しデビットカードを発行しており、これは人口の97%がデビットカードを保有することになる

資料：日本国際経済学会「"北欧の「キャッシュレス化」と「キャッシュレス経済」"」川野祐司著より作成 ©BBT大学総合研究所

金をほとんど目にしなくなった（図17）。

スウェーデンはEU加盟国だがユーロは導入せず、独自通貨制度（スウェーデンクローネ）を維持している。そのため、現金よりも電子決済のほうが便利であるとして国もキャッシュレス化を積極的に進めた背景がある。

さらに、スウェーデンの銀行は銀行口座をもつ七歳以上の国民全員にデビットカードを発行していて、人口の九七%がデビットカードを保有しているというのも、キャッシュレス化が普及したもうひとつの要因だといえる。

【アメリカ】

このグラフをみると、モバイル決済において、アメリカは中国に大きく差を広げら

図18

米中で圧倒的な差がつくモバイル決済額

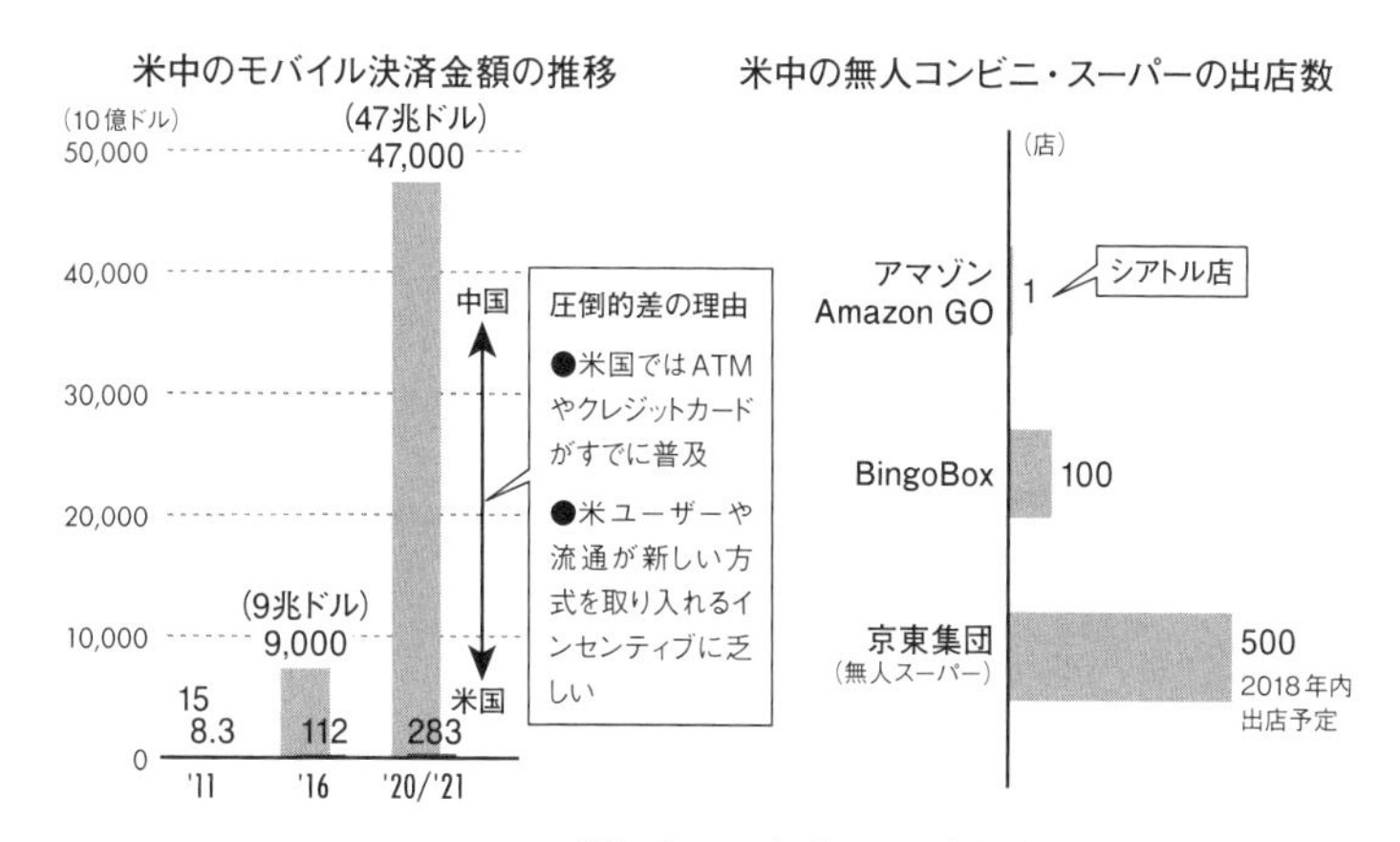

資料: WSJ、2017年9月25日ほか各種記事より作成 ©BBT大学総合研究所

れていることがよくわかる(図18)。無人コンビニ・スーパーの出店数も、中国は京東集団のスーパーが五〇〇、BingoBoxが一〇〇もあるのに対し、アメリカはシアトルにAmason Goが一軒あるだけだ。

アメリカでキャッシュレス化が進まないのは、先ほども述べたが、クレジットカードやATMが普及していて、それを前提にした人々の生活スタイルが定着しているからである。アメリカのIT企業は、どこもフィンテックの要素技術を有しているものの、中国と比べると全体的に小粒だといわざるを得ない。

代表的な企業を個別にみてみよう(次ページ図19)。

アマゾンは、決済は強いがクレジットカードが中心だ。グーグルは、技術力は高い

図19

米国フィンテック企業の可能性

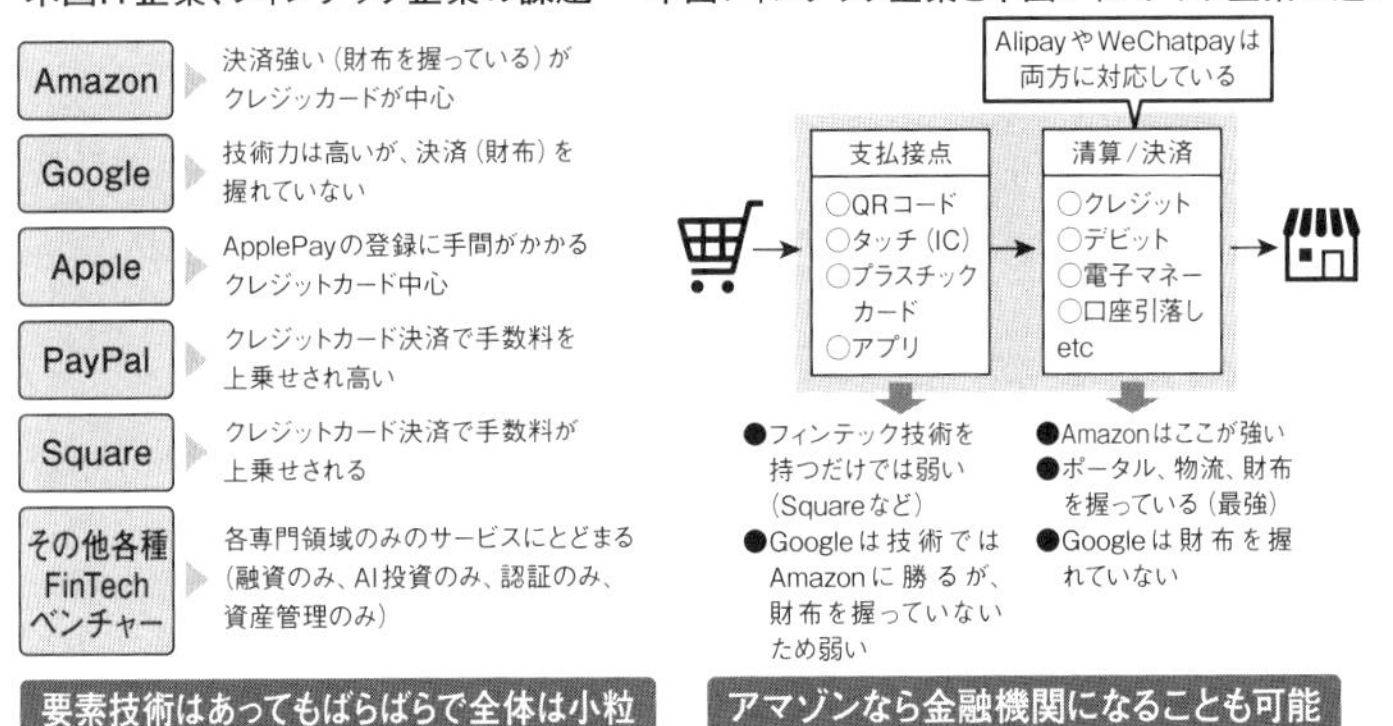

資料:20171001Web Designing26~33 新世代「決済サービス」はこう読み解くより作成 ©BBT大学総合研究所

が決済（財布）を握れていない。アップルは「Apple Pay」があるが登録に手間がかかるということもあり、相変わらずクレジットカードが中心。ペイパルもクレジットカード決済で、おまけに手数料が高い。スクエアも同様である。これ以外のフィンテックベンチャーも、融資のみ、AI投資のみ、認証のみ、資産管理のみというように、それぞれが専門領域のみのサービスにとどまっている。

中国の「アリペイ」や「ウィーチャットペイ」は、QRコード、タッチ（IC）、プラスチックカード、アプリといった支払い接点と、クレジット、デビット、電子マネー、口座引き落としなどの精算・決済の両方に対応しているが、アメリカのほうはグーグルにしてもスクエアにしても、技術力

図20

日本におけるITを活用した金融サービスの発展経緯

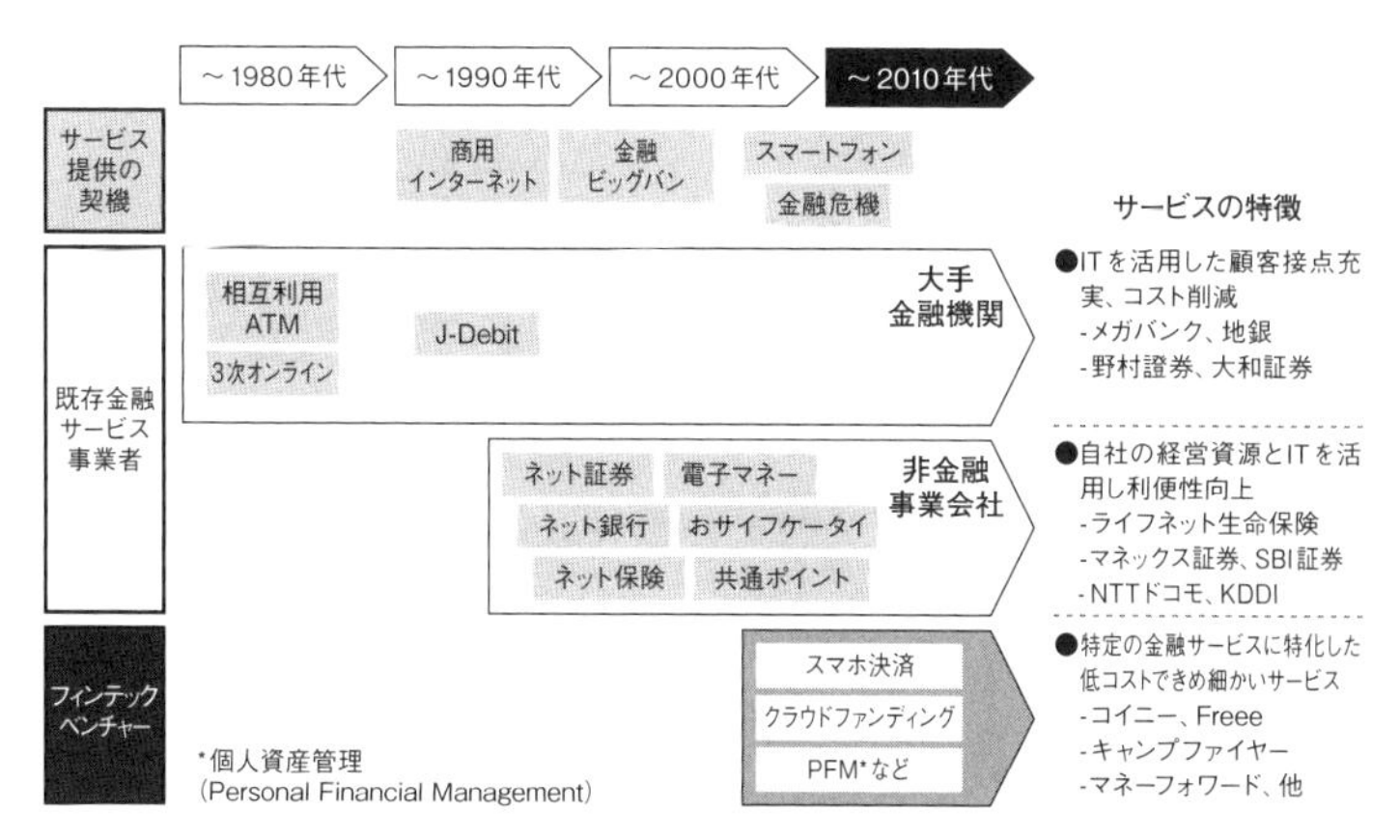

資料:経済産業省「産業・金融・IT融合(FinTech)に関する参考データ集」ほかより作成 ©BBT大学総合研究所

はあるがそれだけなのだ。ただ、アマゾンはポータル、物流に加え財布をしっかり握っているので、決済をデビット化できればフィンテックを駆使した総合的な金融サービスができるようになるだろう。

【日本】

日本の金融サービスはこれまでずっと、霞が関が「はい、全銀システム。はい、CAT。はい、J-Debit」と音頭をとり、大手金融機関がそれに従うかたちで進んできた(図20)。

フィンテックに関しては、二〇一〇年代ころからコイニー、Freee、キャンプファイヤー、マネーフォワードといったベンチャーが相次いで登場するものの、中国のようにeコマースから電子決済までワン

図21

楽天、LINEが強化する金融サービス

楽天の金融事業
（EC/アリババ型）

楽天

楽天カード　楽天の保険比較　楽天Edy
楽天証券　楽天自動車保険一括見積もり　楽天Pay
楽天銀行　楽天投信投資顧問　楽天Point
楽天生命　楽天お金の総合案内

＋

楽天モバイル　FREETEL　Viber

●EC事業で蓄積したビッグデータをAIで分析することによりマーケティングや金融サービスを強化
●カード、ポイント、EDY等を生かしてキャッシュレス化
●携帯電話事業に参入、「楽天経済圏」の入り口を拡大

LINEのフィンテック事業
（メッセージングアプリ/テンセント型）

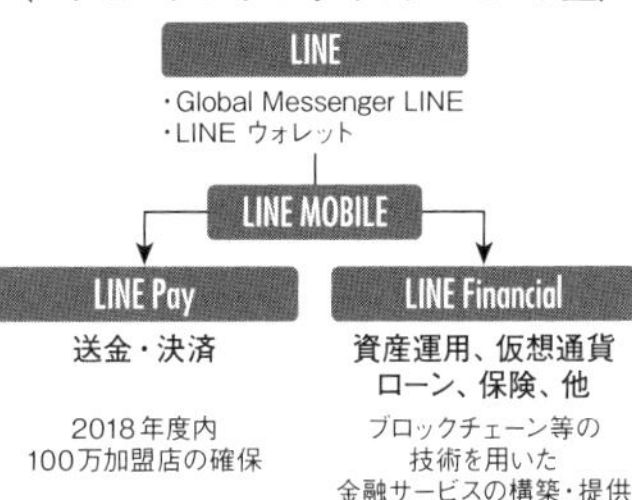

●スタンプや広告に次ぐ新規事業を模索
●2016年にLINEモバイルを開始
●LINE PayとLINE Financialは別会社で、仮想通貨などの金融系サービスは後者で展開される

資料:楽天、LINE、ほかより作成 ©BBT大学総合研究所

セットでカバーできる企業は、まったく出てきていない。

フィンテックの基本技術は、顔認証にしてもQRコードにしても、最初に開発したのは日本企業である。それなのにそれを使って先頭を走っているのは中国というのが、なんとも情けないところだ。

そんな日本にもスマートフォンを利用した金融サービスを展開している企業がある。楽天とLINEだ（図21）。

楽天はEC事業で蓄積したビッグデータをAIで分析することで、マーケティングや金融サービスを強化。また、カード、ポイント、Edy等を生かしてキャッシュレス化を進めている。さらに、二〇一九年から携帯電話事業へ参入することにより、楽天経済圏のさらなる拡大を図っている。

図22

個人向けの主なフィンテックサービス

いらないものを現金化

メルカリ	手元のモノを売りたい人と、それを買いたい人とマッチングするフリマアプリ
CASH	モノを撮影すると、査定額が瞬時に表示される。現金の支払いが特徴

今お金がなくても買い物ができる

ペイディー	電話番号・メールアドレスだけで買い物ができる決済サービス
ゾゾタウン	衣料ECサイトのゾゾタウンで、5万4,000円を上限に「ツケ払い」が選べる

働いた分だけ、先に給料をもらう

ペイミー	契約企業の勤怠システムと接続して日割ベースの給与額を計算。すでに働いた分だけを前払いで受け取れる

仲間や同志からお金を募る

キャンプファイヤー	個人向け資金調達サービスで国内最大手
ポルカ	身近な友人から出資を募る資金調達アプリ。賛同者は300円から出資できる

自動的に小銭を貯める

Sira Tama(しらたま)	マネーフォワードの少額貯金サービス。小額の積み立て貯金や、おつりの端数貯金に対応
フィンビー	初めに貯金の目的や目標金額などを設定。おつりや端数などのルールに応じて自動で貯金する

●貯蓄ゼロが日本の家庭の3割、20代独身では6割に
●給料が目減りし、貯金もできない

若年層や所得の低い層を消費市場に呼び込むサービスが登場、フィンテックならぬ「貧(ひん)テック」と呼ばれる

資料:日経ビジネス、ほかより作成 ©BBT大学総合研究所

LINEはスタンプや広告に次ぐ事業として二〇一六年に「LINE MOBILE」を開始した。さらに、送金・決済のアプリ「LINE Pay」、資産運用、仮想通貨、ローン、保険などを扱う「LINE Financial」と新たな事業を立ち上げているが、連携してひとつの経済圏をつくるには至っていないというのが正直なところだ。なお、「LINE Financial」ではブロックチェーンの技術を用いた金融サービスも行うという。

日本では若者を中心に、生活の余裕がなくても消費を楽しみ、お金のやりくりができるフィンテックサービスが広がっている(図22)。その背景には、給料が目減りし貯金もできず、二〇代独身の六割が貯蓄ゼロという厳しい現実がある。

いらないものを現金化するメルカリ、C

図23

銀行の3大業務に進出するフィンテックベンチャー

決済	預金	融資
個人間送金（決済） 手数料無料で個人送金可能 ・スマイラブル ・paymo ・Kyash	**電子マネー** 年1%の割合で増加も ・SPIKEコイン ・LINE Pay	**ビッグデータ与信・融資** 貸し手と借り手の直接取引を実現 ・SHARES ・LENDY
格安手数料のEC決済 2.95%から利用可能 ・Omise	**プリペイドカード・電子ウォレット** 年齢制限なし ・バンドルカード	**ソーシャルレンディング** 大量のデータを活用 ・maneo ・Lucky Bank ・CAMPFIRE
仮想通貨決済 最短10分で購入可能 ・bitFlyer		

銀行が束ねていた各業務を切り出して、ITテクノロジーを活用して低コストで個別最適化を図ることにより銀行業務のアンバンドリングが進む

●人材や店舗網を抱え高コスト体質の銀行業界は「構造不況業種」に。メガバンク3行で3.2万人超の人員削減を実施するが甘い。
●既存ビジネスの収益力減少などを背景に地銀の再編が進むも、リストラだけではなく収益モデルを確立することができるのか？

資料：日本経済新聞2017/12/17、ほかより作成 ©BBT大学総合研究所

ASH。手元にお金がなくても買い物ができるペイディー、ゾゾタウン。働いた分の給料を前払いで受け取れるペイミー。仲間や同志から出資を募るキャンプファイヤー、ポルカ。自動的に小銭を貯めるSira Tama（しらたま）、フィンビーなどが代表的なサービスだ。

一〇年間で三万二〇〇〇人分の業務削減は甘すぎる

フィンテックベンチャーが「決済」「預金」「融資」という銀行の三大業務に進出（図23）し、銀行業務の代替やアンバンドリングなどが行われるようになると、銀行もようやく危機感を抱くようになり、三菱UFJ銀行、三井住友銀行、みずほ銀行の国内大手三行も大規模なリストラに着手し始

めた。日本経済新聞の記事によれば、この三行で向こう一〇年の間に三万二〇〇〇人分の業務を削減するのだそうだ。しかし、これではまだ甘すぎる。一年でこれくらい行わないと、とうてい間に合わない。

かつて銀行は学生の就職希望先のトップだったが、今では人材や店舗網を抱えた高コスト体質の構造不況業種なのである。今後はリストラだけでなく、新たな収益モデルを確立しないと、その存在意義を失うことになるだろう。

海外に目を向けてみると、英シティや米ウォール街の金融機関は、フィンテック企業の買収や人材採用によって急速にテックカンパニーに変身しつつある。

ＪＰモルガンのジェイミー・ダイモンＣＥＯは、以前は「ビットコインは詐欺」といっていたが、最近は「ブロックチェーンは本物だ」と前言を撤回。中小企業部門において新興フィンテック企業のビル・ドット・コムやオン・デック・キャピタルとの連携を進めている。また、二〇一八年には外部の有望なベンチャー企業を社内に招き入れ、次世代のフィンテックサービスの開発をサポートする「In-Regidence（イン・レジデンス・プログラム）」をアジアで本格的に開始した。

ゴールドマン・サックスは、一〇年前には六〇〇人いたトレーダーが現在は二人、マネージング・ディレクター昇格者のうち六人に一人はエンジニアというように、今やすっかりテック企業だ。さらに、ビットコイン売買仲介業務への参入も検討している。

ウェルズ・ファーゴは、二〇一四年からスタートアップを支援するプログラムを開始、ＡＰＩやＳＤＫをスタートアップに提供している。また、デジタル・ウェルスマネジメント・スタートアップを行う米SigFig社と提携し、二〇一七年にロボット・アドバイザーのテストサービスを開始した。

バークレイズは、自前で技術を開発するよりも、より早くより低コストでフィンテック技術を取り込むという方針を打ち立て、二〇一二年あたりからフィンテックベンチャー育成プログラムの整備を進めてきた。現在はロンドンでヨーロッパ最大級のフィンテックベンチャー育成施設「Rise London」を運営している。

アリババが日本で銀行業務に乗り出す日

フィンテックによって今後、世界はどのように変わっていくだろうか。

かつて、アメリカのサイバー企業が一〇年で世界を席巻した。同じようなことがフィンテックの分野でも起こるかもしれない。アリババやテンセントなどの中国ＩＴ企業が二一世紀の巨大な新銀行として、グローバル金融市場をリードしていく可能性は大いにある（図24）。

ただし、それは「中国政府が許せば」という条件付きだ。たとえば、アント・ファイナンシャルが行っている格付けも、「国民の価値は共産党が決めるものだ」と考える中国政府にとって

図24

中国IT企業が21世紀の「巨大な新銀行」に?

今後フィンテックが世界をどう変革するか?

アリババ、テンセントなどの中国IT企業が21世紀の「巨大な新銀行」として世界を席巻する可能性がある

①アメリカのサイバー企業が10年で世界を席巻したのと同じことが中国勢によるFinTech旋風になる
- ○膨大な顧客データ(信用情報)を活用してALM(アセット・ライアビリティ・マネジメント)を実施する
- ○海外の既存銀行を買収して世界展開を図る

②国によってはアメリカを模倣したSNSなどがシェアを獲得しているように、今なら国別に防衛体制をつくることができる
- ○アマゾンが銀行業務に参入してくると同様なことができる可能性が高いのではないか?

日本の金融機関等にどのような影響があるか?

- ●ビジネスモデルの根幹が崩れるため、従来の銀行・クレジットカード会社への影響が大きい
- ●FinTechへの対応と豪語しているが、ベンチャーへの出資や、ハッカソン実施程度で対応できるものではない

- ●アリババが日本で銀行を一つ買収すればそれで一巻の終わり
- ●余額宝のようにMMFで実質的に銀行預金をやり、それをベースにAlipayを展開する。それで4%の利回りなら日本の金融機関は一巻の終わり
- ●日本国民は、提供者目線のサービスしか提供してこなかった銀行に怒るべきで、アリババによる買収に反対すべきでない

資料:各種資料より作成 ©BBT大学総合研究所

は、決して歓迎できるものではないだろう。中国発の巨大銀行やＥＣカンパニーが世界で活躍しようと、それが中国政府のメリットにつながらなければ、規制をつくり活動を制限することも十分あり得る。

日本の金融機関のフィンテック対策は遅れているが、銀行やクレジットカード会社が従来のビジネスモデルをそう簡単に手放さないだろうから、これからも迅速な対応は期待できない。

そうこうしているうちにアリババが日本で銀行業務に乗り出せば、日本の金融機関はそれで一巻の終わりだ。たとえば、アリババが日本の地銀を一行買収する。あるいは、「余額宝(ユアバオ)」のようにＭＭＦで実質的な銀行業務を行い、それをベースに「アリペイ」を展開する。そうすると、

彼らは少なくとも年四％の運用益を出すので、〇・一％しか利息の付かない日本の金融機関の預金が雪崩を打ってそこに流れていくのは、火を見るより明らかだ。

だが、それは決して悪いことではない。これまで日本の銀行は、自分たちの都合を優先したサービスしか提供してこなかった。中国のフィンテック企業が進出してきて、ユーザー目線のサービスを行い、その結果二一世紀の巨大な新銀行ができるなら、日本の国民はむしろそのことを歓迎すべきだ。

日本企業が採るべきフィンテック戦略

日本企業は、「小売り」「サービス」「金融商品」などのフィンテックの要素技術をバラバラに導入しているが、まずこれを見直す必要がある。そして、自分たちはいったいどういうスタイルでフィンテックを取り入れていくかを決めるのだ。

その際、考えられるのは次の三つ（図25）。

一つ目は、プラットフォーマー。バラバラに存在している各要素技術やサービスを統合して、自らがアリババやテンセントのようなプラットフォーマーになる。

二つ目は、プラットフォーム利用者。プラットフォームをうまく利用して事業機会を捉える。それには、日ごろから有力なプラットフォームを研究して、いつでも対応できるよう準備してお

図25

日本企業はどうすればいい?

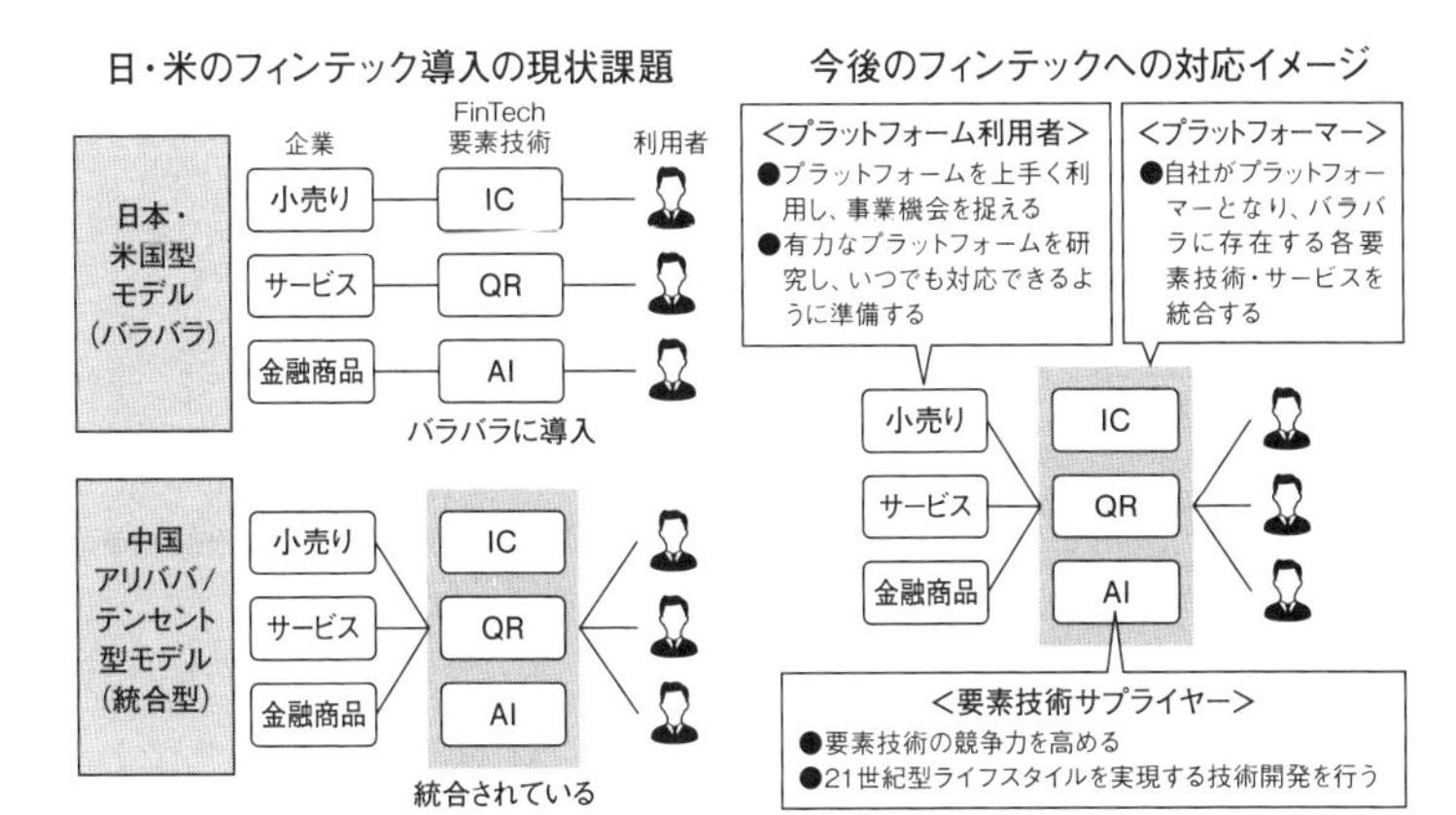

資料:BBT大学総合研究所 ©BBT大学総合研究所

くこと。

三つ目は、要素技術のサプライヤー。二一世紀型ライフスタイルを実現するような技術開発に徹する。

(参考)主なフィンテック企業

(次ページ図26、図27)

(二〇一八年五月二五日「熱海せかいえ」にて収録)

図26

主なフィンテック企業①

分野	サービス名	国	概要
融資	Maneo	日本	中小企業の資金需要と投資家とをマッチング
	AQUSH	日本	借り手信用力を信用情報機関と個人の属性情報を基に5段階で評価
	クラウドクレジット	日本	海外の消費者ローンや事業者ローンを提供
	LendingClub	米国	個人が企業に対して融資を行うソーシャルレンディングサービス
	Prosper	米国	P2Pレンディングサービス。貸し手は25ドルから投資する
	Kabbage	米国	AIを用いた中小企業向けの融資サービス
決済	LINE PAY	日本	LINEアプリの決済サービス。登録者同士での送金や割り勘が可能
	コイニー	日本	専用の端末を接続すればクレジットカード決済が可能なサービス
	SPIKE	日本	ECサイト開発者向け決済サービス「SPIKE決済」を提供
	Checkout	米国	Stripe社が提供するWEBサイトやアプリへの埋込型決済サービス
	Square	米国	スマホやタブレットに「Squareリーダー」を差し込み決済が可能に
	Apple Pay	米国	Apple社が提供するモバイル決済サービス
	Android Pay	米国	Google社が提供するアプリ決済サービス
	Alipay	中国	中国のEC大手アリババグループが提供する決済サービス
送金	XOOM	米国	PayPal傘下の企業。国際送金や請求書の支払いを行うことが可能
	TransferWise	英国	実際には海外送金はせず、国内で送金しあう仕組みのサービス
	WorldRemit	英国	PC、スマホ、タブレットから国際送金ができるサービス

資料:総務省「平成29年版 情報通信白書」より作成 ©BBT大学総合研究所

図27

主なフィンテック企業②

分野	サービス名	国	概要
個人向け金融	Simple	米国	店舗をもたないオンライン専用銀行
	Moven	米国	スマホから送金や現金の引き出しを手数料無料で行えるサービス
資本性資金調達	セキュリテ	日本	ミュージックセキュリティーズが運営する投資型クラウドファンディング
	CircleUP	米国	未公開VBを対象にした投資型クラウドファンディングプラットフォーム
	Loyal3	米国	手数料無料でスマホから売買可能な株式型クラウドファンディングサービス
個人資産管理	マネーフォワード	日本	個人向けの家計簿作成アプリサービス
	MoneyDesktop	米国	支出状況を自動的にカテゴリー化、集計して表示できるサービス
	Mint (Intuit社が運営)	米国	金融機関の口座データを自動取得、家計簿を自動作成
中小企業等向けサービス	Freee	日本	中小企業向けクラウド会計ソフト
	メリービズ	日本	領収書やレシートを入力・仕分けのバックオフィス業務を提供
	Xero	NZ	中小企業向けオンライン会計ソフト
	Gusto	米国	従業員の給料管理、福利厚生、業務管理、企業年金等のサービス
個人による投資サポート	お金のデザイン	日本	アルゴリズムを用いた個人向け資産運用アドバイス
	WealthNavi	日本	富裕層・機関投資家が使う金融アルゴリズムを提供するロボアドバイザー
	あすかぶ!	日本	楽天証券と提携する株価予測ゲームアプリ
	Wealthfront	米国	個人の資産状況やリスク選考を考慮した投資ポートフォリオを提案する
	Betterment	米国	AIを使った資産運用のロボ・アドバイザーサービス

資料:総務省「平成29年版 情報通信白書」より作成 ©BBT大学総合研究所

第二章

マネーフォワードが変革するお金との関係

辻　庸介

PROFILE

辻 庸介

Yosuke Tsuji

株式会社マネーフォワード　代表取締役社長CEO
1976年大阪府生まれ。2001年に京都大学農学部を卒業後、ソニー株式会社に入社。2004年にマネックス証券株式会社に参画。2011年ペンシルバニア大学ウォートン校MBA修了。2012年に株式会社マネーフォワードを設立し、2017年9月、東京証券取引所マザーズ市場に上場。2018年2月「第4回日本ベンチャー大賞」にて審査委員会特別賞受賞。新経済連盟 幹事、シリコンバレー・ジャパン・プラットフォーム エグゼクティブ・コミッティー、経済同友会 第1期ノミネートメンバー。

フィンテックの三つの本質

フィンテックの本質とは何でしょうか。私の考えは次の三つです。

1. 早く、安く、正確に
2. 中央集権型から分散型へ
3. データとAIによる最適化

まず、フィンテックは金融取引のコストを抑えることができます。既存のシステムを使用する場合と比べて、およそ一〇分の一以下になるはずです。それから、中央集権型からブロックチェーン（分散型ネットワーク）に代表される分散型への流れは止まらないでしょう。そして、データとＡＩによる最適化です。これまではデータを集めるだけでしたが、フィンテック時代は「集めたデータの付加価値をいかに高めてユーザーに返すか」が、企業の競争優位性を決めるようになります。

以上のフィンテックの三つの本質を、もう少し詳しく説明していきます。

1．早く、安く、正確に

金融庁の進めるオープンＡＰＩ（銀行と外部の事業者との間の安全なデータ連携を可能にする取り組み）や、経済産業省が創設したコネクテッド・インダストリーズ税制（ＩｏＴ税制）のように、これからはクラウドであらゆるサービスがつながるようになります。

たとえば、銀行に融資をお願いする場合、これまでは自社の会計システムに数字を入力してＢ／Ｓ（貸借対照表）やＰ／Ｌ（損益計算書）をつくったら、それらを紙に出力して融資窓口に提出しなければなりませんでした。ところが、フィンテックの時代は、システムに接続すると、その瞬間にデータがリアルタイムでつながるのが普通になるのです。サーバー費用などの周辺コストが圧倒的に安くなったこともコスト削減の一因といえます。

また、スマートフォンで個人がいつでもどこでも情報を受発信できるようになったため、ユーザーとの接点が変化します。「店舗がたくさんある」という従来の金融機関の強みが、フィンテックの世界ではむしろ弱点になるといった逆転現象も、いろいろなところで起こってくるでしょう。

2．中央集権型から分散型へ

シェアリング（共有）マーケットやＣ to Ｃ（個人間）マーケットの誕生は、まさにフィンテックがつくり出した「中央集権型から分散型へ」という流れの結果です。たとえば、二〇一八年に株式上場を果たしたメルカリは、それまで百貨店やスーパーが担っていた一次流通マーケットの外に、CtoCの二次流通マーケットを生み出しました。

シェアリングに関しても、空間、モノ、移動、スキル、お金など、さまざまな業界で、新しいビジネスが生まれています。

中央にサーバーを持たず、すべてが参加者の目にさらされるために改ざんなどの不正を防ぐことができるブロックチェーンは、「インターネットの次なる可能性」といわれています。「ブロックチェーン×金融」であれば仮想通貨になりますが、今後は「ブロックチェーン×物流」や「ブロックチェーン×広告」など、さまざまな分野に入り込んで、新しいビジネスモデルをつくり出していくでしょう。

たとえば、動画配信サービスのユーチューブの場合、ユーザーのクリック数に応じて企業は広告費を払うわけですが、その大部分はユーチューブの収入となり、動画を制作したユーチューバーの手元には一クリック〇・一円くらいしか入ってこないというのが、現在のビジネスモデルです。

しかし、将来この仕組みが分散型に移行すると、トレーサビリティ（追跡可能性）がオープンになるので、広告を出す企業がユーチューバーに直接広告費を支払うようになるかもしれません。そうなると、ユーチューブだけでなく、フェイスブックやグーグルのビジネスモデルも崩壊する可能性があります。

もっとも、現時点では、ブロックチェーンでデータを送るのは時間がかかりすぎて、テキストデータならまだしも、画像データを送るとなると、とても実用に耐えないというのが正直なところです。ただし、テクノロジーの進歩は止まらないので、この問題も早晩解決すると思います。

3．データとAIによる最適化

「単純作業」「仲介作業」「処理」に分類される職業は、今後そのほとんどがAIに置き換わると思われます。そうなると人間に残された仕事は、「出てきたデータをどう活かすか」です。今後は「フィンテック」という観点からだけでなく、広く「データやAIをどのように活用していくか」が、勝負の分かれ目になるでしょう。

海外で進むキャッシュレスの動き

さまざまな社会問題を解決する「ソサエティー5・0」社会の実現を目指すための政府施策『未来投資戦略2017』では、戦略分野のひとつとしてフィンテックが掲げられています。

また、経済産業省では、二〇一七年一一月から、近年の支払い手段の多様化を踏まえ、消費者の利便性にマッチすると同時に産業界・加盟店も受け入れやすい支払い手段に関する議論を

図1

各国のキャッシュレス決済比率の状況（2015年）

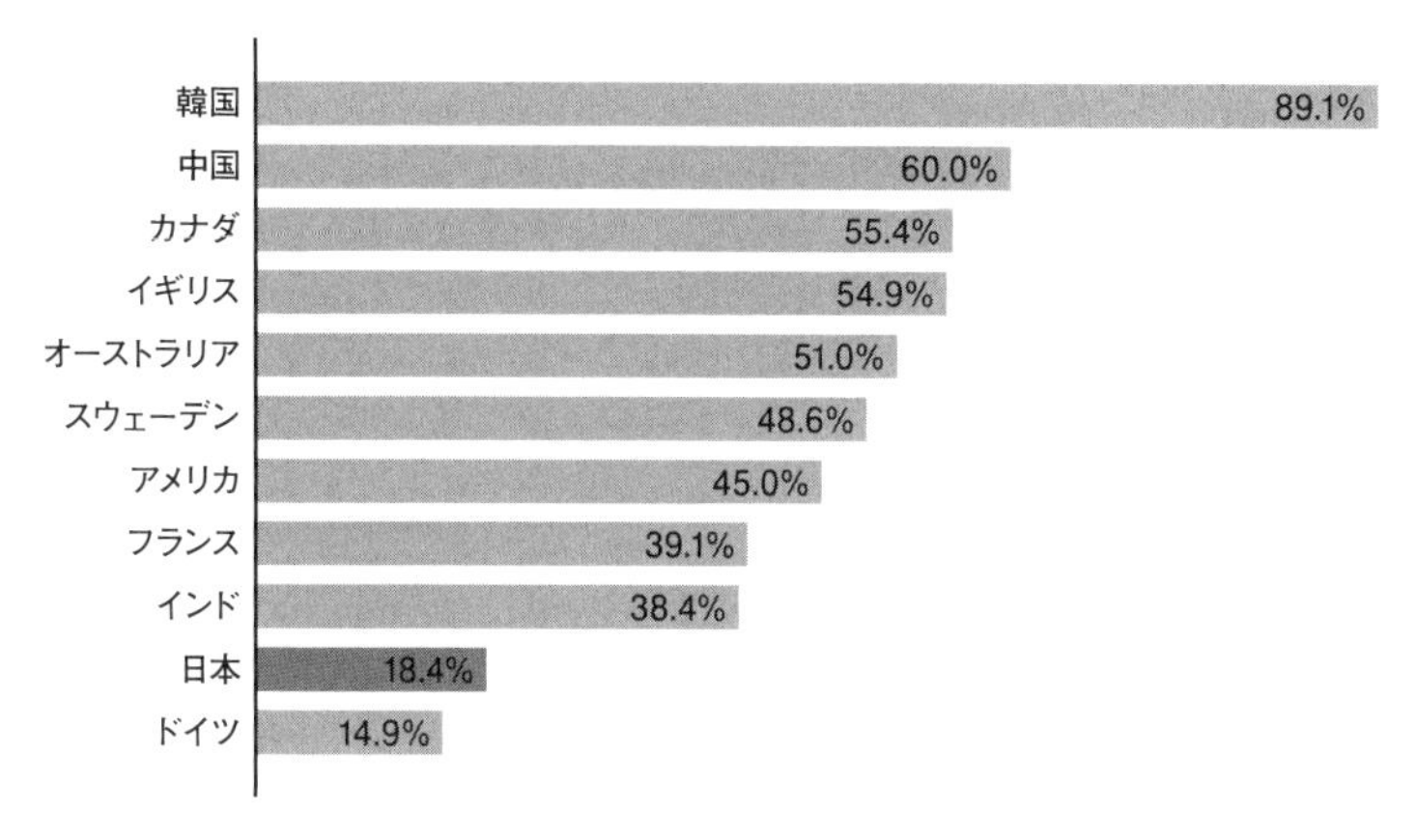

資料：キャッシュレス・ビジョン（経済産業省 商務・サービスグループ 消費・流通政策課）より抜粋 ©マネーフォワード

行った結果、「キャッシュレス・ビジョン」と「クレジットカードデータ利用に係るAPIガイドライン」を策定しました。

その中に「キャッシュレス決済比率四〇％の目標を前倒しして、将来は世界最高水準となる八〇％を目指す」という一文が入っていますが、これは委員会メンバーである私の提案がもとになっています。

各国のキャッシュレス決済比率の状況（図1）をみると、最も進んでいるのは韓国で九〇％近くがキャッシュレスです。それに次ぐのが中国で、以下、カナダ、イギリス、オーストラリアと続きますが、いずれも五〇％を超えています。一方、日本は一八・四％と、先進国ではドイツと並んで低い比率です。

韓国でここまで決済のキャッシュレス化

が進んだのは、電子決済をすると所得控除が受けられるといった税制上のメリット等を政府がつくったからだといえます。このようなキャッシュレス化が進むような法律を定めるやり方は、日本も参考にできるのではないでしょうか。

ただし、今のところ日本には、中国の「アリペイ」や「ウィーチャットペイ」のような、圧倒的な力をもつプラットフォーマーが出てきていません。これも日本の課題だといえます。

金融機関オープンAPIでさまざまな金融サービスが生まれる

二〇一七年五月に銀行法等の一部を改正する法律が成立し、電子決済等代行業者に対し登録制を導入し、金融機関のオープンAPIを使う業者が守るべきルールを整備しました。これは世界に先駆けた取り組みです。

API（Application Programming Interface）とは、プログラムからソフトウェアを操作するためのインターフェイスのことです。これによってソフト間でお互いの機能や情報が利用可能になります。たとえば、「食べログ」のアプリで表示されるレストランの地図には、「Google Maps」のAPIが使われています。

銀行はこれまで窓口やATMを通してお客さんとつながっていました。それがオープンバンクAPIになると、外部の企業が銀行のAPIを使えるようになるので、銀行の外にいろいろな

図2

金融機関APIの仕組み

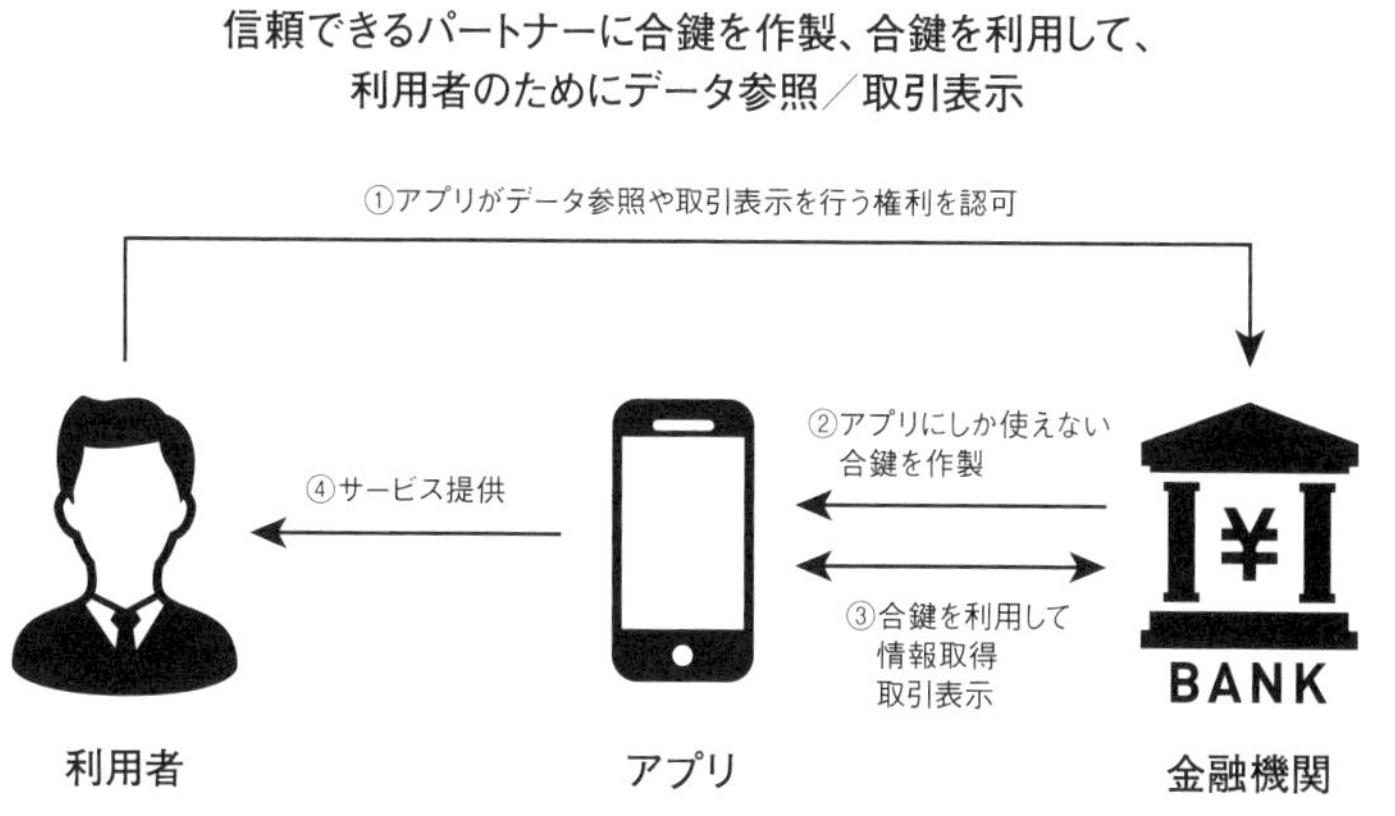

サービスがどんどん立ち上がってくるようになります。

金融機関APIの仕組みを具体的に説明すると、次のようになります。

まず、利用者が自分のデータ参照や取引の指示を行う権利をアプリのサービス業者に許可することを金融機関に伝えると、金融機関は所定のサービスを行うアプリにしか使えない合鍵を作製します。サービス業者はその合鍵を利用して、利用者の必要な情報を金融機関から取得したり、取引指示を出したりできるようになります。こうして、利用者はサービス業者にIDやパスワードなどの個人情報を直接渡すことなく、サービスの提供を受けることができるようになるのです（図2）。

APIには参照系と更新系の二種類があ

図3

仮想通貨に対する取り組み

過去24時間通貨別出来高（ビットコイン）

2018年5月17日時点

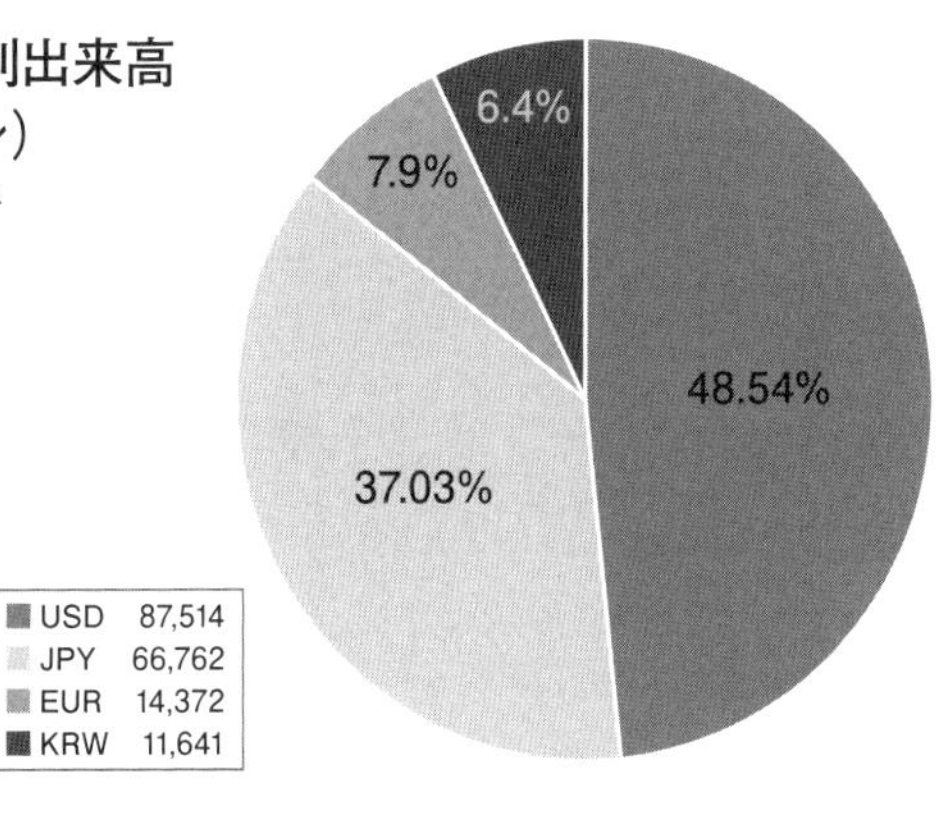

資料：https://jpbitcoin/marketsより引用 ©マネーフォワード

ります。前者はみるだけ、後者は取引まできるというものです。

更新系ＡＰＩを使えば、さまざまな取引が、これまでより便利にできるようになります。たとえば、個人なら、スマートフォンがあれば、預金や証券口座に送金したり、ネットで買い物をした代金を支払ったり、自動車や不動産のローンを申し込んだりすることがその場でできるのです。

企業のクラウド会計でも、これまでは取引先に一〇〇万円支払う場合は、まずその情報を銀行にアップロードして、その後に振り込みが実行されるという手順でしたが、更新系ＡＰＩによって、直接オンライン上のサービスにつながって、そこからワンクリックで振り込みが実行できるようになるなど、シームレスでより便利になります。

仮想通貨に対する法整備

日本のビットコインの通貨別取引量は、米ドルに次いで日本円が二位となっています（前ページ図3）。ただ、金融庁は「マネーロンダリングやテロ資金に使われないか」「利用者をどうやって保護するか」という二点について不安が解消されていないとして、仮想通貨の交換所を登録制にするなど、急いで法整備を進めているところです。

今後はコンプライアンスやセキュリティに関する基準が厳しくなると思われます。そうなるとベンチャーが簡単に参入するのは難しく、ある程度規模の大きな会社しか参入できなくなると思われます。

マネーフォワードが意識している三原則

金融には「決済」「送金」「交換」「融資」「投資」「保険」といった機能があります（次ページ図4）。フィンテックによってこれらがアンバンドリング（分解）され、各機能の「サービス」「販売」「インフラ」というレイヤー（階層）ごとに、それぞれプレーヤーが出てきています。たとえば、決済であれば「楽天Ｅｄｙ」、送金であれば「LINE Pay」、融資であれば「リクルート」、

図4

フィンテックの全体像

機能	決済	決済	送金	交換	融資	投資	保険
サービスレイヤー	前払 収納代行	資金決済法 プリペイドカード 電子マネー （後払）	資金決済法 送金 デビットカード 電子マネー P2P （送金）	外国通貨	貸金業法 （クラウドファンディング）	金商法	保険業法 延長保証
				資金決済法 仮想通貨	ソーシャルレンディング	ソーシャルインベストメント	P2P保険
	後払 決済代行 立て替え払い	プリペイドカード 電子マネー （後払）		ポイント	トランザクションレンディング	ロボアドバイザー	非保険化
	割賦販売法 ポイント	仮想通貨					
販売レイヤー	個人資産管理 銀行代理業、保険代理業、証券仲介業 経営・会計支援（中小企業）						
インフラレイヤー	認証技術		セキュリティ		不正検知		
	犯収法、個人情報保護法等						

資料：森・濱田松本法律事務所増島弁護士資料、その他公表資料を基にマネーフォワード作成 ©マネーフォワード

投資なら「ウェルスナビ」といった具合です（次ページ図5）。

当社の場合、ユーザー接点のところでの個人向け自動家計簿・資産管理サービス「マネーフォワード ME」、それから法人向けバックオフィスクラウドサービス「マネーフォワード クラウド」などのサービスを提供しています。

当社が意識しているのは、次の三つです。

1. カスタマーペインの解消
2. サービス創り
3. オープンであること、ワクワクすること

図5

マネーフォワードのポジショニング

機能	決済	送金	交換	融資	投資	不動産
サービスレイヤー	**電子マネー** Suica nanaco Waon 楽天Edy	**海外送金** 各種代行サービス TransferWise	**仮想通貨** bitFlyer Zaif QUOINEX Bitbank BITPoint GMOコイン	**P2P貸付** maneo Aqush クラウドクレジット	**クラウドファンディング** READY FOR CAMPFIRE Makuake	**賃貸・売買** ソニー不動産
サービスレイヤー	**決済代行** GMO-PG ベリトランス MF KESSAI	**P2P送金** LINE Pay Kyash Paymo	**外国通貨** FX各社	**商流ファイナンス** クレディセゾン GMOイプシロン 楽天 リクルート Amazon	**ロボアドバイザー** THEO ウェルスナビ Folio	**シェアリング** 移住住み替え支援機構
情報レイヤー	自動家計簿・資産管理サービス　マネーフォワード ME					
情報レイヤー	バックオフィスSaaS マネーフォワード クラウド		経営ツール		業務支援	
インフラレイヤー	認証技術		セキュリティ		不正検知	

資料：森・濱田松本法律事務所増島弁護士資料、その他公表資料を基にマネーフォワード作成 ©マネーフォワード

フィンテックを通して、ユーザーのカスタマーペインを解消する

アマゾン創業者のジェフ・ベゾスは、「ユーザーファースト（ユーザー第一主義）」を常々口にしていますが、私たちも同じです。提供者目線にならず、「カスタマーペイン（消費者が不満・不便に思う部分）の解消をまず一番に考えよう」というのが、当社の終始一貫した姿勢です。

それでは、お金に関する個人の不満・不便（以下、「ペイン」）にはどんなものがあるでしょうか。

まず、「毎日いくらのお金を何に使っているのか、今お金をいくらもっているのか

がわからない」というペインです。自分に万一のことがあったとき、どの銀行にどれくらい預金があるのかわからないと家族の方が困ります。ところが、現実にはそういう意識をもちながら、お金のことを把握できている人はそう多くありません。

次に「お金が貯まらない」というペインです。「お金を貯めたい」という気持ちはあっても、人間は意志が弱いこともあって、そう簡単には貯まりません。これも多くの人に共通するペインです。

最後が「お金についての知識が足りない」というペインです。銀行や保険会社から新しい商品をすすめられても、その良しあしを判断するだけの知識がなく、言われるままに商品を購入してしまって後で後悔したという経験のある人は少なくないでしょう。

そこで、当社では、フィンテックを駆使して、これらのペインを解消する商品を開発しました。

「お金を毎日いくら何にどれくらい使っているか」「お金を今いくらもっているか」わからないという人に対して提供しているのが、お金を自動で管理してくれる自動家計簿・資産管理サービス「マネーフォワードＭＥ」です。

また、お金が貯まらない人には、自動貯金アプリの「しらたま」を提供しています。

お金に対する企業のペインに対しても同様です。

「経理作業に時間がかかりすぎて、経営の状態が把握できず、打つべき手がわからない」

「請求書の作成、送付、入金確認に時間がかかりすぎる、ミスも多い」

「給与計算に時間がとられ、プリントアウトも面倒」

「営業担当者が経費精算に毎月数時間もかけている」

「マイナンバーの管理が面倒、セキュリティも心配」

「お金が必要なときにすぐに借りたい」

「振込手数料などの取引コストが高い」

これらのペインを解消するために、「マネーフォワード クラウド（会計・確定申告・請求書・給与・勤怠・マイナンバー・経費・資金調達）」といったサービスを用意しました。

個人向けサービスについての紹介

個人向けのサービスについて簡単に説明します。

「毎日どれくらい使ったか、いくらもっているかわからない」というペインを解消するための自動家計簿・資産管理サービスが「マネーフォワード ME」です。二六五〇以上の金融関連サービスに対応しており、口座一括管理が可能です。一度登録すれば、あとは入力するだけで、「AIが自動的に仕分けして家計簿を作成してくれる」仕組みになっています。「一日、何にいくら使ったか」はもちろん、現金、預金、株式、年金、投資信託等の資産や負債の額、その推移もひと目でわかります。

また、そのデータを基に、「理想の家計と比べると、あなたはお金を使い過ぎています」「一週間後にクレジットカードで支払った分が引き落とされますが、残高が足りません」といったアドバイスや告知をしてくれる「パーソナル・フィナンシャル・アドバイザー」の機能もあります。

なお、このアプリはフリーミアム（基本的なサービスや製品は無料で提供し、さらに高度な機能や特別な機能については料金を課金する仕組みのビジネスモデル）なので、基本的に無料、特別な機能を利用したい方は課金してプレミアム会員になります。

利用者数は二〇一八年一月の時点で六〇〇万人を突破しました。家計簿アプリシェアとしてはナンバーワン（出所：二〇一七年三月二三日～二七日、楽天リサーチ「現在利用している家計簿アプリ」調査対象者：二〇～六〇代家計簿アプリ利用者六八五名）です。

そのほか、金融機関向けに「マネーフォワード for ○○」というかたちで、当社のサービスを提供することも行っています。また、金融機関のお客様向け通帳アプリを開発する「かんたん通帳」、それから、金融機関の既存アプリにPFMの各機能を提供する「MF Unit」といったサービスもリリースしています。

また、「日々の生活をもっと楽しく、ちょっとだけ贅沢に」をコンセプトにした、(しら)ずにお金が(たま)る自動貯金アプリ、それが「しらたま」です。

しらたまには、「つみたて」「おつり」「値引き」という三種類の貯金方法があります。たとえば、おつり貯金で一〇〇〇円に設定すると、ランチ代として八〇〇円をカードで支払った場合、二〇〇円が自動的に所定の口座に貯金されます。

貯金をしようと思っても、その気持ちを維持し続けるのはたいへんです。でも、カードで支払いするたびに、天引きのようなかたちで少しずつお金が貯まっていくなら、そんなに強い意志は必要ありません。この「しらたま」なら、誰もが無理なく貯金ができるのです。

法人向けサービスについての紹介

法人向けには、バックオフィス業務における領域を包括的にカバーし、ＳａａＳ（Software as a Service の略　必要な機能を必要な分だけサービスとして利用できるようにしたソフトウェアもしくはその提供形態）型クラウドサービスを提供しています。

個人向けと同様に、複数の銀行口座やクレジットカード情報などがひとまとめになっているので、会社の経営情報がリアルタイムで把握できるのはもちろん、情報をＡＩが学習して自動的に仕訳までできてしまう機能もあります。

同じことを行うのに、これまでは自前のサーバーを導入するなど、多額の初期投資が必要でした。しかし、当社の「マネーフォワード　クラウド」は、クラウドコンピューティングを利用

図6

中小企業経営におけるフィンテック:資金調達

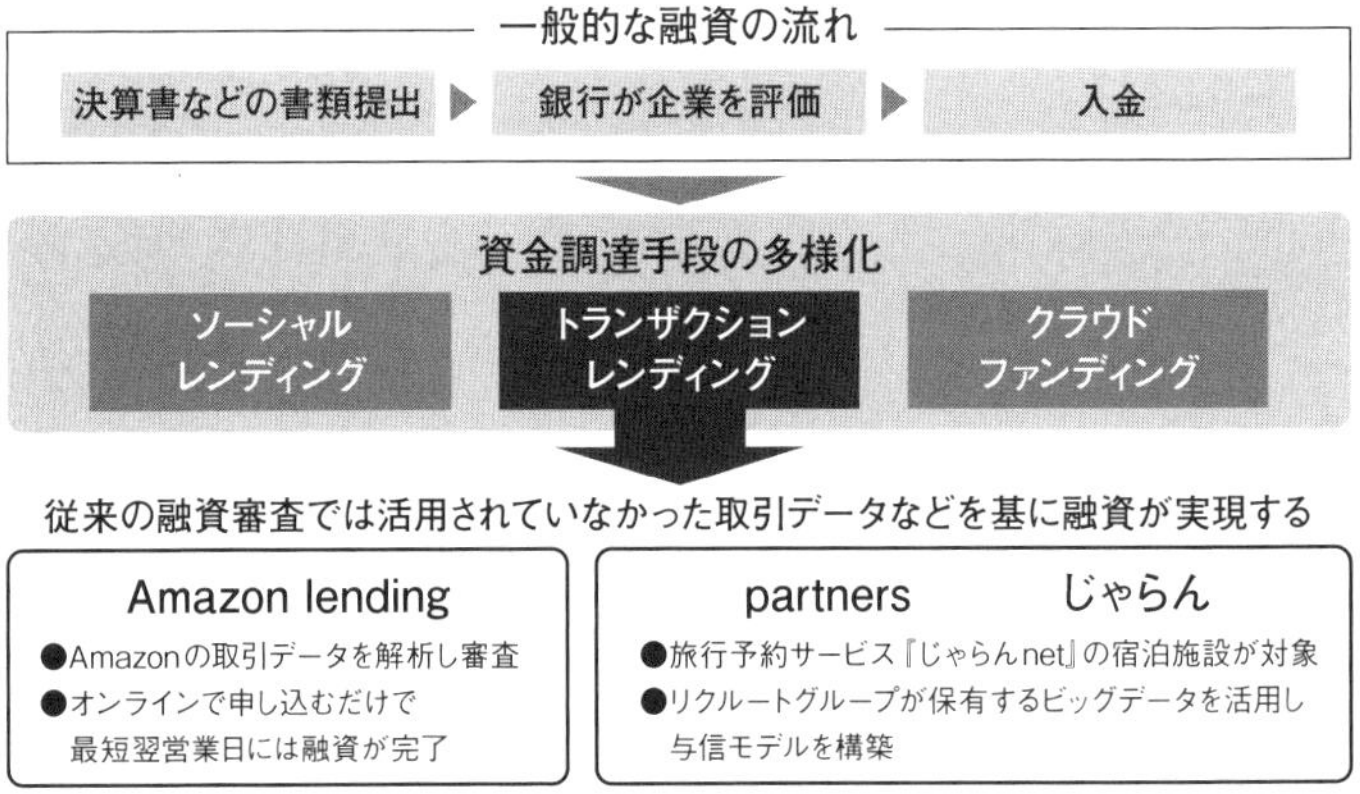

一般的な融資の流れ
決算書などの書類提出 ▶ 銀行が企業を評価 ▶ 入金

資金調達手段の多様化
ソーシャルレンディング
トランザクションレンディング
クラウドファンディング

従来の融資審査では活用されていなかった取引データなどを基に融資が実現する

Amazon lending
●Amazonの取引データを解析し審査
●オンラインで申し込むだけで最短翌営業日には融資が完了

partners じゃらん
●旅行予約サービス『じゃらんnet』の宿泊施設が対象
●リクルートグループが保有するビッグデータを活用し与信モデルを構築

©マネーフォワード

したSaaS形態でサービスを提供するため、非常に安い費用で使うことができるのです。また、出張先でも経営状態の確認ができるというメリットもあります。

「マネーフォワード クラウド会計」では、帳簿の自動収計ができます。従来のパッケージ型会計ソフトのようにすべて手入力する必要がないため、経理担当者の負担が軽減する上、転記の際のミスもなくなります。

「マネーフォワード クラウド会計」で会計をデータ化することで、トランザクションレンディング（財務情報を基に借入条件を決定する従来の融資形態ではなく、日々の取引データを基に借入条件を決定する新しい融資形態）が可能になります（図6）。

これまでは金融機関が過去の決算書類を

みて融資の可否や額を決めていました。しかし、「マネーフォワード クラウド会計」を導入すると、毎日の取引がみえるので、金融機関はより迅速に、ここまで貸せるという判断を下すことができます。これがトランザクションレンディングです。

私たちが提供している「マネーフォワード ビズアクセル」は、ユーザーのデータなどを基にスピーディに与信を行う短期融資サービスです。とくに中小企業の経営者の要望に合致していると思います。

「STREAMED」は二〇一七年一一月にM&Aでグループジョインしたクラビス社が提供している、領収書等の画像をスキャナで取り込むだけで、オペレーターが正確かつ迅速にデータを入力するクラウド記帳サービスです。これによってアナログとデジタルすべての取引データの自動取得と仕訳が可能になりました。

これまではオペレーターが入力した結果をAIが検証し、正しいものだけを会計ソフトにインポートするというやり方でしたが、今後は入力もAIが行うようにしていきたいと考えています。人件費がかからない分、費用は大幅に削減できます。

また、「バックオフィスの人手が足りない」という中小企業の声に応えて開発し、二〇一七年六月にリリースしたサービスが「MF KESSAI」です。請求書の作成、送付から代金の回収まで完全なアウトソーシングで、これによって資金繰りの改善を実現します。

サービス創りは、リーンスタートアップが原則

新しいサービスを創る上で私たちが大切にしているのが、リーンスタートアップ（仮説を立てた上で、事業を小さな規模でスタートし、効果検証を行いながら改善していく手法）です。

これは、私の創業時の経験が原点になっています。最初に頭にあったのは、「人の役に立つサービスを創りたい」と「テクノロジーの力でお金の問題を解決したい」の二つでした。それで、具体的に何を創るのかいろいろ模索したのですが、「アイデアそれ自体には価値がない」ということに気づいて、プロトタイプ（試作品）を創ることにしました。それが「マネーブック」というフェイスブックのお金版です。

お金を非常に儲けている人や家計を上手にコントロールしている人の資産形成や取引のやり方などをみるのは勉強になると考えて、「匿名で自分のことをオープンにすると、他人の情報も閲覧できる」というサービスをつくったのです。

しかし、結果は大失敗でした。人は、他人のお金には興味があっても、自分のことは他人にみせたくないということだったのです。「いきなり妄想でものを創ってもダメだ」ということを、身をもって学びました。

では、成功している人はどうしているのだろう。そう思ってネットを探すと、サービス創りの

上手なある経営者のサイトに行き当たりました。その人はあるサービスを思いつくと、いきなりそれを創ってリリースするのではなく、自分のサイトにサービスの名前だけをアップして、リンクを貼るのです。サイトを訪れた人がそこをクリックすると、「こういうサービスの開発を計画しているので、意見を聞かせてください」とだけ書かれている。クリック数が多いものに対して、集まった意見を参考にして簡単な試作品を創り、自分のサイトで公開し、再び反応をみる。このような小さいテストを繰り返しながら、徐々に完成度を高めていくのです。

私は最初のサービスを創るのに6カ月かけましたが、それ以降は彼のやり方に倣(なら)って、小さく区切ってテストしながら進めることにしました。しかし、提供者目線ではなく「徹底的にユーザーに聞く」といっても、なんでもかんでも聞けばいいというものでもありません。大事なのは「コアとなるユーザーがどう感じるか」なのです。

あるとき、「こんなサービス、誰も使わないよ」と、あるベンチャーキャピタリストに怒られたことがありました。でも、よく考えてみたら、この人はコアユーザーではありません。それに気づいてからは、「この人こそ、自分たちのユーザーである」というひとりを想定し、「どうしたらこの人を満足させられるか」だけを考えるようにしたら、すごくうまくいったのです。それ以降現在に至るまで、常に「コアユーザーだけを意識してサービスを開発する」ようにしています。

しかし、いくらユーザー目線で開発しても、いつも自分たちの予想どおりにユーザーが行動してくれるとはかぎりません。したがって、自分たちの予想と実際のユーザーの行動との答え合わせが必要なのです。そして、答えがずれていたときは、なぜそうなのかを考える。これはサービス創りのセンスを磨く訓練にもなります。

私たちのこのサービス創りのやり方をひと言でいうなら、「ユーザーフォーカスのリーンスタートアップ」です。私たちはリーンスタートアップの手法を取り入れてから、短期間で個人・法人向けのサービスを次々とリリースできるようになりました。

オープンであること、ワクワクすること

ＡＰＩでつながる世界では、主導権は常にユーザーにあります。また、すべての情報がネットを通じて拡散するので、ブランドをなにより大切にしなければなりません。

それには、プロダクトの機能だけでなく、「企業の姿勢、生き様、理念」にユーザーが共感してくれることを常に意識しているのが重要だと思っています。

経営者がフィンテックを活かす四つのポイント

フィンテックを経営にどう活かしていけばいいのか。私の考えるポイントは次の四つです。

図7

技術の普及速度が上がっている

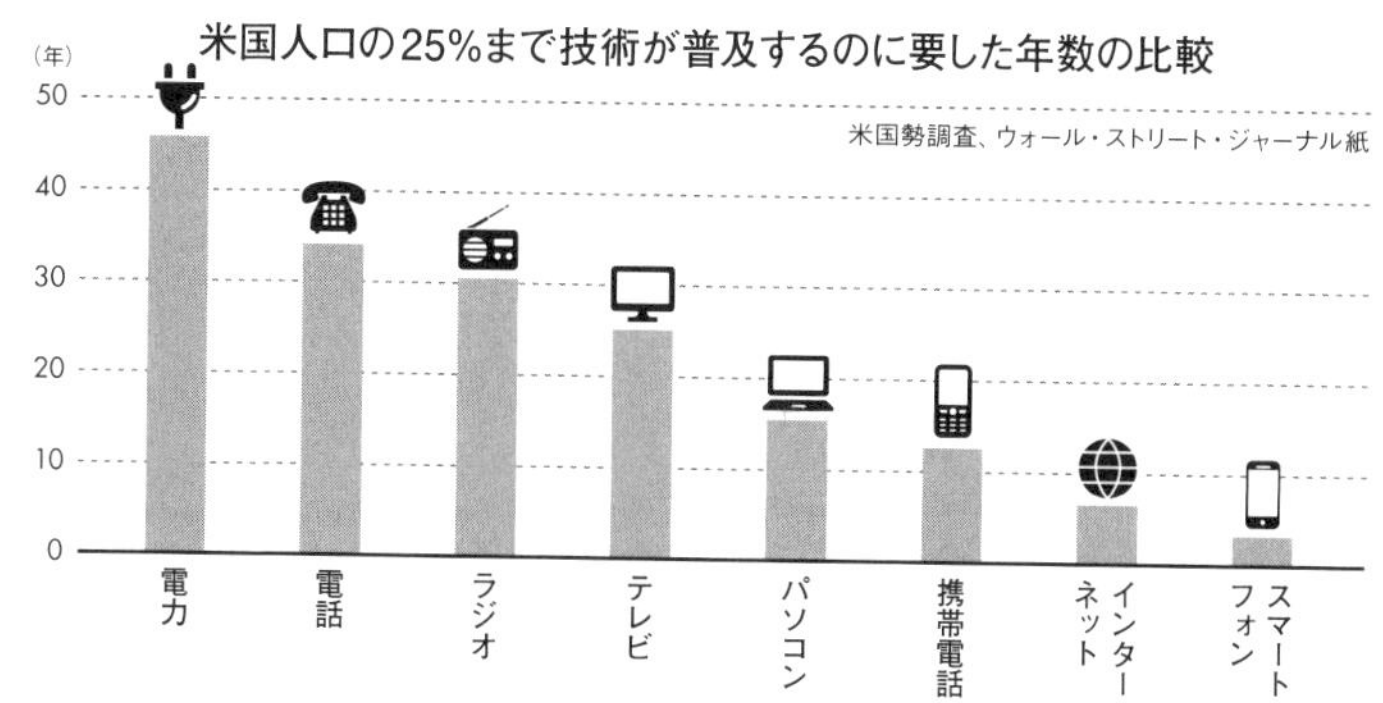

新技術の普及速度は年々上がっている。上図は、電力やテレビ、インターネットなどの技術が米国人口の25%まで普及するのに要した年数を比較したグラフである。

資料：エリック・リース著『スタートアップウェイ 予測可能な世界で成長し続けるマネジメント』より ©マネーフォワード

1. スピード競争時代

新しい技術がアメリカの人口の二五%にまで普及するのに要した年数を比較すると、電力が五〇年弱に対し、スマートフォンは約五年と、そのスピードが一〇倍くらいに上がっていることがわかります（図7）。

従来の考え方なら一〇〇年かかると思われたことが一〇年後に起こってもおかしくありませんし、もしかすると二年後にはみんながその技術を当たり前のように使っているかもしれません。とくにＩＴの世界では、そのようなスピード感をもっていないと、あっという間に置いていかれてしまいます。

2. アセットを多くもつ経営がいいのか？　身軽な経営へ

現在は自社で一からそろえる時代ではありません。ＡＰＩ（アプリケーション・プログラミング・インターフェース）、ＢＰＯ（ビジネス・プロセス・アウトソーシング）、シェアリングなどのサービスをうまく利用し、コアの部分だけを自分たちで行うという考え方が必要です。

それから、「スモールチーム」と「権限委譲」も重要な鍵になります。私たちがプロダクトをつくるときのメンバーは、「ビジネスの責任者」「デザイナー」「サーバーサイドのエンジニア」「アプリのエンジニア」の四人です。彼らにどんどん権限を委譲して改善を続け、見込みがないとわかったらすぐに撤退する。これが当社のスタイルです。

3. データ活用

これからの時代は「どんなデータをもち、それをどのように活用するか」が勝負の分かれ目となるといっても過言ではありません。データ活用に関しては、いろいろな分野で成功事例が出てきているので、これらを参考にするといいと思います。

4. 人事戦略

組織は最終的に〝人〟です。私たちは「ミッション」「ビジョン」「バリュー」をコアにして人事戦略を議論しています。大事なのは、人事戦略には経営陣が必ずコミットすることです。

【質疑応答】

Q1　イギリスで成功しているフィンテック企業のＭｏｎｚｏ Ｂａｎｋはアグリゲーション（複数の口座情報の集約）サービスだけでなく、スマートフォン決済も行っている。貴社の業務も将来は決済にまで広げるのか。

辻　当社でもその議論はすでに始めています。ただ、決済はユーザーと店舗の両方を押さえないといけない上に、薄利なのでかなりのボリュームが必要です。そこで得たデータを基にした違うサービスで儲けるようにしないと厳しいかもしれません。

ユーザーを増やすにしても、日本の場合は中国と違って、ほとんどの人がすでに銀行口座をもっていて、クレジットカードも普及していますし、「Ｓｕｉｃａ（スイカ）」のような電子マネーもあります。そこに私たちのような後発ベンチャーが割って入るには、数百億円の投資が必要でしょう。それを考えると決済業務への参入は、現在のところかなり厳しいといわざるを得ません。

むしろ当社としては、すでにいろいろな決済手段があるので、ユーザーのデータを基に、

「今、いちばん便利でポイントが多くつくカードはこれ」がすぐにわかるようなサービスを開発したほうがいいのではないかと思っています。

Q2 マネーフォワードに登録したものの、パスワードなどを入力して管理は本当に大丈夫なのか、誰かにみられる心配はないのかといったことを考えると、なかなか始める踏ん切りがつかない。そのあたりは本当に信用していいのか。

辻 たしかに、個人情報を預けるのですから、怖いと感じるのも無理はないでしょう。極端なことをいえば、絶対に安全なものなど世の中にはありませんので、不安に感じるのであればそれは使わないほうがいいと思います。

ただ、私たちも「クラウドの最大のリスクはセキュリティである」という認識をもって、データをすべて暗号化し、ハッキングテストを定期的に行うなど、それに関する対策は徹底的に行っています。また、顧客情報を抜き取って外部に売るような怪しい会社ではないことを証明するために、全役員の顔写真とプロフィールをホームページに公開しています。

Q3　法人の経費精算に関して、領収書をスキャンすれば入力までやってもらえるサービスはたしかに魅力的だが、税務調査の際は領収書の現物が必要になる。それを考えると、これまでどおりでもいいのではないかという気になる。

辻　たしかに、今のところはレシートの紙を残さなければなりません。ただ、電子帳簿保存法は年々改善されており、私たちも役所に随時働きかけをしているので、近いうちに、タイムスタンプを押した画像があれば、元の紙は捨てていいということになるはずです。そうなると、領収書を保管するスペースもいらなくなり、企業にとってのメリットも増えるはずです。

Q4　会計事務所を経営しているが、顧客が使っている会計ソフトがバラバラで効率が悪い。今後も会計ソフトが乱立する状態は続くのか。

辻　M&Aが盛んなアメリカなら、競争に負けた会社が買収されて最終的に残るのは二つか三つになるのですが、日本の場合はなかなかそういう合従連衡が起こらないため、今でもいろいろな会計ソフトが使われています。

しかしながら、「クラウド会計」の分野では、対応しきれない会社が先行するところにサービスを譲渡するといったことが起こり始めているので、いずれ整理されていくのではないでしょうか。

Q5　貴社の人事システム「MF Growth System」について教えてほしい。

辻　人事にもテクノロジーの波がものすごい勢いで押し寄せてきています。それがHR(Human Resources)テックです。これによって個人と会社双方の見える化がより進みました。有名なところでは、リンクアンドモチベーションの「モチベーションクラウド」があります。社員がアンケートに答えていくと、会社の何がストレスになっているかや、経営側との意識の差などが明らかになる。それをデータ化して両者で解決策を考えていくのです。

当社の「MF Growth System」は、社員を評価するのではなく成長をサポートするためのシステムです。「自分はがんばっているのに、上司がそれを評価してくれない」という社員の不満の声は、どこの会社でも聞かれます。それは、上司の期待値が正確に伝わっていないのが原因です。当社では毎月、上司と部下が1 on 1（ワンオンワン）ミーティングを行って、期待値の理解にずれが出ないようにしています。

ただし、私自身は「人事戦略や評価制度に正解はない」と思っています。日々試行錯誤の連続であり、それでいいのではないでしょうか。

Q6　シニアの資産形成に関するサービスはないのか。

辻　退職後の資産設計を確定拠出年金等を利用してどうするかといったことは、現在研究中ですが、商品化にはまだ時間がかかりそうです。

Q7　外貨両替の仕事をしているが、ノンバンクだと銀行のＡＰＩになかなか入れないという現実がある。今後は日本も海外のように自由度が高まっていくと思うか。

辻　たしかに、銀行と直接つながるためには、今はまだハードルが高いかもしれません。今後は、ヨーロッパやアメリカで進んでいるような銀行との連携が日本でもできていくと思うので、さらにビジネス展開ができるようになるのではないでしょうか。おそらく五年以内にはそうなるはずです。

（二〇一八年五月二五日「熱海せかいえ」にて収録）

第三章

ウェルスナビが提供する資産運用のAI化

柴山和久

PROFILE

柴山和久

Kazuhisa Shibayama

ウェルスナビ株式会社　代表取締役CEO

日英の財務省で合計9年間、予算、税制、金融、国際交渉に参画。その後マッキンゼー・アンド・カンパニーに勤務し、10兆円規模の機関投資家をサポートした。「誰もが安心して手軽に利用できる次世代の金融インフラを築きたい」という想いから、プログラミングを一から学び、2015年4月にウェルスナビを創業、2016年7月にロボアドバイザー「WealthNavi（ウェルスナビ）」をリリース。リリースから約3年5カ月となる2020年1月に預かり資産2100億円、口座数27万口座を突破した。東京大学法学部、ハーバード・ロースクール、INSEAD卒業。ニューヨーク州弁護士。

起業のきっかけは、自分の両親と妻の両親の保有資産の違い

まず、私がウェルスナビを起業した理由からお話しします。

日英の財務省に合計九年間勤務した後、マッキンゼーに移り、ウォール街を本拠地とする機関投資家に対し、一〇兆円規模のリスク管理・資産運用のサポートを行いました。金融工学の専門家と一緒に一〇カ月ほどかけて資産運用のアルゴリズム（ある特定の問題を解いたり、課題を解決したりするための計算手順や処理手順）をつくったのですが、あるとき、こんな考えがふと頭に浮かびました。

一〇兆円でも一〇万円でも資産運用のアルゴリズムは同じ。ということは、今このアルゴリズムを用いて行っている機関投資家や富裕層向けの資産運用の手法を、そのまま一般の人にも使えるようにできるのではないか。これがウェルスナビをつくろうと意識した最初のきっかけです。

実はもうひとつ個人的な思いもあります。私の妻はアメリカ人で、ニューヨークでのプロジェクトの最中に彼女の実家であるシカゴを訪れました。その際、妻の両親から「ウォール街の機関投資家だけでなく、私たち家族の資産状況もみてほしい」とお願いされたのです。

詳しく話を聞いてみると、プライベート・バンク（資産額が一定以上の富裕層の顧客を対象に、

銀行・証券・信託・保険・不動産など、総合的な資産管理や資産運用のサービスを提供する金融機関）で運用しているというのです。プライベート・バンクを利用する場合、資産額が通常三〜五億円は必要になります。最低でも一億円は預けないと相手にしてもらえません。裏を返せば、妻の両親の資産はそれくらいあるということなのです。彼らは大手企業に勤務していたものの、富裕層の生まれというわけではなく、サラリーマンでした。

一方、私の両親は日本の金融機関に長く勤め、退職金で住宅ローンを完済、資産は預金と保険を含め数千万円程度です。金融資産について日本では非常に恵まれているほうだと思いますが、もっている資産は妻の両親の一〇分の一にすぎません。年齢や学歴、職歴がそう変わらないのに、この結果です。私はたいへん大きな衝撃を受けました。

この差の原因は、長期的な資産運用にありました。若いときから二〇年以上にわたって、「長期・積立・分散」の資産運用をしてきたのです。

妻の両親によれば、保有資産が一〇〇万円に満たなかったころから、勤務する会社の福利厚生で、プライベート・バンクによる資産運用サービスを利用することができたといいます。また、たまたま近所に住んでいたフィナンシャル・アドバイザーにも資産運用を任せることができました。毎月の収入から、生活費や住宅ローン、教育費を支払った残りを、預金ではなく、資産運用に二〇年以上回した結果、数億円の金融資産を築くことができたのです。

私の両親の場合も「長期・積立・分散」の資産運用をサポートしてもらえる仕組みがあれば、

何倍もの資産を残せていたかもしれません。日本全体も、資産運用によってもっと豊かになっていたことでしょう。このシカゴで受けたショックが、後にウェルスナビを起業することになった動機のひとつとなりました。

「慌ててジーンズを買いに走った」、起業までの紆余曲折

ただし、起業までの道のりは決して平たんではありませんでした。

私が思い描くサービスを企画書にまとめ、いろいろなテクノロジー系のスタートアップ企業の方々を訪ねてプレゼンを行うと、たいてい「いいですね、応援しますよ」と反応は決して悪くありません。でも、実際は何も進みませんでした。

あるテクノロジー企業のCTO（最高技術責任者）と一緒にランチをしたとき、彼から「柴山さん、そのいかにも財務省然としたスーツ姿では、エンジニアは一緒に仕事をする気になってくれませんよ」といわれ、慌ててジーンズを買いに行ったこともあります。しかし、ジーンズに着替えても、もちろん状況は変わりませんでした。

もしかすると、自分自身がものづくりを理解しないまま見栄えのよいプレゼンをしているのがいけないのかもしれない。そう思った私はウェルスナビのベース部分となるプロトタイプ（試作品）を自分でつくろうと思い立ち、「TECH::CAMP」という学校で一からプログラミングを学

ぶことにしました。

その後、周囲のエンジニアやデザイナーたちに助けてもらいながら、なんとかプロトタイプを完成させ、今度はそれをもって再びプレゼンに歩きはじめました。すると、今度は応援だけでなく、具体的な出資にまで話が進むようになりました。さらに、最初の資金調達が日本経済新聞に取り上げられると、その記事をみて「一緒に働きたい」という人たちが集まってきてくれたのです。こうして、いろいろなことがようやく動きはじめ、二〇一五年秋に、ウェルスナビのチームが誕生しました。仲間探しを始めてから、半年以上が経っていました。

以上のような設立経緯もあり、またお客様の声を聞きながらサービスを開発・改善していきたいので、私たちは自社を「ものづくりする金融機関」と定義づけています。経営者や社員、株主の構成をみていただいても、それは明らかです。

金融とインターネット・テクノロジーの専門家がひとつのチームで、新しい金融サービスをつくり、イノベーションを起こしていく。ウェルスナビはそんな会社を目指しています。

日本における「ロボアドバイザー」ビジネスの成長可能性

私たちのサービスは、一般に「ロボアドバイザー」と呼ばれています。ロボアドバイザーとは、アルゴリズムに基づいて、ユーザーに合った資産運用のプランを提案したり、自動で資産運用をするサービスです。

アメリカのロボアドバイザーの預かり金額をみると、二〇一六年来急激に伸びており、二〇二〇年には二二〇兆円に達すると予想されています（A・T・カーニー予測）。近い将来、アメリカにおけるロボアドバイザーは、働く世代にとってスタンダードな金融サービスになっているのではないでしょうか。

一方、日本のロボアドバイザーも急成長しています。ロボアドバイザー大手四社をみると、二〇一六年一二月末の預かり資産はまだ一三九億円でしたが、その一年後である二〇一七年一二月末に九九三億円と、なんと七倍に増えました。その約半分にあたる四九四億円がウェルスナビの預かり資産でした（※注　ロボアドバイザー大手四社の預かり資産の累計は、二〇一九年九月末で二九〇〇億円に達した）。

二〇一八年五月にはウェルスナビの預かり資産が八〇〇億円を突破しました（※注　二〇二〇年一月時点で、ウェルスナビの預かり資産は二二〇〇億円を超えた）。

大きな特徴のひとつが、預かり資産の約六割を占める提携パートナーの存在です。提携パートナーにはSBI証券、住信SBIネット銀行、ANA（全日本空輸）、ソニー銀行、イオン銀行、横浜銀行、JAL（日本航空）があり、こうした事業会社・金融機関のお客様向けにサービスを提供しています。今後も、新たな事業会社や金融機関との提携に力を入れ、新しいサービスの提供に力を入れていきます（※注　二〇二〇年一月時点の提携パートナーは、SBI証券、住信ＳＢＩネット銀行、ＡＮＡ、ソニー銀行、イオン銀行、横浜銀行、ＪＡＬ、東急カード、ａｕじぶん銀行、ＳＢＩネオモバイル証券、東京海上日動火災保険、北國銀行、小田急電鉄）。

サービス対象が高齢世代ではなく働く世代である理由

ウェルスナビのお客様を年齢層でみると、二〇代から五〇代が全体の約九三％を占めています。

起業のきっかけが、自分の両親と妻の両親の金融格差でしたから、当初私が考えていたのは、自分の親世代向けのサービスでした。しかし、途中で働く現役世代向けに方針を変えたのです。

私の親世代は、アメリカの同世代と比べれば保有資産は少ないかもしれませんが、それでも日本の中ではお金をもっており、ある意味〝逃げきる〟ことができた世代ともいえます。本当にお金のことで困り、将来への不安を抱えているのは、私の友人や同僚、後輩といった、今現役で働いている人たちであることに気づき、働く世代向けのサービスをつくろうと考え直しました。

日本の個人金融資産は約一八〇〇兆円。その三分の二以上をもっているのが六〇歳以上の方々です。したがって、一般には「資産運用サービス」というと、必然的に高齢世代向けが中心になります。だからこそ、働く世代向けに新しいサービスを開発し、提供していく意義は大きいと考えています。

大卒で企業に入社し定年まで働いた人の退職金の額は、毎年約二・五％ずつ減少しています（厚生労働省「就労条件総合調査」（平成一五、二〇、二五年）をもとにウェルスナビが算出）。このペースが今後も続くと、今三五歳の人が二五年後に定年を迎えたときには、退職金の平均額が約一〇〇〇万円となります。退職金だけでは、老後の生活が成り立たなくなってしまうのです。

そもそも大卒で企業に入り定年まで働き続けるという人は、これからの時代、少数派になっていくでしょう。退職金制度がない企業も増えています。加えて、少子高齢化に歯止めがかからないこともあり、年金制度もこの先どうなるかわかりません。三〇歳前後でお金を借りて家を買い、退職金で住宅ローンを完済する。退職金の残りで資産運用を始めるという、私の両親の世代のライフ・プランは、今後成立しなくなっていくことが明らかです。

だからこそ、これからは働きながら資産運用をし、豊かな老後に備えていくことが重要になってきます。

貯蓄はしていても、運用をしていない現役世代

実際、「これまでのライフ・プランが通用せず、早くから自分で老後の準備をしなければいけない」ということに、すでに多くの人が気づき、貯蓄を始めています。総務省の「家計調査」

をみると、三〇代、四〇代、五〇代でそれぞれ一八％、三三％、四九％の人が一〇〇〇万円以上の金融資産を所有しています（図1）。

一方、一〇〇〇万円以上の金融資産を所有していても、それを運用している人は多くありません。私たちの調査でも「三人に一人は資産運用を行っていない」という結果が出ています（出典　ウェルスナビ調査、二〇一五年八月。金融資産一〇〇〇万円以上の三〇～五〇代の世帯）。「銀行に預けたまま何もしていない」という人が日本には多く、「個人金融資産の五一・五％が預貯金」というのは、他の先進諸国に比べて非常に高い割合です（図2）。

ただし、この傾向は今後変わっていくと考えています。私が財務省に勤務していた一五年前は、ドイツも五〇％以上が預貯金でした。しかし、ドイツではその後、将来の少子高齢化に備え、「貯蓄から投資へ」という動きを官民一体で推進していきました。その結果、現在では、個人金融資産に占める預貯金の割合は三九・四％にまで低下しています（出典　ＯＥＣＤ（二〇一六））。

こうした例からも、日本で資産運用をする人の割合が、国民性が近いとされるドイツ並みになる可能性は十分あると私はみています。その場合、約二〇〇兆円が預貯金から資産運用などへと動く計算になります。

図1

働く世代は将来に備えて貯蓄しているものの…

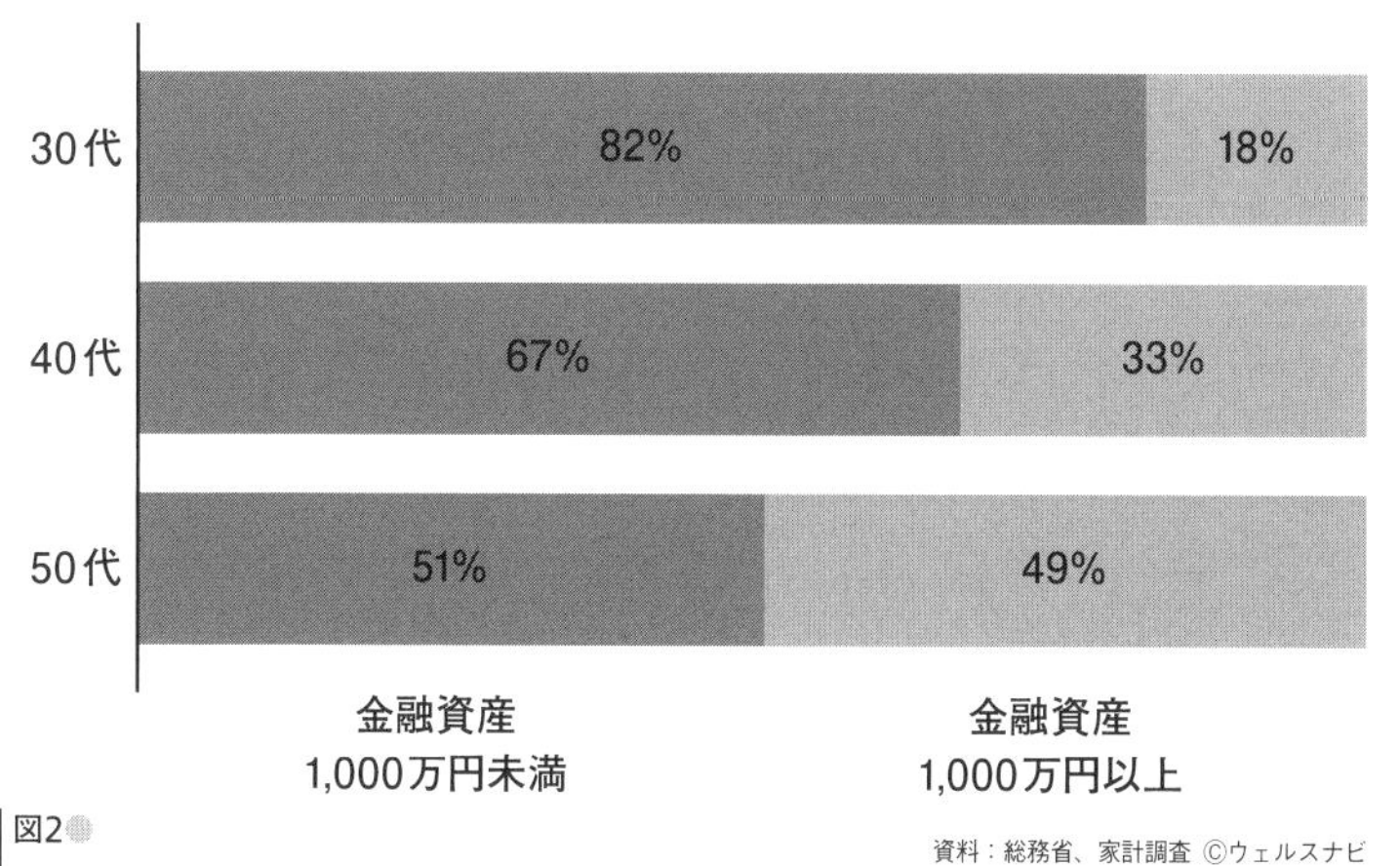

資料：総務省、家計調査 ©ウェルスナビ

図2

日本の個人金融資産1,800兆円の半分以下が預金

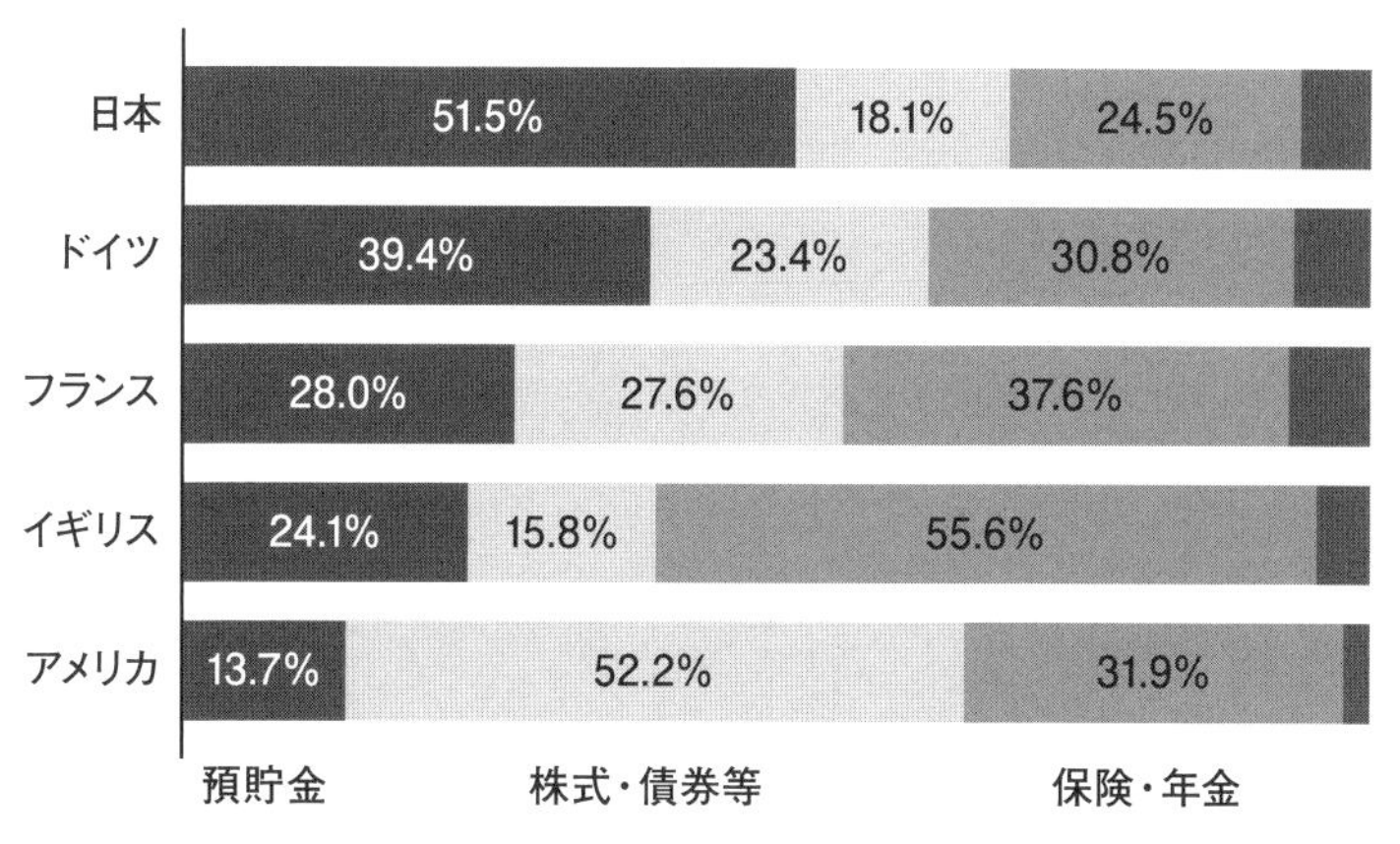

資料：OECD（2016） ©ウェルスナビ

資産運用したくても悩んでいるだけの日本人

どうして日本では資産運用を行わない人が多いのでしょうか。よく聞くのが、「元本割れをする（リターンがマイナスになる）のが怖い」という理由です。とにかくリスクをとりたくない人が多いのです。

ところが、「リスクをとってもいい」という人に聞いてみても、やはり積極的に資産運用を行っていません。このような人たちに話を聞いてみると、たいてい「情報収集が大変そう」「相談できる人が身近にいない」「資産運用情報のどれを信用したらいいかわからない」といった答えが返ってきます。

アメリカでは、職場で従業員が前日の野球やアメリカンフットボールの話をするのと同じような感覚で、「どの金融機関がいいか」「投資先はどこにしたらいいか」といった話をしていました。しかし、日本ではそういう光景をあまり目にしたことがありません。

セミナーでお客様に手を挙げていただいても、「お金について誰かと話す機会がない」という人が、九割以上を占めます。資産運用の必要性は感じていながらも、誰にも相談できず、ひとりで悶々と悩んでいる。そのような日本人の姿が浮かび上がってきます。

海外では「長期・積立・分散」がスタンダード

資産運用の基本は、「長期・積立・分散」です。

「長期・積立・分散」の資産運用とは、

・一〇年以上（できれば二〇年以上の）の長期投資
・毎月、一定の金額を投じる積立投資
・世界中のさまざまな資産への分散投資

を組み合わせることです。

「長期・積立・分散」が、資産運用の基本であることは、多くの機関投資家や富裕層の資産運用の中身をみればすぐにわかります。

世界を代表するポートフォリオのひとつに、ノルウェー政府年金基金があります。産油国で財政も健全なノルウェーは、毎月の原油収入を政府年金基金に積み立てて資産運用していて、その額は約一〇〇兆円になります。内訳は株式が六五％、債券が三三％、不動産が三％、これらを世界七七カ国、八九八五銘柄に分散して投資を行っています（次ページ図3）。

図3

世界を代表するポートフォリオの例

ノルウェー政府年金基金（約100兆円）

2017年3月末現在

- 世界最大規模のファンド
- 77カ国、8,985銘柄に分散

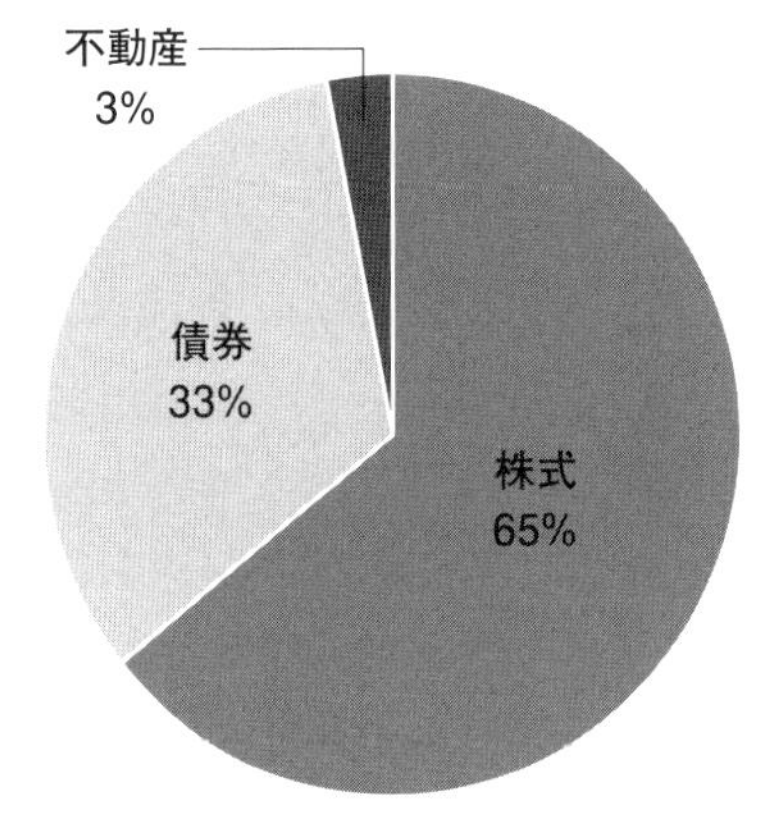

資料：ノルウェー政府年金基金HP ⓒウェルスナビ

同基金の運用パフォーマンスをみると、一九九七年から二〇一七年の二〇年間でプラス一九八％とかなりの好成績です。「有能なファンドマネジャーやエコノミストがいて、どんなマーケット環境でもリターンがプラスになるような、特別な資産運用をしているのでしょうか」とよく聞かれますが、決してそんなことはありません。実際、過去二〇年間のうち四年はマイナスのパフォーマンスでした。

彼らの資産運用は、「中長期的なリターンの最大化を図る」という明確な方針の下に行われていると考えられます。同基金の現在のCEOは、二〇〇八年一月に現職に就任しました。就任の約半年後にリーマン・ショックが起こり、一〇兆円もの損失が発生してしまいました。日本なら、その時点で解任となったでしょう。しかし、ノルウェー政府は彼を解任しませんでした。理由は、同基金が短期的パフォーマンスではなく、中長期のリターンを最大化することを目指しているからにほかなりません。

そう思ってみると、同基金の二〇〇八年のリターンはマイナス二三％でしたが、二〇一七年の時点で二〇年前の約三倍まで資産を増やしています。二〇〇八年の損失は一時的で、ＣＥＯは適切な資産運用を行ってきたといえます。

では日本はどうかといえば、二〇一六年九月に金融庁が発表した「金融レポート」に、こんな記述があります。

「リターンの安定した投資を行うには、投資対象のグローバルな分散、投資時期の分散、長期的な保有の三つを組み合わせて活用することが有効である」

「こうした長期・積立・分散投資の効果等については、わが国では必ずしも広く一般に認識されているわけではないと考えられる」

金融庁も「長期・積立・分散」が「リターンの安定した投資」を行うのに有効だという認識です。しかし、そのことは日本でほとんど知られていません。そのため政府は、個人型確定拠出年金「ｉＤｅＣｏ（イデコ）」や積み立て型の少額投資非課税制度「つみたてＮＩＳＡ（ニーサ）」などをつくり、「長期・積立・分散」を日本に普及させようとしています。

資産運用のシミュレーションから見えてくるもの

一九九二年から二五年間、「長期・積立・分散」によって資産運用を行った場合のシミュレーションがこのグラフです（次ページ図4）。リスクの大きさは中程度。株式の比率が三分の二くらいと、前述したノルウェー政府年金基金と同じくらいの比率だと思ってください。

スタート時の資金が一万ドル、そこから毎月三〇〇ドルずつ積み立てていくと、二〇一七年一月に元本が一〇万ドルになります。その時点の評価額は二四・二万ドル（年率一％の手数料控除後）であり、元本の約二・四倍となります。年率リターンを計算すると五・九％になります。

このシミュレーションから、次の三つのことがみえてきます。

1．長期投資の重要性

二五年の間に国際的な金融危機が五回起こりましたが、それでも資産は増えました。なぜかといえば、世界経済全体が成長し続けているからです。

たとえば、二〇〇八年にリーマン・ショックが起こる前の株価がいちばん高かったときに投資を始めた人でも、評価額は大きなプラスになりました。

ただし、これは世界経済全体に投資していることが前提の話です。同じ投資を日経平均株価

図4

1992年から積立投資を行っていた場合のシミュレーション

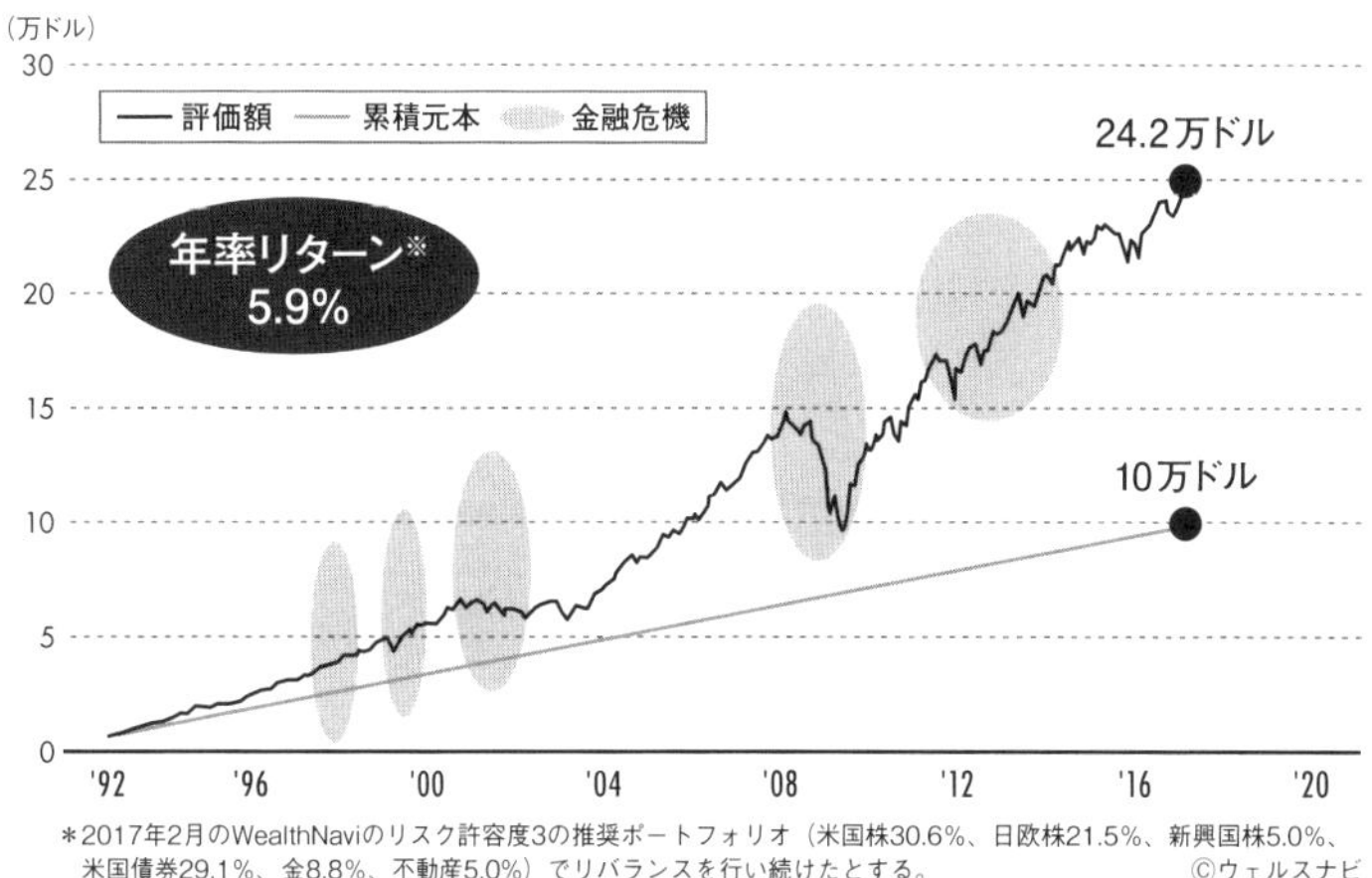

＊2017年2月のWealthNaviのリスク許容度3の推奨ポートフォリオ（米国株30.6%、日欧株21.5%、新興国株5.0%、米国債券29.1%、金8.8%、不動産5.0%）でリバランスを行い続けたとする。　©ウェルスナビ

のみで行ったら、二五年のうち、一五年が元本割れとなります。それは、スタート時の一九九二年の株価と二五年後の株価がほとんど変わっていないことが理由です。世界経済が成長していたにもかかわらず、日本経済はほとんど成長しなかったのです。

一九九二年の段階では、世界全体のGDPが二五兆ドルで、そのうち日本の占める割合は一二%にあたる三・九兆ドル（次ページ図5）でした。これが二〇一七年になると、世界経済は七五兆ドルと約三倍に成長したのに対し、日本経済は四・九兆ドルにしかなりませんでした。これと同程度の経済成長率の国を挙げると、アフリカの内戦があったような国が並びます。それくらい日本経済は停滞していたのです。

図5

1992年からの世界全体と日本の名目GDPの推移

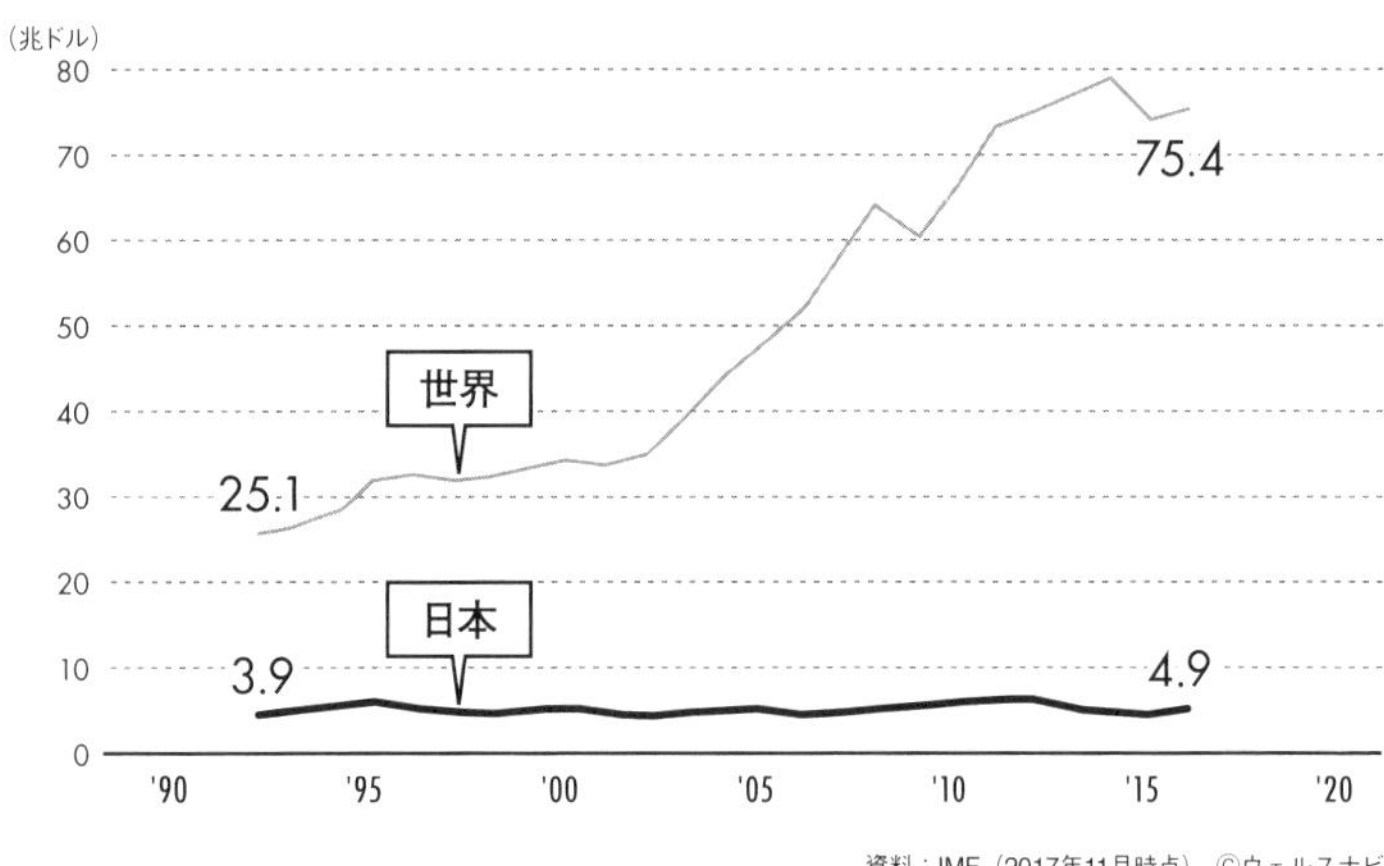

資料：IMF（2017年11月時点）　©ウェルスナビ

2. 分散投資の重要性

先ほどのシミュレーションで、二〇〇八年のリーマン・ショックの際には評価額が二八％に下落しました。ただ、暴落を経験した人の多くは、実際はそんなものではなかったと思っているはずです。その感覚はある意味正しく、日経平均株価もアメリカのS&P500も、四〇％ほど下落しています。では、なぜウェルスナビのリスク中程度のシミュレーションだと、マイナス二八％ですんでいるのでしょう。実は、これこそが分散投資の効果なのです。

これはほとんど知られていないことですが、リーマン・ショックのとき米国債の値段は上がっています。また、同時期に金の価格も一五％程度上昇しました。このように景気下落時であっても上がる資産は存在するのです。それゆえ、株価が下がるときに上がる資産をポートフォリオにあらかじめ組み込んでおけば、金融危機などに見舞われたときにショックを和らげることができるわけです。

3. 積み立て投資の効果

先ほどのシミュレーションはドル建てでしたが、円建てだとどうなるでしょうか。為替レートを調べてみると、一九九二年は一ドル＝一二五円、二〇一七年は一ドル＝一一〇円くらいなので、投資元本の一万ドルに関しては、円換算だと一〇％以上の損失が発生することになります。

その間の為替レートの動きをみると、一ドル＝七六円から一ドル＝一四四円までの間で円高と円安を繰り返してきたことがわかります。

たとえば、一九九二年に一〇〇万円を入れ、その後毎月三万円ずつ積み立てた場合のグラフをみると、二〇一七年一月に投資元本一〇〇〇万円に対し、評価額は二四五七万円（年率一％の手数料控除後）と元本の二・四倍です。そして、年率リターンが六・〇％。ドル建ての場合が五・九％ですから、ドルでも円でも長期的には変わらないということになります。

「長期・積立・分散」で得られるリターン

「長期・積立・分散により、どれくらいのリターンが見込めるのか」という問いに対して、私のイメージは「年率四～六％」です。世界経済の経済成長率（g）が年率三～四％とすると、資本のリターン（r）はこれより一～二％大きくなると考えられます。

なぜ（g）よりも（r）のほうが大きくなるのか。理由は二つあります。

一つは、リスクプレミアムです。投資では、リスクをとればその分の見返りが当然あります。そもそも見返りがなければ、誰も投資などしません。

もう一つが、税制です。株式投資や不動産投資などで得られた利益に課せられる税率は、どの先進国もだいたい一〇～二〇％です。これに対し、経済活動で得られた利益にかかる所得税や法人税は、シンガポールやアイルランドのような例外が一部にあるものの、四〇～六〇％が先進国の標準であり、投資の利益にかかる税率よりも大きくなります。

これはなぜかといえば、資本のリターンに対する税制を優遇することにより投資が促進されれば、イノベーションが起き、新たな産業が生まれ、雇用が生まれやすくなるからです。

ウェルスナビのサービスの特徴

ウェルスナビの特徴は以下の三つです。

1. 長期・積立・分散投資を自動化

2. 客観的なアルゴリズム（公開）

3. 手数料は預かり資産の1％

まず、投資において長期・積立・分散が有効ということは、すでに説明したとおりです。

次に客観的なアルゴリズムとは、「今後アメリカの金利が上がるのではないか」「為替はこう動くのではないか」といった私たちの主観を、運用の際はいっさい考慮しないということです。

金融取引の手数料は、銀行の振込手数料や為替手数料のように、取引ごとに発生することがありますが、私たちは預かり資産に対してかかるようにしました。だから、お客様の資産が増えればウェルスナビの収益は増え、反対にお客様の資産が減るとウェルスナビの収益も減るので、たえず利益の方向性が同じであることになります。

先ほどの二五年間のシミュレーションでも明らかですが、金融危機が定期的に発生することは避けようがありません。危機の際に資産は当然減少します。このとき取引ごとに手数料をいただく形態では、お客様の資産が減っていても収益を確保できることになってしまうので、お客様の利益とウェルスナビの利益が相反する可能性があります。そういう状況をつくりたくないため、預かり資産に対して手数料がかかるようにしたのです。

資産運用の全プロセスを自動化

ウェルスナビでは、資産運用の全プロセスを自動化しています。

まず、スマートフォンアプリで「年齢」「年収」「資産運用の目的」など五つの質問に答えていただきます。そうすると、一人ひとりに合った資産運用プランが自動的に生成されます。

ウェルスナビの非常にユニークなサービスとして、現在がリーマン・ショックが起こる八カ月前の二〇〇八年一月だとした場合、今後資産がどうなっていくのかがわかる機能があります。

長期投資をするにあたっていちばん避けたいのは、リーマン・ショックのような危機に見舞われたとき、パニックを起こして資産を底値で売ってしまうことです。そうならないために、運用は余裕資金で行う必要があります。さらに「投資には常にリスクが伴うものだ」ということをよく理解しておく必要があります。そのために、あえて最悪のシナリオをお見せした上で資産運用を始めていただけるようにしています。

金融モデルには必ず限界があり、モデル上は起こるはずがないようなことが、現実の市場では稀に発生します。リーマン・ショックがまさにそれでした。そのようなテールリスク（市場において、ほとんど起こらないはずの想定外の暴騰・暴落が実際に発生するリスク）があるということを、きちんとお客様に伝えることが重要だと私たちは考えています。

提携している金融機関からは二四時間三六五日いつでもウェルスナビに入金することができます。平日の夜八時頃までに入金すれば、その日の夜にニューヨーク証券株式取引所に発注され、翌朝には取引結果がポートフォリオに反映されます。資産状況はいつでも円建てとドル建ての両方で確認できます。

ほかにも分配金の再投資、積立、リバランス（資産のバランス調整）、税金の最適化などもすべて自動化しています。なお、積立に付けているリバランス機能は、たとえば世界的に株価が上昇局面にあるようなときに、株の優先順位を下げて債券や金を優先的に購入するという仕組みのことです。

ウェルスナビのアルゴリズム

ウェルスナビは、海外の機関投資家や富裕者層向けサービスに使われているのと同じ理論をベースにアルゴリズムを設計しています。具体的には、一九九〇年にノーベル経済学賞を受賞した理論をもとに一九九一年にゴールドマン・サックスが実用化した「ブラック・リッターマンモデル」です。私たちの主観はまったく加えていません。

私たちのアルゴリズムの原理を単純化して説明します。

横軸がリスク、縦軸がリターンを示すグラフ上に、異なる資産の組み合わせを計算した点を数百万置いていきます。そして、リスクが同じでリターンが最大の点だけを線で結びます。「一人ひとりの金融資産は、この線上にあればいい」というのがこの理論の肝心な部分です。

重要なのは「どの点からスタートするか」です。若い方であればリスクを多めにして株式八〇%くらいから長期投資を始め、徐々にグラフの右から左に資産を動かしていき、そろそろ退職というころになったら、前述したノルウェー政府年金基金のように、株式の割合を六〇%程度に減らすというような考え方が基本です。

ETFに投資する理由

ウェルスナビでは、アメリカで上場されているすべてのETF（上場投資信託）をデータベースに入れ、「正確性」「安定性」「効率性」の三つの基準で最適なものを選んでいます。一般に安さが注目されることが多いのですが、判断基準を安さだけに頼るとクオリティも落ちがちです。ゆえにウェルスナビでは「正確性」「安定性」をクリアしたうえで、「効率性」をみる、つまりいちばんコストが低いものを選ぶべきと考えています。

投資対象にETFを選んでいるのは、ETFは上場されている投資信託であるため、いちばん有望と判断したものを取引所で直接購入できるからです。

たとえば、「VTI（米国株）」というETFは、その中にアップル、アルファベット（グーグルの親会社）、フェイスブック、アマゾンといった大型株からマイナーな小型株まで、合計三五八一銘柄で構成されています。私たちはこういったETFを六～七つ選んで、約一万一〇〇〇の銘柄に投資しています。

それから、ETFは大型で安定的なものを選んで投資します。日本の投資信託の場合、その八割が預かり資産一〇〇億円以下です。当然、早期償還されるリスクが高くなり、長期投資には向きません。あくまで私たちが選択するのは、海外の機関投資家や富裕層が選んでいる平均五兆円以上の大型で安定したETFです。

それらをノーベル賞受賞者が提唱する投資理論に基づいて、最適な割合で組み合わせ、お客様に直接保有していただいています。自分たちでウェルスナビ・ファンドのようなものをつくっているわけではありません。

したがって、もしウェルスナビに万が一のことがあっても、お客様が被害を受けることはないのです。私たちはテクノロジーを使って、ウェルスナビの事業リスクからお客様の資産を隔離するための仕組みを提供しています。

ここまでお話ししたように、ウェルスナビは六～七のETFを通じて、約五〇カ国一万一〇〇〇銘柄以上に投資を行っています。これは「世界経済全体に対して投資をする」あるいは「世界経済全体の株主になる」というイメージです。

先ほど、「r（資本のリターン）」は「g（経済成長率）」より大きいという話をしました。トマ・ピケティ氏が『21世紀の資本』で述べたように、中長期的には世界経済の成長率を上回るリターンが期待できるということです。

ただし、コインに裏表があるように、リターンの裏側にはリスクも存在します。前述した二五年間のシミュレーションで明らかなように、国際的な金融危機は必ず起こり、そうなった場合、資産は減少せざるを得ません。そういうリスクをとっているからこそ、中長期的に世界経済を上回るリターンを追求できるのです。

ロボアドバイザーを使う利点

ここからは一般論として、「なぜ自分で資産運用をするのではなく、ロボアドバイザーのほうがいいのか」という疑問にお答えしていきます。

どんな金融モデルも、株式相場や為替相場を完全に予測することはできません。必ず現実とモデルとの間にずれが生じます。そのずれを元に戻すことが大変重要になってくるのです。

具体的には、大きく値上がりした資産があると全体の比率が損なわれるため、一部を売却してバランスを調整します。逆に、ある資産が大きく値下がりしたときは追加購入をします。これを最適な割合とタイミングで行うのが、運用の成功のポイントです。

ところが、統計データをみると、アメリカでも日本でも、多くの一般の個人投資家が、「売るべきときに買い、買うべきときに売る」という誤った行動をとりがちだということがわかります。たとえば、保有している投資信託が値上がりすると、もっと上がるのではないかと買いたくなる。逆に値下がりしているときは、もっと下がるのではないかと不安になって売ってしまう。スーパーで肉や野菜の値段が上がっていたら買うのを控え、安売りしているときは多めに買う人が、金融商品にかぎっては、「高く買い、安く売る」ことが多いのです。

人間はこうした感情の罠に陥りやすいのですが、その点、ロボアドバイザーにはそのような心配がありません。まさにそこがいちばんの強みだといえます。

ウェルスナビのようなロボアドバイザーを利用することで得られる経済的なメリットは二つあります。

1. 投資家がとるリスクに対するリターン

預金から一歩足を踏み出して国際分散投資をしたり日経平均株価に投資したり、といった、自らリスクをとることで得られるリターンのことです。これは自分で投資信託や株式を売買しても得られるものです。

2. テクノロジーによって得られる追加的なリターン

ウェルスナビのサービスでいえば、数百万とおりのパターンの中から最適なポートフォリオをつくれたり、長期投資に適した平均四兆円の大型のETFが選べたり、心理的・感情的な罠を乗り越える自動リバランスなどです。

人間の脳は、資産運用に向いていない

Aさんと B さんは、ともに新年から同じ投資信託を買うことにしました。一月の時点でその投資信託の値段は一万円。Aさんはそこから毎月一〇万円ずつ投資していきました。一方、Bさんは、一万円は割高だと判断してしばらく様子をみることにし、価格が六五〇〇円まで下がった翌月の五月から、毎月一五万円ずつ買い始めました。

結局、四月の六五〇〇円がその年の底値で、年末には一万一〇〇〇円になりました。この一年でAさん、Bさんともこの投資信託に、合計で一二〇万円投資したことになります。より資産を増やしたのは、AさんとBさんのどちらでしょうか?

正解は、Aさんです。平均の購入価格はどちらのほうが低いかを計算してみれば、すぐにわかるでしょう。ところが、ほとんどの人は計算をせず、価格が低いところから始めたほうが成績がいいのではないかと考えます。要するに、人間の脳は資産運用に向いていないのです。

しかし、アルゴリズムのほうが人間の脳より賢いというわけではありません。アルゴリズムをつくっているのは、人間なのです。それなのに、どうして資産運用では、人間よりもアルゴリズ

ムのほうが有利なのでしょうか。

それは、人間にある感情のバイアスがアルゴリズムにはないからです。人間は、損が出たとき、「その損を取り戻そう」と、とってはいけないリスクを時々とります。アルゴリズムは、そんなことをしません。

AIがもたらす資産運用の変化

AIによって資産運用はどう変わるのでしょうか。

AIの本質をひと言でいうなら、「データ処理の自動化」です。

一八世紀のイギリスで王侯貴族然とした暮らしをしようと思えば、庶民の五〇〇倍くらいの収入が必要でした。なぜなら召使いをたくさん雇わなければいけなかったからです。

ところが、現在はそんなことはありません。エネルギー革命によって人力を機械に置き換えることができるようになったからです。自動車や洗濯機、冷蔵庫、エアコンなどのおかげで、現在の私たちのほうが、かつての王侯貴族より豊かな生活を送っています。

AIの登場は、人力を機械に置き換えるのと同じくらいのインパクトをもたらすはずです。

では、資産運用ではいったいどこがAI化されるのでしょう。

金融商品の運用や提案・アドバイス、資産運用のバリューチェーンにおいては、まずこの二つの部分がＡＩに置き換えられるはずです（次ページ図6）。

金融商品の運用スタイルには「アクティブ運用（市場平均を上回ることを目指す）」と「パッシブ運用（市場平均に追随することを目指す）」の二つがあります。前者は割安なものや成長性のある銘柄を選び、後者はウェルスナビのように市場全体に投資するというものです。

アクティブ運用は、ＡＩによってマーケットの歪みを利用した裁定取引が利益の源泉になるでしょう。また、短期売買がメインになると思います。

パッシブ運用は、「長期・積立・分散」が中心となり、その際は、「g（経済成長率）」よりも「r（資本のリターン）」のほうが大きいことが利益の源泉になります。

投資の提案やアドバイスにおいては、「どのような金融商品を買えばいいか」「どんな資産運用がいいのか」といったことを、その人の属性からＡＩが判断して教えてくれるようになるでしょう。現時点では、あらかじめ用意してあるパターンからＡＩが最適なものを選ぶレベルですが、将来的にはテーラーメイド（個別対応）に近づいていくと思います。

それから、せっかく「長期・積立・分散」という方針で資産運用を始めても、資産価値が下がると不安になり、売りたくなってしまうこともあるでしょう。そのようなとき、「今は売るべきではない」といったフォローアップのアドバイスも今後はＡＩがするようになります。しかも、個別に最適な方法でそれをしてくれるのです。

たとえば、プライベートバンカーが、預かり資産額も、年齢も、家族構成も、リスク許容度

図6

資産運用では、運用や提案（アドバイス）がAI化

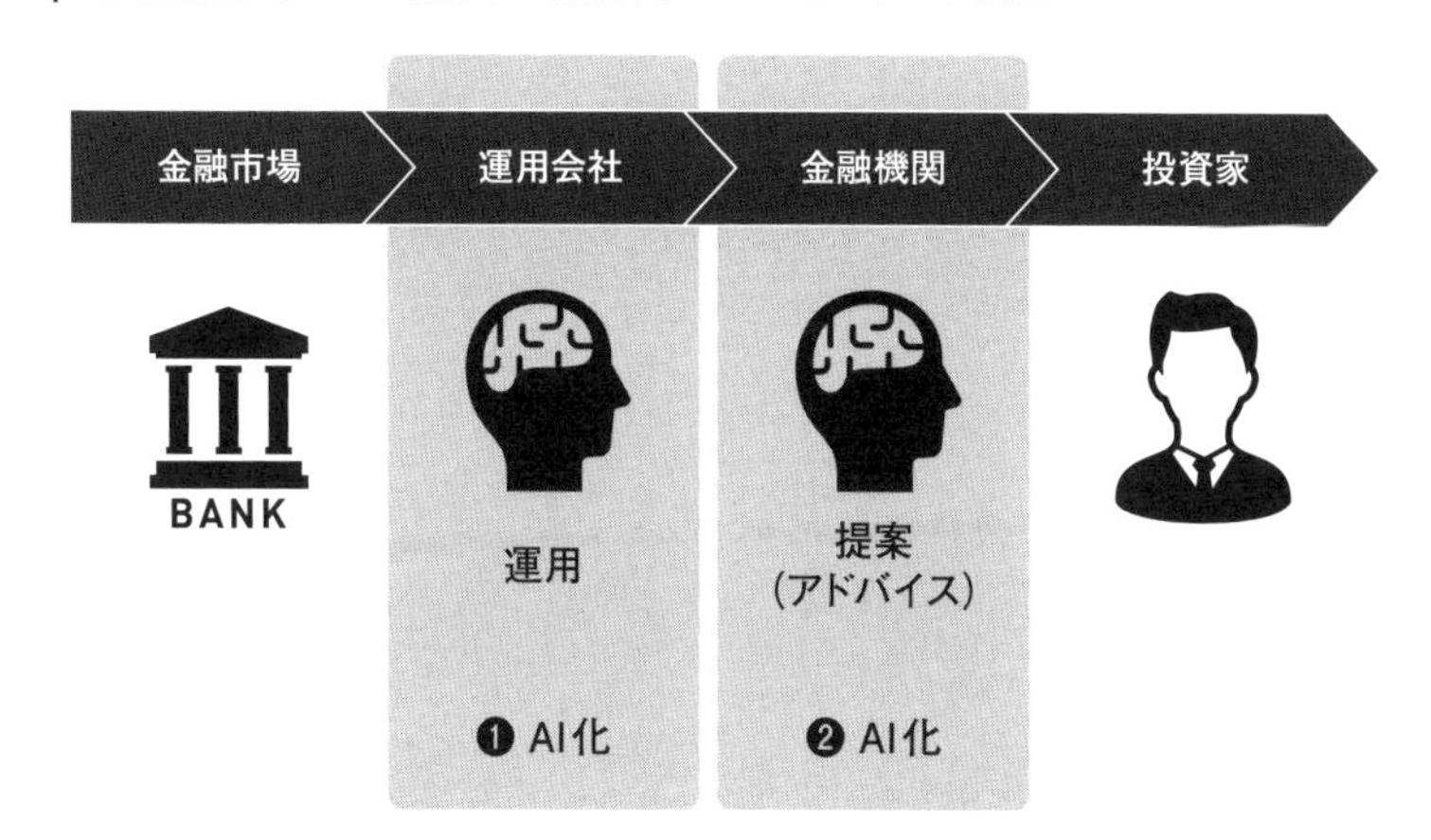

©ウェルスナビ

も同じお客様にまったく同じアドバイスをするかといえば、そんなことはありません。相手の性格や行動をみながら、「この人は面と向かってロジカルに説明すると納得してくれる」「あの人には他の事例をメールで紹介するのが効果的だ」というように、アドバイスの仕方や内容を必ず補正します。しかし、そのように対応できるのは一人のプライベートバンカーにつき二〇人からせいぜい三〇人が限界です。その点、ＡＩなら数万人のお客様が相手でも、一人ひとりにタイミングも伝え方も最適な方法を選んでアドバイスすることができます。

資産運用におけるＡＩの活用領域は、これからさらに広がっていくでしょう。運用と提案がまとめてＡＩ化され、最終的には個人と金融市場がＡＩを介して直接つなが

るようになるのではないかと思っています。

AIがもたらす資産運用の民主化

最後に、資産運用のAI化がもたらす将来像について、考えをまとめておきます。

資産運用のAI化について、一般的に懸念されていることが二つあります。

ひとつは、「AI取引が拡大すると、ボラティリティ（資産価値の変動の激しさ）が拡大する」ことです。相場が急変したときの動きが増幅されるようになり、株価の急上昇や急落が起こりやすくなるという懸念です。

もうひとつは、ウェルスナビのようなパッシブ型のAI投資が増えると、いい会社も悪い会社も関係なく投資が受けられるようになるため、「この会社の株は割安だ」「あの会社の株は高すぎる」といった、金融市場の価格発見機能が失われるのではないかという懸念です。

こうした懸念が生まれるのはもっともです。ただし、これらは、中長期的にはどちらも乗り越えていけるとみています。なぜなら、ひとつのAIが世の中すべての資産運用を支配することは現実的ではないからです。

たとえば、アクティブ型のAIが、たまたま同じようなタイプのアルゴリズムだったため、同じパターンの取引を別のAIが一斉に行って相場変動が増幅されたとします。このとき、パッシブ型のＡＩは株価が急落すると割安と判断して買いにいくので、結果として動きが打ち消されます。また、あるアクティブ型のＡＩが好成績を上げていると、他のＡＩもそれを真似するようになります。すると、今度はそれを逆手にとって儲けようとするＡＩも出てくるはずです。

このように、ＡＩ化が進んでも、さまざまなＡＩが進化し競争し合うため、中長期的には市場のバランスはとれると考えています。

次に、資産運用のＡＩ化がもたらすよりよい未来にも目を向けてみましょう。ポイントは大きく二つあります。

ひとつは、「資産運用の民主化」です。これまで富裕層に限定されていたサービスが、これからは誰でも使えるようになります。

もうひとつは、「情報の非対称性の解消」です。これまでは特定の情報や数字を知っている人が圧倒的に有利でしたが、ＡＩ化が進めば、専門性が高くない人も、専門性が高い人と同じように資産運用できるようになります。

ＡＩを使った資産運用サービスは、資産運用の必要性をなんとなく感じながらも一歩を踏み出せていない人々のためのサービスだと考えています。ウェルスナビでも、ひとりでも多くの方に届けたいという思いで、資産運用のＡＩ化に取り組んでいます（※注　二〇一九年一〇月、ウェルスナビは資産運用アドバイスにＡＩの活用を開始）。

【質疑応答】

Q1　自社のアルゴリズムを（ホームページ上のホワイトペーパーで）公開しているが、他社に真似されて競争力を失う心配はないのか。

柴山　現在公開しているアルゴリズムそのものが、私たちの競争力の源泉だとは考えていません。ウェルスナビは「ものづくりする金融機関」、つまり「ものづくりの力」が強みだと思っています。「金融のプロと優秀なエンジニアが一緒になって、いいサービスをつくり続ける」という点は、他社がなかなか真似できないところだと思います。

Q2　お金を一定額ずつ年金のように引き出す機能もあるのか。

柴山　まだありませんが、一定額あるいは一定割合ずつ出金していくサービスは、将来的に標準実装したいと考えています。現在、お客様の約九三％が二〇～五〇代の働く世代ですので、引き出しの機能のニーズが生まれるのは、むしろこれからだと考えています。

（二〇一八年五月二五日「熱海せかいえ」にて収録）

第四章

フィンテックが変革する金融ビジネス

沖田貴史

SBI Ripple Asia代表取締役（講演当時）として、ブロックチェーン／分散台帳技術（DLT）で、日本とアジアの金融分野においてイノベーションを推進。SBI大学院大学経営管理研究科特任教授としてアカデミックな活動も。元ベリトランス共同創業者兼CEO。現在、WED株式会社 President。

金融業界こそデジタルと親和性が高い

インターネットビジネスの本質とは何でしょうか。ひと言でいうならば、パワーシフトだと思います。

では、フィンテックの本質とは何でしょうか。これは、インターネットが引き起こすパワーシフトの波がいよいよ金融にもやってくるということです。

インターネットの出現以来、さまざまな産業が大きく姿を変えました。ものづくり、物流、エンターテインメント、メディア……、自分の働いている業界にインターネットによる変化がまったくないと思う人は、おそらくほとんどいないはずです。

では、金融業界はどうでしょうか。インターネットバンキングやモバイルバンキングなど、確実に影響は出ています。ただ、日本の金融業界をみていると、ビジネスの根底の部分はこの二〇年間、あまり変わっていないようにみえます。

インターネット時代になり、あらゆる産業で顧客志向が強まりました。したがって、インターネットビジネスにおける真の勝利者は、エンドユーザーだといえます。ところが、金融機関、とりわけ銀行業界の方々はいまだに顧客よりも社内やライバル企業のほうをみて仕事をしています。規制産業であるゆえに、「自分たちも変わらなければ」という危機意識が薄いのだと思います。

しかし、金融とは情報であり数字の世界なので、本来はいちばんデジタル化しやすい、つまりインターネットと非常に相性がいいはずなのです。したがって、フィンテックで金融とインターネットが結びつけば、一気にそちらの方向に進むと思います。

その好例がネット証券です。すでに個人の株式投資の八〇%はネット証券を通して行われています。その意味で、証券会社の個人投資家向け部門は、すでにインターネットの洗礼を通過しているといえます。しかし、同じ証券会社でも法人部門、さらに銀行や保険会社は、まだ蚊帳の外といっていいかもしれません。

とくに金融の本丸である銀行業界がこれからインターネットの本当の荒波に直面することになります。これは相当なインパクトがあるはずです。

三人の賢人が語るフィンテックの本質

アメリカの大手投資銀行JPモルガンのCEO（最高経営責任者）であるジェイミー・ダイモン氏は、二〇一五年に株主にあてた手紙にこう書きました。

「シリコンバレーがやってくる（Sillicon Valley is coming.）」

これまで自社のライバルは同じ金融業界にいたが、これからは外部からやってくると彼は警告を鳴らしたのです。

また、マイクロソフトの創業者ビル・ゲイツ氏は、こんなことをいっています。

「バンキングは必要だが、銀行は必要ない（Banking is necessary, banks are not.）」

ユーザーにとって金融サービスは必要だが、それを提供するのは銀行でなくてもいいということです。

さらに、中国のアリババグループの創業者であるジャック・マー氏は、「テクノロジー企業が急に市場に参入してくるのだから、フィンテックではなく、〝テックフィン（Techfin）〟と呼ぶべきである」といっています。

三人とも表現は異なりますが、要するに「フィンテックの本質とはこういうものだ」と述べているのです。

リップルが提唱する「インターネット・オブ・バリュー（ＩｏＶ）」

SBI Ripple Asia は、ネット金融のＳＢＩグループと、アメリカのフィンテック企業「Ripple（以下、リップル）」の戦略的ジョイントベンチャーで、日本だけでなく広くアジア地域全体をカバーしています。
リップルの創業は二〇一二年と歴史はまだ浅いものの、ニューヨーク、サンフランシスコ、ロンドン、シドニー、ルクセンブルク、ムンバイ、シンガポール、東京に拠点を置き、世界展開を進めています。究極のゴールは、「インターネット・オブ・バリュー（ＩｏＶ）」です。

インターネットは最初に情報を変え、続いてモノの世界に入り込んで、「インターネット・オブ・シングス（ＩｏＴ）」を実現しました。それが今度はお金の世界に入ってきます。

現時点において、お金というものは、口座から口座へ動かすのが簡単ではなく、また動かすことによって目減りもします。しかし、現在お金を動かすことによって起こらざるを得ないフリクション（軋轢）は、インターネット上では発生しません。ゆえに自由度が高まり、新たな価値を創造することができます。そのＩｏＶを獲得するのが私たちのミッションです。

リップルのことを、ビットコインやイーサリウムに次ぐ、時価総額世界第三位の仮想通貨ＸＲＰを発行している会社だと思っている人もいますが、それは誤りです。たしかに流通しているＸＲＰの半分をリップルは保有していますが、それはリップルが発行したものではなく、コントロールしているわけでもありません。あえていうのであれば、ＸＲＰの最大所有者として、そのエコシステムの拡大にコミットメントしている会社ということになります。

仮想通貨とは、中央銀行に対するアンチテーゼ

ブロックチェーン（分散台帳技術）の起源となったのは、ビットコインです。そのビットコイ

ンは、サトシ・ナカモト（Satoshi Nakamoto）氏が二〇〇八年に書いた論文に基づいて、二〇〇九年に運用が開始されました。つまり、リーマン・ショックの直後にビットコインは初めて世に出たのです。

この時期は、非常に重要な意味をもちます。要するにビットコインとは、「中央銀行に対するアンチテーゼ」の側面も帯びているのです。

リーマン・ショックで世界中が金融危機に見舞われた後、各国の中央銀行はみな大量にお金を発行しました。世界経済を維持するために、ある意味では必要なことだったと思いますが、その一方、「そんなことをしていいのだろうか。お金とはきちんとシステムをつくり、ルールを決めて管理していくべきではないか」という意見も出てきました。

ビットコインのコミュニティにいるのは、後者の考え方の持ち主が少なくありません。したがって、中央銀行の仕組みを前提とする市中銀行と組んでいるリップルは、仮想通貨を支持するグループの中では時に異端児のような目でみられることがあります。

ただ、リップルのミッションはあくまでＩｏＶです。それを実現するためには、今いちばんバリューが眠っている銀行と一緒になって、そこの流動性を変えていく必要があると考えています。

図1

ブロックチェーン・分散台帳技術（DLT）の沿革

ブロックチェーンの起源

Bitcoin

基盤技術そのものへの着目と、応用の流れ

©SBI Ripple ASIA

G20でも話題となったブロックチェーンの優位性

金融業界では、ビットコインのような仮想通貨ばかりが話題になりがちですが、近年は、仮想通貨の基盤技術であるブロックチェーンと分散台帳技術（DLT）にも注目が集まってきています（図1）。実際、G20のような国際会議の場では、仮想通貨については賛否両論がありますが、ブロックチェーンについては間違いなくゲームチェンジャー（市場の状況やルールを急激に変えてしまう製品や企業）になる技術であるというところで意見が一致しています。

ブロックチェーンには、ゼロダウンタイム（システムやサービスが停止しない）、改

図2

ブロックチェーンの特性

ブロックチェーンの優位点

- **ゼロダウンタイム**
  分散型システムによる冗長性の
  高さからくる可能性の高さ。
- **改ざんがされにくい**
  対改竄性・不可逆性が高い構造をもつ。
- **記録情報の共有・管理**
  「価値」や「権利」の共有がしやすい。
- **コスト面の優位性**
  オープンソース技術の積極活用。

ブロックチェーンの課題

- **処理能力**
  処理に時間がかかり、スループットも低い。
- **プライバシー・セキュリティ**
  すべての取引が開示されてしまう。

ライトニングネットワークや
分散台帳技術（DLT）の登場

ざんがされにくい、記録情報の共有や管理がしやすい、オープンソース技術が積極的に活用されるのでコストがそれほどかからないといった優位点があります。一方で、処理に時間がかかりスループット（単位時間あたりに処理できる量）も遅い、すべての取引がオープンとなるのでプライバシーの保護やセキュリティが不安といったところは、課題とされているところです（図2）。

ただ、「処理に時間がかかる」という点に関しては、少々説明が必要です。たしかにビットコインでは、ひとつの処理が確定したとみなされるまで一～二時間くらいかかりますが、それは、ひとつのビットコインのブロックが一〇分かかるよう意図的に設計されているからなのです。もちろん「処理能力が低い」という側面もありますが、これもすでにいろいろな技術が開発されていて、今では既存金融ネットワークと遜色ない処理能力をもっています。

それから、ブロックチェーンには、「参加者全員が情報を共有できる」という特徴があります。誰かが自分のノード（ネットワーク端末）の情報を書き換えると、他の参加者のノードも一斉に新しくなるのです。

ブロックチェーンの問題点を解決する「インターレッジャー」

これはすばらしい技術である半面、A銀行からB銀行に決済した内容が、C銀行やD銀行からも丸見えになってしまうため、かえって都合が悪い場合も出てきます。

そこでつくられたのが、「インターレッジャー」という技術です。これを使えば、ひとつのブロックの処理が一秒未満で処理能力は上限なく、取引情報は当事者のみが共有できるので、金融取引に常に向いているといえます。

「レッジャー」はわかりにくい言葉ですが、簡単にいうと「台帳」のことです。銀行口座や銀行システム、企業のバランスシートなどはみな台帳だといえます。基本的に取引ができるのは、同じ台帳の中です。たとえば、アリババの決済システム「アリペイ（Alipay）」のユーザーどうしは自由に送金ができますが、「アリペイ」からテンセントの決済システム「ウィーチャットペイ（WeChat Pay）」にお金を送ることはできません。台帳が異なるからです。

インターレッジャーは、「レッジャー（台帳）間をつなぐプロトコル」と定義されています。つまり、インターレッジャーであれば「アリペイ」と「ウィーチャットペイ」の間で取引ができたり、仮想通貨と仮想通貨をつなぐこともできるのです。

リップルでは、このインターレッジャーを国際送金に絞ってビジネス展開を行っています。現在、銀行が使用している国際送金の技術は時代遅れとなっていて、送ってみないといつ着金するかわからなかったり、手数料は着金後にようやく確定するというように、非常に使い勝手が悪いものです。とにかく課題だらけで、その課題解決のためにインターレッジャーを活用しているのです。

ブロックチェーンは、その特性を活かすとさまざまなことができます。いちばんわかりやすいのは、航空会社のマイレージサービス（顧客へのポイントサービス）のようなポイントの管理です。それから、農作物や宝石などのトレーサビリティ（追跡可能性）です。

そういった特性をＳＢＩグループは、さまざまな課題解決のために活かすことを考えています。

ブロックチェーンを用いた課題解決

ブロックチェーン技術による課題解決の一環として、ＳＢＩグループは「内外為替一元化コンソーシアム」を立ち上げました。

インターネットの技術革新により、人々の生活と社会は大きく変化しており、金融システムにも新たなイノベーションが求められています。

現在の国際送金は先ほど述べたように、着金まで日数がかかる上、送金手数料が着金後でないとわかりません。課題が多いのは、国際送金に限らず、国内送金も同様です。日本がいまだに現金社会なのは、このような使い勝手の悪い金融システムの存在が原因ともいえます。

私たちがコンソーシアムを設立したのは、従来の金融システムが抱える数々の課題を解決し、真に効率的な決済を可能にするためです。具体的には、国内外為替の一元化、二四時間リアルタイム決済、送金コストの削減と新市場の開拓を目指しています。

問題解決の根幹となっているのが、柔軟で効率的な金融システムを実現するブロックチェーン関連技術を活用した、リップルソリューションを基盤とするＲＣクラウドです（次ページ図３）。これにより内外為替の一元化ができるようになりました。なお、クラウド上でリップルソリューションを実装するのは、世界初の試みです。

図3

導入負荷を軽減するRCクラウドを構築し、PoCを実施（2017年2月期）

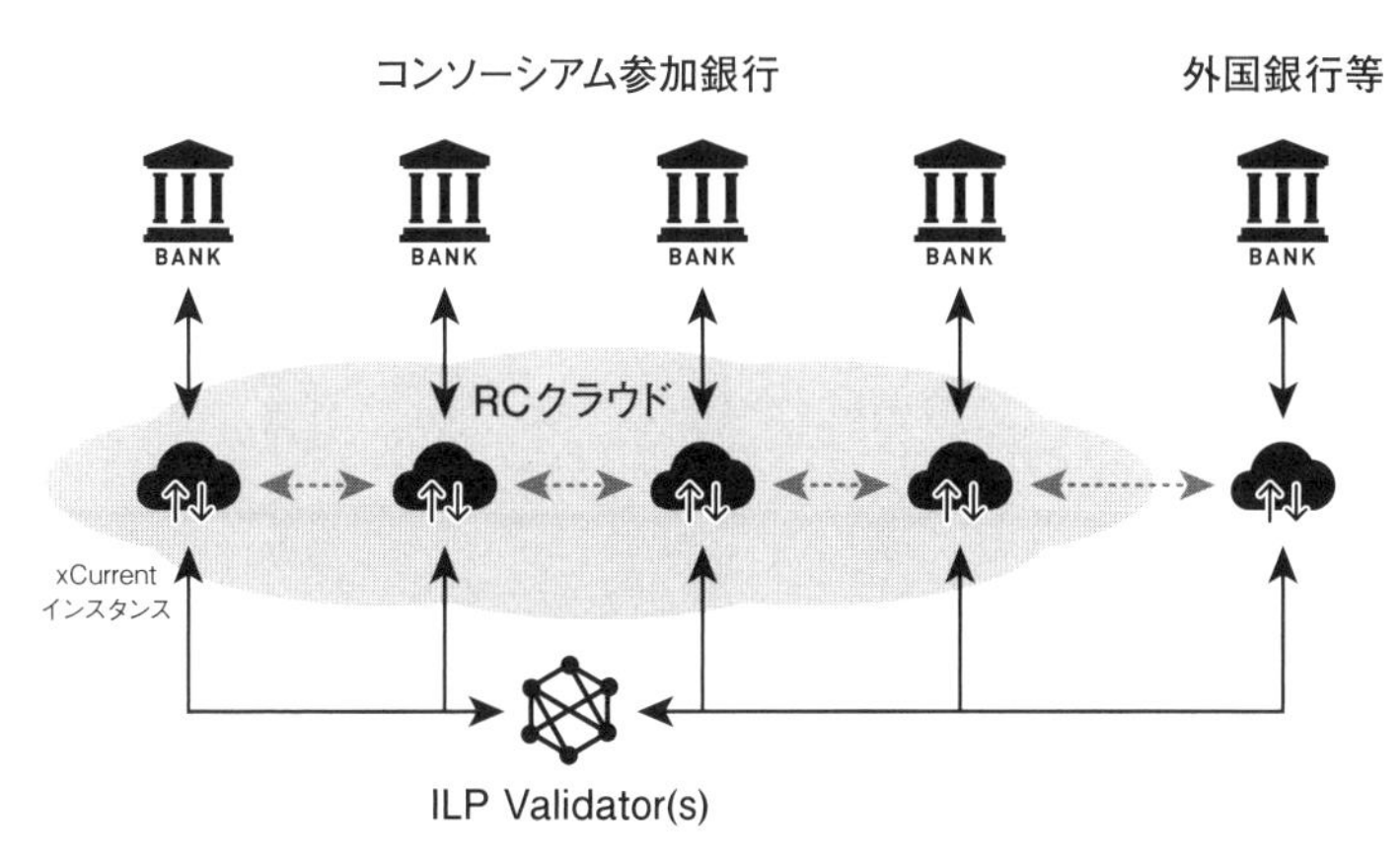

©SBI Ripple ASIA

RCクラウドは全銀システムに置き換わるもので、イメージとしては線路です。しかし、線路だけあっても、その上を走る電車や駅がないと何も起こりません。そこで、そういったものにあたるキャッシュレス送金アプリを用意しました。それが「Money Tap」です。

このアプリは住信SBIネット銀行、スルガ銀行、りそな銀行の三行が、商用化を開始しました（二〇一八年一〇月現在）。

二四時間三六五日いつでもリアルタイムに送金ができ、銀行とAPI連携して生体認証で送金ができるため、安心かつ安全です。送金はアプリを数回タップするだけで完了し、電話番号やQRコードにも対応しているという特徴があります。

「Money Tap」のようなキャッシュレス送

金アプリが普及すれば、ランチの後のコーヒー代なども、みなスマートフォンで支払うようになるでしょう。そうすると社会は相当ダイナミックに変わるはずです。

キャッシュレス先進国スウェーデンの状況

世界でキャッシュレス化がいちばん進んでいるのが北欧のスウェーデンです。私は二〇一七年一一月から一二月にかけて、同国を視察で訪れました。

現地で驚いたことは、商店だけでなく、銀行でも現金を取り扱わなくなっていることです。スウェードバンクという銀行の店内には、堂々と「現金は取り扱いません」と書かれていました。また、首都ストックホルム市内にあるスウェーデン最大手銀行SEBの一六支店のうち、現金を取り扱っているのはわずか二支店のみでした。残りの一四支店はいっさい現金を取り扱っていませんでした。

現金を扱わない銀行で銀行員は何をしているのかといえば、個人資産の運用や企業の資金繰りなどの相談に対する知識や情報を提供するといった、いわゆる「金融のプロの仕事」に徹しているのです。

キャッシュレス化によるメリットのひとつは、ハンドリングコスト（取り扱い費用）の低減です。したがって、キャッシュレス化の恩恵を最も受けているのは、実は銀行ともいえます。なぜ

図4

各国で進む銀行主導のインスタントペイメント

国	サービス名	導入次期	利用者数
スウェーデン	Swish	2012年12月	600万人 (普及率60%)
デンマーク	MobilePay	2013年5月	370万人 (普及率65%)
ノルウェー	Vipps	2015年5月	260万人 (普及率50%)
タイ	PromptPay	2017年1月	2000万人 (普及率30%)
米国	Zelle	2017年6月	8600万人 (普及率25%)
シンガポール	PayNow	2017年7月	100万人 (普及率20%)

なら、銀行のハンドリングコストはかなり高いからです。

スウェーデンのキャッシュレス化を牽引しているのが、「Swish(スウィッシュ)」というスマートフォン向けのアプリです。

このようなサービスは今や世界中に広まりつつあります。その草分けは二〇〇九年にアメリカでスタートした「Venmo(ベンモ)」です。現在はペイパルの傘下で急成長していて、とくに若者の間でたいへんな人気となっています。それから、中国では「アリペイ」と「ウィーチャットペイ」が人気です。

アメリカと中国はどちらも民間企業主導ですが、スウェーデンを含む北欧では、銀行が主体となってキャッシュレス決済を進めています(図4)。

キャッシュレスで生まれる新規事業

キャッシュレス化によるメリットには、ハンドリングコストの低減と利用者の利便性の向上のほかに、新規事業の創出があります。

中国に行くと、カラフルな自転車が街のいたるところにあり、皆でシェアして利用しています。バッテリーチャージャーも地下鉄で借りられるし、傘もレンタルが当たり前になっています。背景として、アリババグループのアント・フィナンシャルサービスが開発した個人信用評価システム「芝麻信用（セサミ・クレジット）」が普及したこともありますが、やはり大きいのはキャッシュレス化です。

とくに中国のシェアリングエコノミーのビジネスのほとんどが、キャッシュレス化を前提に設計されているといっていいでしょう。キャッシュレス社会になって、新しいビジネスを考える際のボトルネックが格段に少なくなったのです。

証券コンソーシアム設立の狙い

分散台帳技術の活用は、銀行だけではありません。当社は二〇一八年四月に証券コンソーシアムを発足させました。

現在、株取引の八割はネットで行われています。ネットでユーザーが株の売買をするには、まず証券会社のサイトにログインしなければなりません。その際、本人確認として、ＩＤやパスワードの入力を求められますが、株取引では時に巨額のお金が動くというのに、そんな認証で果たしていいのでしょうか。

また、相場をみて急に株の売買を行いたくなったとき、ＩＤやパスワードを忘れてしまったらログインできません。証券会社に電話しても、電話口で本人であることを証明するのは難しく、後で郵送で伝えるということになりますが、これではタイミングを逃してしまうことになります。そもそもコールセンターが開いている時間が限られている上、混雑時にはなかなか電話がつながりません。

そこで、分散台帳技術や生体認証、人工知能などの先端技術を活用して新たなインフラを構築し、ユーザーがストレスや不利益を被らなくてすむようにするのが、証券コンソーシアム立ち上げの目的です。

もちろん一社だけでなく、業界全体で情報を共有しながら行うことが必要であり、現在のところ証券会社を中心に三五社が参加しています。

同様に、カード業界のコンソーシアムも発足させ、こちらは各社と共同で実証実験を行っているところです。

【質疑応答】

Q1 海外送金をする場合、個人的には銀行に限らずいちばん使いやすいサービスを選びたいと考えているが、リップルのモデルだと、使えるのは銀行に限定されてしまうのか。

沖田 現在リップルは銀行向けにビジネスを行っていますが、実は銀行以外の送金事業者とも同様の実証実験を進めていて、すでに一部はマスコミに発表しています。

たしかにリップルの顧客は銀行が多いのですが、銀行だけに特化したテクノロジーではなく、事業会社どうしの台帳をつなぐのに技術的問題はありません。ビジネスの時間軸の問題であり、最初は銀行間で行い、徐々に適用範囲を広げていくことになると思います。

Q2　日本でキャッシュレス化が進まない理由のひとつに、クレジットカード会社に支払う加盟店手数料が三～四％と高いということがあるのではないか。リップルでは手数料をどう考えているのか。

沖田　たしかに商工会の人たちに話をうかがってみると、カードの加盟店手数料が高い、読み取り端末の値段が高い、振り込まれるまで時間がかかるという三重苦が耐え難いということがあります。一方、中国の「アリペイ」であれば、店はＱＲコードを印刷して店頭に貼っておけば、あとは買い物をしたユーザーがそれをスマートフォンで読み取って瞬時に決済が済むので、端末も要らなければ送金手数料もかかりません。

そこで、私たちがインフラをつくる際は、「一件あたりいくら」というコストがかからないようにしています。ただし、最終的な価格決定権は銀行がもっているので、そこは銀行の判断となります。

Q3　インフラをつくる際に、高速データ転送サービスの会社との協業も行っているのか。

沖田　取引スピードの短縮に関しては、当社の技術で十分対応できています。

Q4　ＸＲＰもビットコインと同じようなマイニング（新たなブロックを生成し、その報酬として仮想通貨を手に入れる行為）の仕方をしているのか。

沖田　ＸＲＰはマイニングを行っていません。参加者の誰もがノード（線と線の結び目を表す言葉で、ネットワークの接点、分岐点や中継点などのこと）をつくることができるため、ひとつの問題をみんなで解き、解けた人がマイニングの権利を手にする。これがビットコインのマイニングの仕組みです。この発想自体は美しいですが、実際には大規模なマイナーカンパニーがその権利をほとんど握ってしまっています。

ＸＲＰは、参加者の誰もがノードをつくることができる一方で、取引の確定については、マイクロソフトやＭＩＴ（マサチューセッツ工科大学）といった、比較的公共性の高い団体が専用のノードを立て、そこで処理を行うという仕組みです。

Q5　ＲＣクラウドをベースとした新しいネットワークを、銀行のコンソーシアムとして立ち上げたということだが、銀行のネットワークにはクローズド（閉鎖的）という印象がある。たとえば、技術的にはどこまで開放していくのか。

沖田　内外為替一元化コンソーシアムに参加しているのは銀行だけですが、基盤技術はすでにオープンなものです。したがって、日本では事業会社がこの技術を使って送金を行っているし、海外でも増えています。

Q6　「アリペイ」や「ウィーチャットペイ」のように、一度サービスの口座にチャージしてそこから引き落とされるよりも、銀行の預金口座から直接デビット(引き落とし)できるほうが圧倒的に利便性は高いと思うが、銀行のコンソーシアムとしてはそれは難しいのか。

沖田　そんなことはありません。先ほども述べたように技術的にはオープンにしていますし、銀行はそれほど頑なではないので、ビジネスモデルはその方向に進んでいくはずです。

(二〇一八年五月二五日「熱海せかいえ」にて収録)

第五章

ビッグデータとAIがもたらすフィンテックへの影響

森 正弥

PROFILE

森 正弥

Masaya Mori

楽天株式会社 執行役員、楽天技術研究所 代表、
楽天生命技術ラボ 所長(いずれも講演当時)
1998年、アクセンチュア株式会社に入社。2006年、楽天株式会社に入社。現在、同社執行役員兼楽天技術研究所代表として、東京・ニューヨーク・ボストン・パリ・シンガポールの世界6拠点の統括およびAI・データサイエンティスト戦略に従事。情報処理学会アドバイザリーボードメンバー。企業情報化協会常任幹事およびビッグデータコンソーシアム副委員長。過去に、経済産業省技術開発プロジェクト評価委員、CIO育成委員会委員等を歴任。2013年、日経BP社 IT Proにて、「世界を元気にする100人」に、日経産業新聞にて「40人の異才」に選出。著書に『ビッグデータ・マネジメント』(NTS社、共著)、『ウェブ大変化 パワーシフトの始まり』(近代セールス社)がある。

AIで押さえておきたい二つのキーワード

ＡＩを支える技術のひとつ「ディープラーニング（深層学習）」は、実は一九六〇年代から論文が存在している古い技術です。それが二〇一二年になり、とてつもないポテンシャルを発揮することが発見されると、俄然注目が集まりはじめました。それが、現在の第三次ＡＩブームです。

実際、ディープラーニングには、現在の業務プロセスを軒並みひっくり返す力があり、すでにディープラーニングで業務プロセスの転換を始めている組織も出てきています。

とにかく、「これからはＡＩを使わないと生き残っていけなくなる」といっても過言ではありません。その理由をこれから説明していきます。

その前に、ぜひ覚えておいていただきたい二つのキーワードについて触れておきます。

1. GAN（Generative Adversarial Network　敵対的生成ネットワーク）

画像認識や音声認識、機械翻訳などあらゆる分野で、ディープラーニングの精度は飛躍的に向上しています。たとえば、グーグルの子会社が開発した「AlphaGo」は、二〇一五年に史上最強といわれていた人間のプロ囲碁棋士を破りました。しかし、そのプログラムも、アップデートされた新しいバージョンの「AlphaGo Zero」には一〇〇回対局しても一度も勝てないようになりました。つまり、ディープラーニングはすでに人類が永遠に到達できない領域にまで進化しているのです。

その一方、ディープラーニングを進化させるには、数百万、数千万という大量のデータが必要となります。そうなると、たとえば食品加工工場でベルトコンベアで運ばれてくるジャガイモの不良品をディープラーニングでピックアップしたいと思った場合、不良品のジャガイモの画像を数百万、数千万そろえなければならず、現実的には難しいといえます。このように、AIは「適用できる範囲が限られている」と、これまでずっといわれてきました。

ところが、数年前にこれを覆すテクノロジーが出現しました。それがGANです。

簡単にいうと、GANとは、データをつくり出すAIです。これを応用することでディープラーニングに必要なデータをつくってしまうことができます。このGANの精度が非常に上がったため、先のジャガイモの加工工場のように、従来は「データが足りないからディープラーニングが使えない」といわれてきた領域でも、その恩恵を受けられるようになってきています。

2. Creative AI

AIには「データを学習して発見したパターンを正確に繰り返す」というイメージがありま

すが、繰り返しではなく、特定分野において専門的な知識が不可欠で、かつ経済的に価値のあるコンテンツを生み出すのが「Creative AI」です。

すでに芸術の世界では、「絵を描く」「作曲をする」「映画の脚本を書く」などを行う「Creative AI」が出てきています。報道の領域でも、『日本経済新聞』でAI記者が決算発表の記事を書いて話題になりました。

このように、「データがなければAIは動かない」「創造性は人間の仕事」という、これまでの常識が通用しなくなってきているのが、今なのです。

楽天技術研究所について

私が統括している楽天技術研究所は、東京、ニューヨーク、ボストンなど世界六カ国に九カ所の拠点を構え、全部で一四〇名以上のコンピュータサイエンス研究者が働く、楽天グループの事業とは独立した戦略的R&D組織です。

私たちのポリシーは「研究者の問題意識・関心、やりたいことに基づいた研究の推進」です。また、「未来を予測できた企業や組織は存在しない」という事実を前提に、「自分たちで破壊的技術を生み出す」ことをテーマに活動しています。

たとえば、二〇一六年に株式会社自律制御システム研究所のドローンに、当社の開発した画像認識技術や制御技術を搭載して、世界で初めて「ドローンデリバリー」を開始しました。

それから、楽天のフリマアプリ（フリーマーケットのように、オンライン上で個人間による物品の売買を行えるスマートフォン用のアプリ）「ラクマ」にも、当研究所の画像認識技術が使われています。これにより、フリマに出品する商品の写真を撮るだけで、AIがその瞬間にその商品が何であるかをサジェスチョンすることが可能になりました。

この画像認識技術に関しては、おもしろい話があります。ディープラーニングに社会の注目が集まった二〇一二年、ファッションアイテムの認識をAIにさせたところ、「レディース・トップスのニットセーターである確率が九七・七％」「キッズ・ベビーの九五センチッツーウェイオールである確率が九九・四％」「バッグ・小物アクセサリーのレディース時計の確率が九五・六％」という、ものすごい精度を発揮しました。

ところが、この精度をさらに上げようと、事前にデータのフォーマットをそろえ、データからゴミを取り除くなどの前作業を行ったところ、かえって成績が悪くなったのです。その理由はこういうことです。ディープラーニングでは、非常に高度な学習が行われるので、ゴミはゴミとしてきちんと認識されます。しかし、意図的にゴミを取り除いて無菌状態のデータにしてしまうと、それは現実状態ではないため、AIはうまく処理できなくなってしまうのです。

それまでAIは「データを整える前作業が八割」といわれていました。しかし、二〇一二年以降は、そんなことをせずに生のデータをそのまま渡して、「余った時間はその後の作業に費やすべし」という新たなアプローチが可能となったのです。

その他の楽天技術研究所の成果のひとつに、機械翻訳があります。その精度は、テレビドラマにおいては世界ナンバーワンです。現在も、アジアのテレビ番組や映画をオンラインで視聴できるビデオ・音楽ストリーミングサイト「Viki」に、ディープラーニングによる機械翻訳で八言語の字幕をリリースしています。

グローバルに広がる、楽天のAI研究開発体制

楽天技術研究所は、二〇〇八年四月にシリコンバレーにおける「Creative AI」研究の拠点として「楽天技術研究所 San Mateo」を開設しました。

そのほか、AIに関しては、シンガポール科学技術庁と共同で、AI人材を育成するグローバルなプログラムを展開しています。それから、AI研究の第一人者であるスタンフォード大学のダン・ジュラフスキー教授、MIT(マサチューセッツ工科大学)のレジーナ・バージレイ教授と、それぞれAI・言語処理で共同研究を行っています。

また、筑波大学では、共同研究ラボをキャンパス内に設けて、三〇名ほどの学生とともに「AIを現実世界でどのように活用していくか」というテーマで活動しています。

二〇一七年には、楽天技術研究所のさまざまなAI技術を「InsurTech(インシュアテック)」

の領域に応用していく組織として、楽天生命技術ラボを設立しました。さらに、二〇一八年五月には、「遺伝子ラボ」を立ち上げ、遺伝子データをＡＩを使って分析していく研究を始めています。

なぜ楽天はそこまでＡＩに力を入れているのでしょうか。その答えは「もはや企業はＡＩ活用なしに生きていけない」という問題意識が私たちにあるからです。

ＡＩを使った素人が専門家を負かす時代が到来

現実をみてください。「ＡＩの性能や精度が高くなることで、専門家が負けていく」という現象がさまざまな場面で起こっているではありませんか。

非常にわかりやすい例として、競馬ハッカソンの話をしましょう。

楽天は競馬事業も行っていて、主に地方競馬の馬券購入システムの開発などを行っています。その競馬事業部が、地方競馬を盛り上げ、イノベーションにつながるような新しいサービスや企画、あるいはアプリケーションを競うハッカソン（ソフトウェア開発分野のプログラマーやグラフィックデザイナー、ユーザーインターフェース設計者、プロジェクトマネージャーらが集中的に作業をするソフトウェア関連プロジェクトのイベント）を、二〇一五年一一月に開催しました。ちなみに、ハッカソンとは「ハック（プログラミング）」とマラソンを組み合わせたＩＴ業界の造語です。

社外から若手の社会人や学生五〇人を集め、その場で九つのチームをつくり、企画を考えて発表してもらうという内容です。審査員には有名競馬コメンテーターの方たちにも入っていただきました。

ハッカソンは二日間にわたって行われ、出てきた企画にはスマートフォンのパーティゲームやSNSとの連動、なかには自分の顔写真をアップしたらそれに似た馬を紹介するといったユニークなものもありました。個人的には、いくつかのチームがAI技術を活用していたのが印象的でした。

終了後は全員で大井競馬場に移動して懇親会です。そこで余興のひとつとして、みんなで勝ち馬を予想しようということになりました。そのとき、ハッカソンに参加したチームのひとつが、競馬事業部のメンバーや有名競馬コメンテーターを抑えて、驚異の的中率で圧勝したのです。

彼らは、ハッカソンで勝ち馬の予想アプリをつくり、それを初めて実戦で使ったのですが、驚くことに競馬に関してほとんど素人同然でした。その代わり、AIに精通していたため、AIの「集合学習」という手法を用いてプログラムをつくり、そこにデータを入れていったら、端から的中していったのでした。

普通の学生がAIを使ってつくったアプリが、エキスパートの能力を軽々と超えてしまったというわけです。これと似たような状況が、AIの性能や精度が格段に高まった昨今、いろいろ

図1

ロングテール

●ロングテール現象はインターネットのさまざまに見られる
●もはやどの商品が売れるかというのは誰にもわからなくなった
●人手で分析するのには限界がある

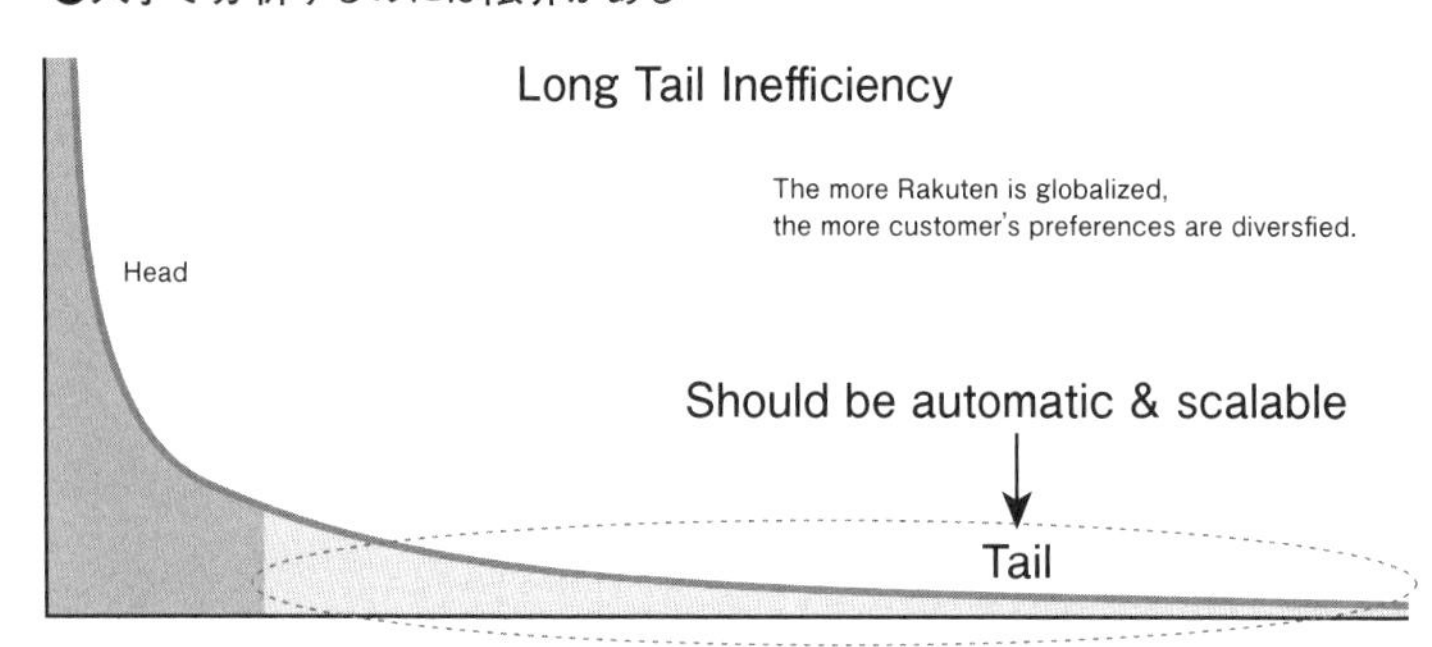

Long Tail Inefficiency
The more Rakuten is globalized,
the more customer's preferences are diversfied.
Head
Should be automatic & scalable
Tail

Ⓒ楽天

なところで当たり前のように起こっています。

「個別化」する消費者

それから、「人類（消費者）が〝個別化〟している」という事実も、やはり「専門家が負けていく」という問題と深くかかわっています。そこで私たちが注目しているのが、「ロングテール現象」です。

ロングテールとは、ユーザーの行動データの分布に関する仮説として二〇〇一年に提唱されました。その後、慶應大学の井庭崇教授と楽天技術研究所が共同研究を行い、二〇〇八年にデータを用いてその実証をしました。

たとえば、グラフの縦軸に商品の販売量、

横軸にその商品の売上順位をとると、あまり売れない商品が、恐竜の尻尾（テール）のように右側に長く伸びるので、「ロングテール」と呼ばれている（図1）のですが、実は横軸の長さがあまりに長いため、真のロングテールのグラフは誰もみたことがないといわれています。

「ロングテール」という概念が明らかになる以前は、イタリアの経済学者ヴィルフレド・パレートが発見した「パレートの法則」がよく知られていました。これは「八〇対二〇の法則」とも呼ばれており、「総売上の八〇％は二〇％の商品がつくる」といった分布のことです。経済以外にもいろいろなことに当てはまるといわれています。

これに対しロングテールは、「グラフの右側に伸びる小さい売上を足し合わせると、売上全体の九〇％を構成する」という新しい分布の概念です。ただし、売れている商品といってもそれは売上全体からみたら数パーセントにすぎず、「総売上を増やすためには、テール部分を動かすソリューションが必要である」というロングテールの考え方は、私たちの直感とはかなり乖離しています。

たとえば、次のローマ教皇を決めるコンクラーベ（教皇選挙）が行われているバチカンの様子を違う時期に撮影した二つの写真があります。同じ状況下で同じ場所で撮られた写真ですが、そこに集まっている人たちは、集団としては別物であるといっていいでしょう。

二〇〇五年に撮影された写真では、集団全員が同じように、結果が発表される瞬間を固唾をのんで見守っています。ところが二〇一三年に撮影された写真では、そうではありません。皆が同じところにいながら、それぞれが勝手にフェイスブックやインスタグラムに載せるための写真を撮ったり、ＬＩＮＥで友人と会話したり、ツイッターでつぶやいたり、ユーチューブに投稿したり、コンクラーベについてグーグルで検索したりしていることが容易に想像できます。つまり、二〇一三年の彼らは、どこにいようと、常に世界中の人や知識とつながっているのです。

人々の行動もロングテール化

「Center for Advanced Study in Behavioral Sciences（ＣＡＳＢＳ）」という行動科学の学会が、第二次世界大戦以降、スタンフォード大学で毎年開かれています。基本的なテーマはリーダー分析や組織分析ですが、私が参加した二〇一二年は、ある種絶望的な空気に包まれていました。理由は、その前年に起きた「Occupy Wall Street（ウォール街を占拠せよ）」現象です。

二〇一一年の秋から冬にかけてアメリカ・ニューヨークのウォール街では、世界の富の大部分を一％の富裕層が独占していることに抗議する若者たちが集結、「We are the 99%」をスローガンに、デモを行ったり、路上に座り込んだりしました。

ＣＡＳＢＳが絶望感に苛まれたのは、「Occupy Wall Street」を起こした集団を、従来の学術的な分析アプローチでは説明することがとても困難だったからです。これまでだったらどんな組織や集団も、背景にあるイデオロギー、構造や体制、構成員の役割分担、意思決定プロセス、お金の流れなどを調査分析すれば、ある程度理解できました。

ところが、「Occupy Wall Street」の集団はそうではありませんでした。意識の高い西欧諸国の人々が多数を占めているのでもなければ、非正規雇用の人々の比率が高いわけでもない。特定の宗教の影響を受けているようにもみえない。人種も正規非正規の割合も宗教の分布も、なにもかもが世界の標準値だったのです。

それなのに、あのような集団が誕生し、なおかつ組織的な動きが起こったので、「これまでの組織分析の手法は何だったのだ」と、学者たちはみな頭を抱えてしまったのです。

最終的にCASBSは、「インターネットやスマートフォンのせいで、空間や時間の制約がなくなり、誰もがいつどこにいても世界とつながるようになったため、グローバルとローカルに差がなくなった」と結論づけました。さらに、「今後は一〇〇万人の集団を理解するためには、その中にいる一人ひとりのデータを把握しなければならず、それが可能な手法をもつべきである」という結論に至ったのです。

まさに世界は個別化し、人々の行動もロングテール化しているといえます。

顧客も商品もロングテール

ロングテール化は楽天市場でも実感することができます。

楽天市場で扱っている商材は約二億点あります。その中に本物の甲冑があり、一体二〇〇万〜三〇〇万円します。「こんなものいったい誰が買うのだろう」と普通は思いますが、実際には六カ月先まで予約がいっぱいです。

次に、和歌山県の飛び地である北山村の名産である「じゃばら」という柑橘系の果物は、知名度もなく味も非常に独特なものであったため、いったんは営業が楽天市場で扱うのを断ったほどでした。しかし、生産者の方の熱意がすごかったので、押し切られるかたちで扱ったところ注文が殺到し、簡単に手に入らない人気アイテムになりました。

他にも、静岡県の「おいもや」が販売する干し芋は、売り出すと一〇〇〇袋や一五〇〇袋がわずか一分で完売する人気商品です。

これらの事例から非常に重要な教訓が読み取れます。たとえば、これまでなら商品企画の会議で若手社員が「甲冑やじゃばら、干し芋を売りましょう」と提案しても、「そんなもの誰が買うんだ」「お前がお客さんだったらほしいと思うか」と上司から一蹴されて終わりだったでしょう。でも、実際にはどれも売れています。つまり、甲冑であれば各県にひとり熱狂的なマニアがいたら、それでビジネスが成り立つのです。これこそがまさに「ロングテール」です。インターネットとは、そういう世界なのです。

新しい「情報の非対称性」

新しい「情報の非対称性」の登場も、専門家が負けていく要因のひとつです。

「市場では需要と供給で価格が決まる」

これはアダム・スミスが提唱した古典経済学の根本的な原理です。

ところが、一九〇〇年以降に登場した近代経済学は、そもそも価格は需要と供給が一致するところで決まっていないのではないかと、これを批判しました。その理由が情報の非対称性です。

アダム・スミスの主張は「売り手も買い手も同じ情報をもっている」ことが前提となっています。でも、現実には、売り手のほうがより多くの情報をもっているため、悪い商品が市場で選ばれる「逆選択」や「市場の失敗」という現象が起こることを避けられません。したがって、「いい商品は常に市場から締め出される運命にあり、それを防ぐためには公正取引委員会のような行政の目が必要なのだ」といわれています。

そして、二〇〇〇年以降に出てきたのが、新しい「情報の非対称性」です。これはひと言でいうと、「売り手よりも買い手のほうがたくさん情報をもっている」という現象です。

たとえば、ある人が一〇万人にひとりや、一〇〇万人にひとりの難病にかかったとします。おそらく彼は、友人知人に直接聞いたり、SNSで尋ねたり、インターネットで調べたりと、ありとあらゆることをして、その病気に関する情報を集めるはずです。もし情報が海外の論文にしか存在しなければ、インターネットの翻訳機能を使ってでもその内容を知ろうとするに違いありません。

そんな彼が大学病院で医者と話をすると、「この病気のことは十中八九自分のほうが詳しい」と思うはずです。それは当然です。医者は毎日いろいろな病気の人を次から次へと診なければならず、一〇万人や一〇〇万人にひとりしかかからない病気のことを調べるためだけに、時間を費やしてなどいられないからです。

あるいは、カメラマニアを自称するような人なら、家電量販店のカメラ売り場の店員と話していて、「自分のほうが詳しい」と感じることが多いと思います。

このように、インターネットが登場してから、取引の内容により重大性を感じているほうが、相手より多くの情報をもつことが普通のことになりました。売り手と買い手でいえば、お金を払う買い手のほうがよりシリアス（真剣）なので、「情報量が多いのは買い手側」という逆転現象が生まれたのです。

ロングテールの時代には、お客様が一〇〇万人いれば、そこには一〇〇万とおりの重大事が存在します。では、どうやって売り手である企業はそんな状況に対応していけばいいのでしょうか。

「ＡＩを使う」。これが、私たちの結論です。

AIがもたらす新しい金融サービス

ＡＩによりどのようなサービスを実現するのか。

金融ビジネスであれば、お客様と接するインターフェイスのところでＡＩを使い、一人ひとりの重大事に対応できるサービスを用意することが考えられます。人と直接話したい人もいれば、コンピュータとのやり取りのほうが気を遣わなくていいという人もいます。ほかにもスマートフォンだけですませたい人、電話のほうが使いやすい人など、お客様の希望するチャネルは少なくありません。

そこでＡＳＲ（音声認識）や文字認識、チャットボット（テキストや音声を通じて会話を自動的に行うプログラム）など、高度化したＡＩのソリューションを入れてチャネルを拡大していくのです。同じことを人力でやろうとすると、コストばかりが跳ね上がってしまいます。その点、ＡＩを使えばコストを上げずにチャネルを増やせるというわけです。

バックエンドのほうでは、ＡＩでいかにパーソナライズされたサービスを実現できるかが重要になってきます。また、一〇〇万人いたら一〇〇万とおりの重大事の中には、不正もたくさんあると思うので、ＡＩでこれを検知します。

それから、与信です。これまでは「持ち家でない人にはお金を貸さない」といった、かなりざっくりした与信が行われていましたが、ビッグデータを利用したＡＩによる与信なら、もっと細かくお客様の希望に応えることができるようになります。

たとえば、楽天生命保険ではＡＩ化を進めていて、そこでは生命保険では初となるチャットやビデオチャットというチャネルも採用しています。

また、パスワードを忘れてしまった人や、覚えていても入力したくない人が、お客様の中には少なからずいるので、将来的には本人確認の手段として、ＡＩによる音声認証や顔認証も視野に入れています。

それから、本人確認書類として送られてくる免許証には、偽造されたものがたまにあるため、ＡＩで本物と偽物を識別する仕組みも開発中です。

マーケティングにおけるＡＩの活用

ターゲティングのほうでは、潜在顧客を見つけるというソリューションにディープラーニングが活用できます（次ページ図2）。

当社ではこのほど、ビッグデータを分析して消費行動を理解し、マーケティングソリューションに活用することができるＡＩエージェント「Rakuten AIris（楽天アイリス）」を開発しました。

これを使うとコンビニでビールを売っていない楽天でも「コンビニでビールを買うような三〇代

図2

ディープラーニングを活用した潜在顧客抽出

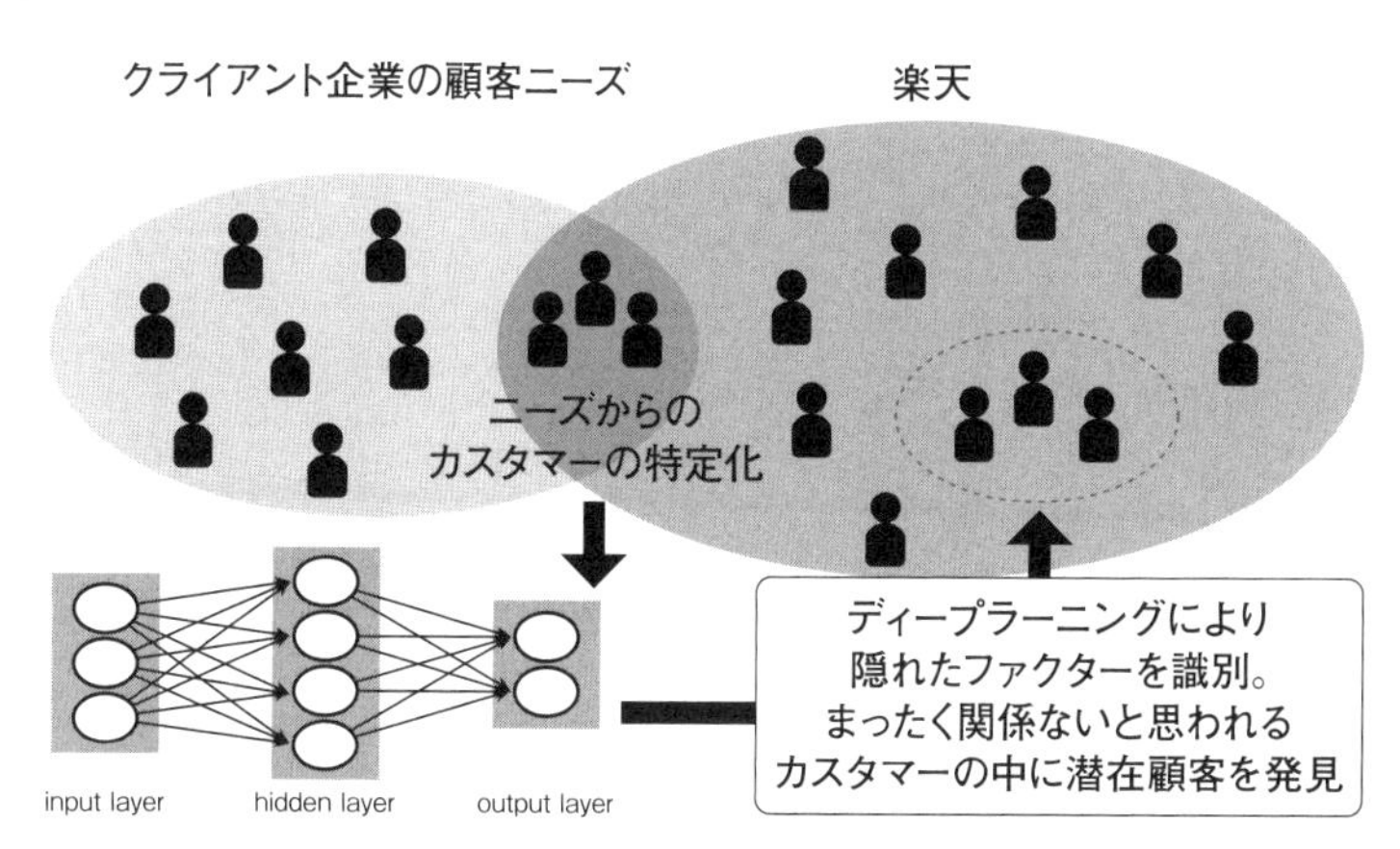
クライアント企業の顧客ニーズ
楽天
ニーズからの
カスタマーの特定化
ディープラーニングにより
隠れたファクターを識別。
まったく関係ないと思われる
カスタマーの中に潜在顧客を発見
input layer
hidden layer
output layer

©楽天

の男性」という潜在顧客をかなりの精度で抽出することができるようになります。これはディープラーニングを使うのですが、ファクターを足したり掛けたり割ったり無茶苦茶に計算するので、出てきた結果を人がみても「なぜ、このお客様が選ばれたのかわからない」のが普通です。しかしながら、成果は確実に出ます。

これは、インターネットの広告配信にも適用が可能で、実際に、業界スタンダードのソリューションを上回るパフォーマンスを出しています（次ページ図3）。

広がるＡＩの活用

ＡＩに関して、世界はさらに進んでいます。たとえば、中国のアリババは広告のコ

図3

Deep Learningを活用した潜在顧客抽出

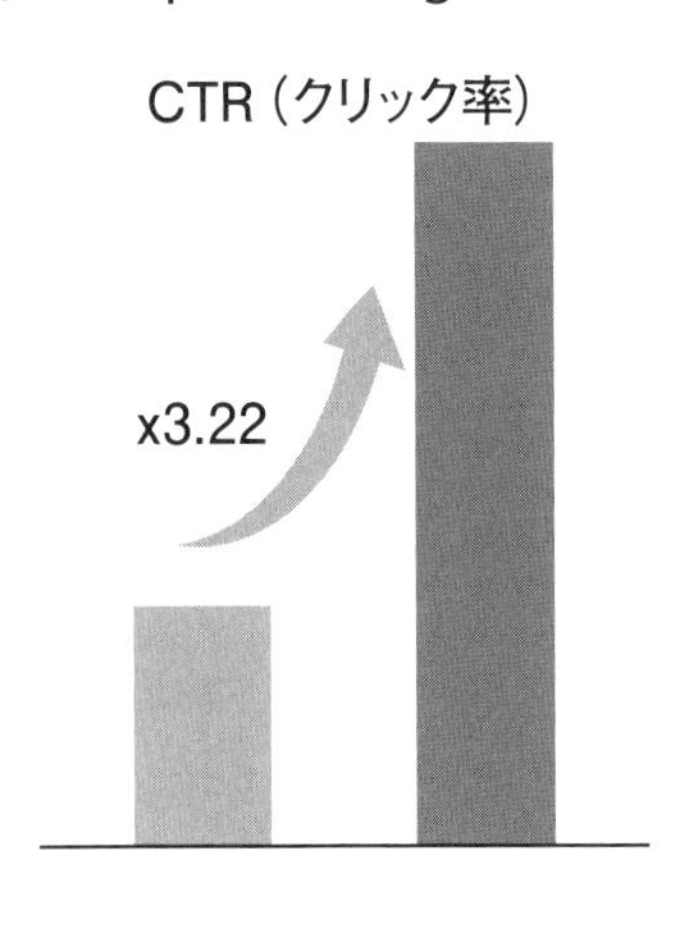

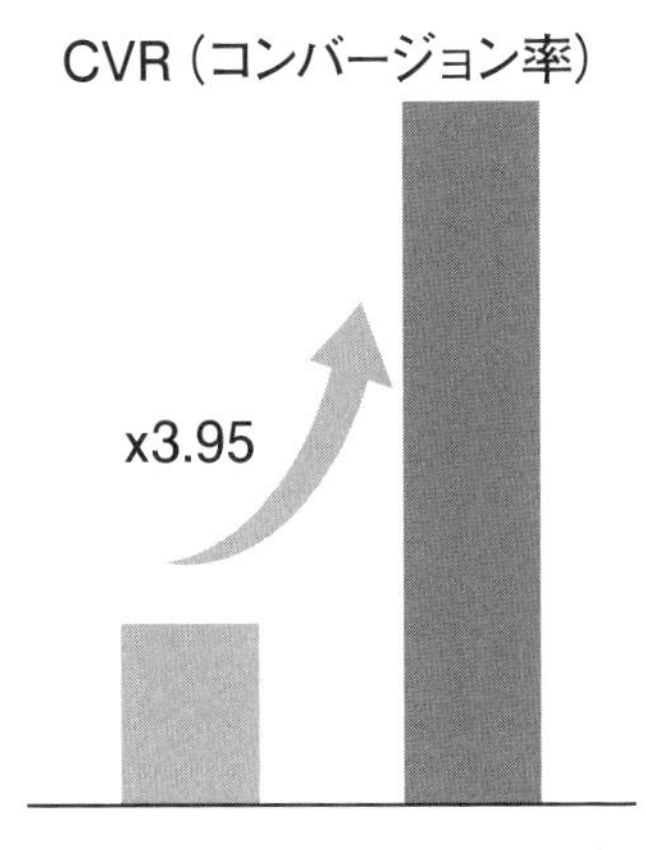

©楽天

ンテンツを自動的につくる「LuBan（ルバン）」というＡＩのシステムを開発しています。どのようなキャッチコピーをどんな文字でどのようにレイアウトするか、色はどうするか、背景には何を選ぶかといったことをＡＩが全部判断し、広告のコンテンツを自動的につくってしまうのです。

楽天技術研究所も現在、ＡＩ研究の第一人者であるスタンフォード大学のダン・ジュラフスキー教授と共同で、クリエイティブなコンテンツをつくり出すＡＩを開発しています。それは、商品のスペックを入力すると、ＡＩが最適な商品説明文を自動的に生成するというものです。

その際、使うのは売り手側の用意した情報だけでなく、私たちがもっているお客様が書いた膨大な商品のレビューも含まれています。つまり、生成された商品説明文には、お客様の視点や評価も加味されているのです。

また、お客様がその説明文を何を使って読むのか、パソコンかスマートフォンか、それともＡＩスピーカーを通して音声で聞くのか、そこまで考慮してそれぞれ表現を変えています。

金融においては「不正を見抜く」というのも重要なテーマで、ビッグデータやＡＩは不正検知にも威力を発揮します。

たとえば私たちは「即日アカウント開設」というように、申し込みプロセスを簡素化するために、免許証やパスポートの偽造を発見するＡＩの技術を活用しています。

不正な申し込みの発見。これは提出された氏名、住所、名前、年齢、職業などのリストを過去の情報と照らし合わせ、ＡＩが不正な申し込みのパターンを摘出するというものです。

インターネットの不正アクセスを見破るという活用方法もあります。どのコンピュータからどのようなタイミングでログインしようとしているかをＡＩが分析して、このパターンは不正なアクセスであると検知したら即ブロックします。

また、悪意のある人たちはグループをつくって動くこともあります。たとえばこんな具合です。

オークションのようなＣtoＣのサービスにグループのひとりが出品し、別の仲間がそれを購入して「とてもいい商品でした。対応も迅速で信頼できます」といったレビューをアップします。これを何度か繰り返していると、出品者の評価が上がっていきます。そうしておいて、あるタイミングで一気に不正を働くというわけです。

しかし、これもＡＩが時系列でデータを分析すれば、直線的に評価が上がった後に突然静かになるというような、決まったパターンが必ずみつかるので、不正が行われるのを未然に防ぐことができます。

ＡＩが優良顧客をみつけてくれる

不正の検知ができるということは、逆に優良なお客様もみつけられるということです。そこで、私たちは楽天グループ内におけるお客様の行動情報や関係性などを分析して「クレディビリティ・スコアリング」というデータベースをつくっています。さらに、このスコアを融資の際の与信などに利用してもらうといったことも試みています。

私たちはお客様の検索履歴や、いつどんな商品をチェックしたかといった膨大なデータをもっています。これをＡＩにかけると隠れたニーズを発見することができるのです。

おもしろい例がステテコです。父の日のユーザーの動きと、ステテコを探す動きに明らかな相関が見つかりました。そこから、「どうやらステテコは、父の日用にしか買われていないらしい」ことがわかったのです。

楽天ではこのような技術をベースに、すべてを統合したプラットフォームをつくり、そこで二億点ある商材の需要を予測するシステムを稼働しています。さらに、これによって在庫や価格の最適化が可能になりました。

とくにこれはロングテールに強く、マイナー商品の販売予測、たとえば年間を通して売れるのは三〇個か、それとも四〇個かといった予測も、かなり正確にできるようになっています。また、「このユーザーは五〇円のディスカウントだと反応しないが、一〇〇円だと反応する」といった一人ひとりの価格感応性を分析した、価格の個別化もすでに視野に入れています。

景気予測も開始しました。内閣府が発表する景気動向指数の二カ月前に予想を発表して、誤差は〇・四%しかありませんでした。これも精度は非常に高いといえます。

AIにできないこともある

このようにAIの技術でさまざまなことができるようになっているのですが、AIを研究していくうちに、逆に「人間にしかできないことがある」ということもわかってきました。

たとえば、二〇一二年の段階では、アイドルグループ「AKB48」のCDの売上予測がAIにはまったくできませんでした。普通なら、音楽CDはひとりが買うのは一枚だけです。ところが、「AKB48」のCDにはメンバーと握手ができる握手券が付いていたので、ひとりで何枚も買う人が出てきました。もちろんそんなデータはそれまでなかったので、AIには予測できなかったのです。

このように、既存の商品に対する概念や枠組みを変えるようなアイデアや企画を考えることは、ＡＩにはできません。「AlphaGo」は、囲碁で人間の棋士に勝つことはできても、囲碁よりおもしろいゲームを考えることはできないのです。

つまり、枠があらかじめセッティングされていれば、ＡＩはその中にあるデータを使って、そこにいる一〇〇万人一人ひとりを理解することはできますが、そもそも枠をどうするか決めるのは、この先も人間の仕事なのです。

言葉を換えれば、これからのビジネスは、「人が枠組みを考え、ＡＩがその枠組みの中でビッグデータを処理していく」というかたちで進んでいく。私たちはそのように理解しています。

【質疑応答】

Q1　人間が枠を与え、AIがその枠の中で最適化する現在の状態を超える、いわゆる「シンギュラリティ」はこれからくるのか。くるならいつごろか。

森　「人の創造性とは何か」を考えていくと、「飽きる」ということが案外大事なような気がします。どんなにおもしろいゲームでも、ずっとやっていると飽きてきます。それが新しいものを創造する原動力になっているのは間違いありません。同様に「気持ち悪い」というのもそうです。この二つの感覚が解明できないかぎり、「コンピュータには人間と同じことができない」というのが私の意見です。

では、「飽きる」と「気持ち悪い」をコンピュータが理解するのはいつなのか。少し前までは二一〇〇年くらいまでは大丈夫だと思っていたのですが、ＡＩの進化の加速度が日に日に高まっている現状をみると、少し早まって二〇八〇年くらいになるかもしれません。

Q2　AIなしでは、企業は生きていけないことはよくわかった。AIを使ったシステムの構築を、誰に頼めばいいのか。また外部にお願いする際、自社のビジネスをどこまで正確に定義すればいいのか。

森　楽天技術研究所では、「ビジネス現場と一緒に研究計画を立案し、遂行していく」をポリシーにしています。研究者が自分たちだけで物事を進めることは認めていません。ビジネスパートナーと一緒に実験することで、生きたデータが使えるし、正確な研究結果を得ることもできるからです。

ただし、私たちのようにグループ内にＡＩの研究所がない場合、トピックを明確にしたら、あとはベンダーに丸投げでもいいと私は思います。今はベンダーもコンサルティング会社も、ディープラーニングのソリューションをそれなりにもっているので、かなり満足のいく対応をしてくれるはずです。

Q3　コンピュータのハードの性能はAI研究の成果に影響するのか。

森　影響はあります。なぜなら、ディープラーニングは、ものすごいコンピューティングパワーを必要とするからです。簡単にいうと、理論は同じでもデータの量が増えると、その分精度が上がります。実際、画像認識でも一〇〇万枚から一〇〇〇万枚と桁が変わった瞬間、一気に精度が跳ね上がりました。その後はデータ量の勝負で、今は一〇億万枚のレベルで競い合っています。そうなるとGPUを中心としたスーパーコンピュータクラスでないと、もう対処できません。ちなみに、フェイスブックは何千億円もするGPUベースのスーパーコンピュータをもっていて、それで顔写真の分析を行っています。しかし、日本にはそんなスケールのコンピュータを持っている企業はなく、顔のデータでは日本企業はフェイスブックに絶対勝てないのです。

Q4　「じゃばら」は当初楽天の営業が扱うのを断ったのに、結果としてヒット商品になった。もし今、人ではなくAIが審査をすると、「じゃばら」を売れる商品と判断し、すぐに採用すると思うか。

森　「おいしい果物」という枠組みでのAIの予測はかなり精度が上がっているので、今なら採用して、何個売れるかまで言い当てるはずです。ただ、それは「おいしい果物」という、既存の枠だからできるのであって、まったく新しいジャンルや買い方になると、AIでも判断はできません。

Q5　楽天イーグルスの強化にもＡＩが利用されているのか。

森　ＡＩで他チームのデータ分析のようなことは、どの球団でもすでに行っています。しかし、今はルール上、ベンチに入ったらスマートフォンなどをいっさいみてはいけないことになっているので、まだまだ効果は限定的です。

Q6　最近研究所を中国の大連と上海にも設立したということだが、なぜ深圳や北京ではないのか。

森　ものづくりやＩｏＴを考えたら深圳がベストなのでしょうが、インターネット関連で優秀な人材が集まっているのは上海です。テンセント、バイドゥといったインターネット大手のリサーチエンジニアが多いのも上海で、日本のインターネット企業がオフィスを構えるのも、今はたいてい上海です。

それから、大連は日本語を話せる人材が多く、日本のマーケットを意識した開発に向いているといえます。

（二〇一八年五月二五日「熱海せかいえ」にて収録）

大前研一（おおまえ・けんいち）

早稲田大学卒業後、東京工業大学で修士号を、マサチューセッツ工科大学（MIT）で博士号を取得。日立製作所、マッキンゼー・アンド・カンパニーを経て、現在（株）ビジネス・ブレークスルー代表取締役会長、ビジネス・ブレークスルー大学学長。著書は、『「0から1」の発想術』『低欲望社会「大志なき時代」の新・国富論』（共に小学館）、『大前研一 稼ぐ力をつける「リカレント教育」』「日本の論点」シリーズ（小社刊）など多数ある。

「ボーダレス経済学と地域国家論」提唱者。マッキンゼー時代にはウォール・ストリート・ジャーナル紙のコントリビューティング・エディターとして、また、ハーバード・ビジネス・レビュー誌では経済のボーダレス化に伴う企業の国際化の問題、都市の発展を中心として広がっていく新しい地域国家の概念などについて継続的に論文を発表していた。

この功績により1987年にイタリア大統領よりピオマンズ賞を、1995年にはアメリカのノートルダム大学で名誉法学博士号を授与された。

英国エコノミスト誌は、現代世界の思想的リーダーとしてアメリカにはピーター・ドラッカー（故人）やトム・ピーターズが、アジアには大前研一がいるが、ヨーロッパ大陸にはそれに匹敵するグルー（思想的指導者）がいない、と書いた。

同誌の1993年グルー特集では世界のグルー17人の1人に、また1994年の特集では5人の中の1人として選ばれている。2005年の「Thinkers50」でも、アジア人として唯一、トップに名を連ねている。

2005年、『The Next Global Stage』がWharton School Publishingから出版される。発売当初から評判を呼び、すでに13カ国語以上の国で翻訳され、ベストセラーとなっている。

経営コンサルタントとしても各国で活躍しながら、日本の疲弊した政治システムの改革と真の生活者主権国家実現のために、新しい提案・コンセプトを提供し続けている。経営や経済に関する多くの著書が世界各地で読まれている。

趣味はスキューバダイビング、スキー、オフロードバイク、スノーモービル、クラリネット。

ジャネット夫人との間に二男。

大前研一
AI&フィンテック大全

「BBT×プレジデント」エグゼクティブセミナー選書　Vol.10

2020年3月31日　第1刷発行

著　者　大前研一
発行者　長坂嘉昭
発行所　株式会社プレジデント社
〒102-8641 東京都千代田区平河町2-16-1
平河町森タワー 13F
https://www.president.co.jp　https://presidentstore.jp/
電話　編集 (03) 3237-3732
販売 (03) 3237-3731

編集協力　政元竜彦　木村博之
構　成　山口雅之
編　集　渡邉 崇　田所陽一
販　売　桂木栄一　高橋 徹　川井田美景　森田 巌　末吉秀樹
撮　影　大沢尚芳
装　丁　秦 浩司
制　作　関 結香
印刷・製本　図書印刷株式会社

ISBN978-4-8334-2331-1
Printed in Japan
落丁・乱丁本はおとりかえいたします。